LOS ÚLTIMOS

SERIE NEGRA

HANNA JAMESON

LOS ÚLTIMOS

Traducción de
Pilar de la Peña Minguell

RBA

Título original inglés: *The Last.*
Autora: Hanna Jameson.

© Hanna Jameson, 2019.
© de la traducción: Pilar de la Peña Minguell, 2019.
© de esta edición: RBA Libros, S.A., 2019.
Avda. Diagonal, 189 - 08018 Barcelona.
rbalibros.com

Primera edición: junio de 2019.

REF.: OBFI287
ISBN: 978-84-9187-241-2
DEPÓSITO LEGAL: B. 13.240-2019

PLECA DIGITAL · PREIMPRESIÓN

Impreso en España · *Printed in Spain*

EN MEMORIA DE LEE

Siempre se renovarán los enemigos dispuestos a destrozar, poco a poco, nuestro hermoso mundo, como si se tratara de las ruinas de una civilización antigua por entre cuyos muros medio derruidos silban el viento y la lluvia. Cada día se desgajará un nuevo pedazo, hasta que solo un montón de piedras señale el lugar donde una vez, en tiempos mejores, estuvo. Mientras, nosotros participamos en ese juego cruel, pues creemos que podremos reconducirlo. Me entristece pensar en cuál será el final.

HANS KEILSON,
La muerte del adversario

*Anotaciones desde
L'Hôtel Sixième, Suiza*

Día 3

Nadia me contó, en una ocasión, que pasaba las noches en vela pensando en que algún día llegaría a enterarse del fin del mundo por medio de una notificación en el móvil. Aunque no fue precisamente el célebre discurso de Kennedy sobre la espada de Damocles, recuerdo ese momento palabra por palabra.

A mí me pasó justo hace tres días, mientras disfrutaba de un desayuno de cortesía.

Estaba sentado junto a la ventana, contemplando el bosque invasor, así como el sendero despejado que bordeaba el edificio y conducía al aparcamiento de la parte trasera.

Había un murmullo de fondo, de varias parejas y de una o dos familias que se marchaban temprano del hotel, pero yo era el más madrugador de los asistentes al congreso. Aunque la noche anterior nos habíamos quedado bebiendo hasta tarde, había procurado no alterar mi rutina, por mucho que me fastidiara.

No estaba previsto que nos alojáramos en ese hotel: el congreso iba a celebrarse en un lugar situado un poco más cerca de Zúrich, más al norte, pero ocho meses antes se había producido un incendio en el establecimiento elegido. El traslado se organizó sin grandes complicaciones a L'Hôtel Sixième, del que habíamos comentado en broma que se hallaba en medio de la nada y que era un tostón llegar hasta allí.

Yo estaba leyendo el primer capítulo de *En qué consiste el fotorreconocimiento: evolución jurídica y operativa del espionaje aéreo* y tomando notas para una serie de ponencias que iba a impartir, con el móvil en silencio.

Junto a mí, un zumo de naranja a mi izquierda y un café solo. Había derramado un poco de café en el mantel tras bebérmelo deprisa para que me rellenaran la taza. Esperaba a que me trajeran unos huevos Benedict.

Lo que más me apena es lo trivial de la situación.

Nadia me había mandado su último mensaje de texto a las once y media de la noche. Decía: «Me parece que mis compañeros de profesión están haciendo más mal que bien. ¿Cómo puede seguir gustándole esto a alguien? Te echo muchísimo de menos: tú siempre sabes qué decirme cuando estoy así. Me siento mal por cómo lo dejamos. Te quiero».

No respondí a su crisis de fe porque pensé que mi tardanza no le extrañaría. Ella sabía que por la diferencia horaria probablemente ya estuviera durmiendo. Quería meditarlo y contestarle algo prudente y tranquilizador por la mañana: que aún era necesario un periodismo de excelencia, que todavía podía mejorar las cosas... Algo por el estilo. A lo mejor era preferible que le mandara un correo electrónico.

Todos pensábamos que teníamos tiempo. Ahora ya no podemos enviar correos electrónicos.

Un ruido extraño estalló en una de las mesas cercanas, un aspaviento agudo. Aquella mujer no dijo nada, solo gritó.

Levanté la mirada y la vi sentada con su pareja, supuse, observando el móvil.

Como todos los que estábamos en el comedor, pensé que se había emocionado con algún mensaje o alguna foto y retomé la lectura de mi libro. Pero, al cabo de pocos segundos, añadió:

—¡Han bombardeado Washington!

Yo ni siquiera había querido asistir al maldito congreso.

No recuerdo bien lo que sucedió en las horas siguientes, pero cuando empecé a indagar en el móvil, a mirar las notificaciones y consultar las redes sociales, vi que Nadia había acertado de pleno.

Había ocurrido tal y como ella temía. De hecho, los titulares son casi lo único que recuerdo ahora mismo.

ÚLTIMA HORA: ATAQUE NUCLEAR EN CURSO SOBRE WASHINGTON. SEGUIREMOS INFORMANDO.

ÚLTIMA HORA: LOS EXPERTOS CALCULAN UNAS DOSCIENTAS MIL VÍCTIMAS.

ÚLTIMA HORA: CONFIRMADO, EL PRESIDENTE Y SU EQUIPO ENTRE LOS FALLECIDOS POR LA EXPLOSIÓN NUCLEAR. A LA ESPERA DE MÁS INFORMACIÓN.

Luego llegaron imágenes aéreas, de Londres, y todos vimos, en tiempo real, cómo los edificios se desvanecían bajo la clásica columna de nubes. Eran las únicas imágenes disponibles, así que las vimos una y otra vez. No parecían ni mucho menos tan reales como los titulares. Puede que un exceso de películas sobre el tema nos hubiera insensibilizado a todos. Costaba creer que una ciudad entera pudiera evaporarse así, tan rápido, tan silenciosamente.

Cayó un avión a las afueras de Berlín, y solo supimos que dicha ciudad había desaparecido porque una de las pasajeras subió a internet un vídeo del desplome. Entraría polvo en los motores. No recuerdo lo que decía porque lloraba y no hablaba inglés. Seguramente se estaba despidiendo.

ÚLTIMA HORA: ESTALLA UNA BOMBA NUCLEAR EN WASHINGTON; SE TEME QUE HAYA CIENTOS DE MILES DE MUERTOS.

ÚLTIMA HORA: EL PRIMER MINISTRO CANADIENSE PIDE CALMA ANTE EL ATAQUE NUCLEAR EN ESTADOS UNIDOS.

ÚLTIMA HORA: ESTADOS UNIDOS SIN GOBIERNO MIENTRAS LA BOMBA NUCLEAR DEVASTA WASHINGTON.

A lo mejor debía considerarme afortunado de poder presenciar el fin del mundo por internet en lugar de tener que vivirlo, reaccionar a una explosión o a la sirena que la anunciara.

Nosotros aún no hemos desaparecido. Han pasado tres días e internet no funciona. Desde que me enteré de la noticia he estado encerrado en mi habitación, observando lo que alcanzo a ver del horizonte a través de mi ventana. Si pasa algo, haré lo que pueda por describirlo. Más allá del bosque diviso kilómetros y kilómetros, así que supongo que, cuando nos toque, recibiré algún aviso. Aunque tampoco tenga de quién despedirme aquí.

¿Cómo es posible que no respondiera al mensaje de Nadia? ¿Cómo pude pensar que aún tenía tiempo?

Día 6

Supongo que debería seguir anotándolo todo. Las nubes tienen un color extraño, pero puede que las vea así por la conmoción. A lo mejor son normales.

También he empezado a señalar los días que llevamos sin sol y sin lluvia. Ya van cinco.

La probabilidad de que se nos eche encima el fin del mundo parece menor ahora, pero como internet no funciona, ni tampoco hay cobertura móvil, ignoramos lo que está ocurriendo en el resto del mundo. En cualquier caso, ya no me paso el día mirando por la ventana. Tengo que comer.

He hablado con unos conocidos en el comedor, donde algunos empleados siguen sirviendo comidas, y me han dicho que tienen pensado marcharse a pie. Yo voy a esperar a que vengan a buscarnos o a que se haga público algún protocolo oficial de evacuación. Sin internet ni televisión no hay forma de saber cuándo será eso. Pero alguien vendrá.

Día 6 (2)

Lo que he escrito antes era mentira: sí quería venir al congreso. Me apetecía alejarme un poco de Nadia y de mis hijas. Sería absurdo mentir ahora, sabiendo que podría morir en cualquier momento.

Si alguna vez lees esto, Nadia: lo siento. Lo siento muchísimo. No tengo claro que vayan a venir a buscarnos.

Día 8

El tiempo sigue igual.

He ido a dar una vuelta por el hotel y me he encontrado con dos personas que se habían suicidado colgándose del hueco de la escalera. Dos hombres. No sé quiénes eran. Dylan, el jefe de seguridad del hotel, me ha ayudado a enterrarlos en el jardín. Otros huéspedes nos han acompañado con velas, a modo de funeral improvisado.

Cuando volvíamos del entierro le he preguntado a Dylan si vendría alguien a recogernos. Me ha dicho que no, que probablemente no, pero que no quería que cundiera el pánico. Mientras tanto, al menos mantenemos una especie de rutina. Bajamos a desayunar, a comer y luego nos encerramos en nuestras respectivas habitaciones.

Me pregunto si seguirá habiendo bombardeos, si alguno de ellos nos alcanzará. ¿No sería preferible? Es esa incertidumbre lo que llevo peor.

Hoy he caído en la cuenta de que puede que no vuelva a ver a Nadia, a Ruth, a Marion. Ni a mi padre y a su mujer, ni a mis alumnos, ni a mis amigos. Ni siquiera están ya mis compañeros de congreso. Se han ido.

Siento náuseas. No sé si por la radiactividad o por qué.

Día 18

De momento, la radiactividad no ha matado a nadie.

No van a venir a buscarnos. Está clarísimo que no habrá eva-cuación.

Dylan y un par de hombres más han salido esta mañana arma-dos con rifles de caza y han vuelto con un ciervo. Deduzco que pasaremos aquí un tiempo. He contado cuántos estábamos en el comedor a la hora del desayuno y somos veinticuatro. Hay, por lo menos, dos niños pequeños y una pareja de ancianos, uno de los cuales no oye nada.

¿Eso es todo? Me refiero para la humanidad. ¿Soy el único su-perviviente que toma notas sobre el fin del mundo? No estoy se-guro de si preferiría haber muerto.

Día 20

El tiempo no mejora.

Hay una médica en el hotel. Aún no sé cómo se llama.

Me he enterado de su existencia porque una mujer francesa se ha tirado por la escalera. Se ha atado los cordones de un zapato con los del otro y ha rodado escaleras abajo con su pequeña en brazos. Por desgracia, la doctora no ha podido salvar a la madre, pero la niña ha sobrevivido. Una pareja de japoneses ha estado cuidando de ella.

He mantenido otra conversación con Dylan. Está pensando en cortar la luz y el gas en los últimos pisos cuando termine esta semana. No sabe cuánto tardaremos en quedarnos sin suministro y prefiere reservar la electricidad para conservar la comida congelada en los próximos meses, y el gas para cocinar.

Hace un rato, mientras cenábamos, hemos votado la propuesta. Cuando Dylan ha expuesto el asunto de la comida, todos han secundado la decisión y se ha cortado la luz y el gas de todas nuestras habitaciones. Aun a principios de julio, lo primero que he notado ha sido el frío que hace ahora.

Día 21

Han muerto dos más. La pareja de ancianos ha saltado por la ventana de la última planta. Dadas las circunstancias, no se lo censuro, salvo por la odisea que supuso para nosotros tener que limpiarlos y enterrarlos.

Día 22

He observado que los huéspedes han empezado a charlar en las comidas. Hasta ahora nadie había hablado con nadie.

Creo que conozco a uno de ellos: una chica rubia. No tengo claro de qué, porque no estaba en el congreso. Que yo sepa, ella es el otro único estadounidense que queda, pero no hemos hablado. Parece que prefiere estar sola.

Hay un hombre, Patrick, que se aloja en mi planta. A veces corre por el pasillo y pasa por delante de mi puerta. Resulta algo desconcertante oírlo trotar en plena noche.

Día 26

Hoy, el joven barman australiano me ha dicho: «No es así como imaginaba que sería morir en una guerra nuclear, pero me alegro de que haya barra libre».

Día 27

Estoy seguro de que anoche oí a alguien tocar la guitarra. Fui a dar un paseo, aterrador aun a la luz de las velas, e intenté localizar la habitación de donde venía la música. No pude. De hecho, no encontré a nadie. Catorce plantas, casi mil habitaciones y no vi ni oí a una sola persona. Este sitio es mucho más grande de lo que pensaba. Me inquieta.

Querida Nadia:

Ya ha pasado un mes y supongo que jamás leerás esto. Ni siquie-ra sé si seguirás viva, pero, mientras haya una mínima esperan-za de que leas estas notas, quiero que sepas que te merecías algo mucho mejor que yo. Puede que hasta tú lo hayas visto claro al final.

Siento no estar a tu lado ni siquiera cuando se acaba el mundo. Llego tarde, ¡para variar! Nunca se me ha dado bien estar donde debo estar en el momento oportuno. Lamento que hayas tenido que soportar todos mis defectos. Todo lo que ad-miro en nuestras hijas lo han heredado de ti.

Por favor, mantente a salvo como puedas, el tiempo que sea posible.

Siento haber dado por supuesto que hubiera tiempo.

Te quiero. No dejaré de hacerlo. Te prometo que, aunque no sea en esta vida, de algún modo te encontraré.

Tuyo,

JON

Día 40

Llevo un tiempo sin salir de la habitación. Estaba demasiado deprimido para escribir ni ver a nadie. Hoy he salido después de una semana. He ido a dar un paseo por el jardín.

Le he preguntado por el cielo al barman, Nathan, y coincide conmigo en que las nubes tienen un color raro.

—Color de herrumbre —me ha dicho.

La médica, que ahora sé que se llama Tania, había salido a correr por los alrededores del bosque. Se ha detenido a nuestro lado y ha mirado al cielo también. Hace muchísimo frío. Ninguno de nosotros había traído suficiente ropa de abrigo para adaptarse al brusco final de este verano, y de la civilización.

—¿Habláis de las nubes?

—Sí, son raras, ¿verdad? —ha dicho Nathan.

—Anaranjadas —ha respondido ella, tapándose los ojos como solía hacerse, aunque ahora no haya sol.

—Me alegra no ser el único que lo ve así —he dicho yo—. Creía que la conmoción me provocaba alucinaciones.

—¿Pensáis que es por... la radiactividad? —ha preguntado Nathan.

—No. Será por el polvo y los escombros de las explosiones. Pasaría lo mismo si un asteroide se estrellara contra la Tierra.

—Hemos seguido mirando las nubes hasta que ella ha empezado a tener frío y a temblar—. Espeluznante —ha dicho, mientras se dirigía hacia el interior—. Pronto empezarán a morir los árboles.

El tiempo no mejora.

27

Día 48

«¡No te derrumbes!».

Día 49

Voy a seguir escribiendo. Tengo la sensación de que, si no lo hago, me sentaré a esperar la muerte.

*Crónica de los primeros meses
posnucleares, posiblemente
a cargo del último historiador vivo*

Por el doctor Jon Keller

Día 50

Hace tiempo que el agua sale algo turbia y sabe rara, así que Dylan, Nathan y yo hemos subido a la azotea a echar un vistazo a los depósitos.

Dylan es uno de los pocos empleados del hotel que no ha salido huyendo. Negro y alto, de cuarenta y muchos años, con una sonrisa contagiosa y el pelo rapado por los lados y por detrás, se ha convertido en nuestro líder por defecto después de la explosión. Conoce el hotel y los alrededores mejor que nadie porque lleva más de veinte años trabajando aquí. Cuando habla inglés, lo hace con una potente voz de barítono y casi sin acento. No sé de dónde es. Puede que suizo.

—Algún pájaro muerto —ha dicho mientras subíamos los quince tramos de escalera—. Andarán buscando agua también.

Ojalá hubiera sido solo un pájaro muerto.

He tenido que parar en el rellano de la décima planta y sentarme en mi caja de herramientas. Nathan ha hecho lo mismo.

A Dylan no le ha importado esperar a que recobráramos el aliento.

—¿Cómo te mantienes en forma? —le ha preguntado Nathan.

—Con mucho esfuerzo.

—Eso lo explica todo. ¿Y tú, Jon? —me ha preguntado a mí.

—Ah, yo mantengo esta impresionante ausencia de músculo sin esfuerzo alguno —he dicho, mirándome el cuerpo—. Mi trabajo era muy sedentario. Tenía que leer y pensar mucho.

—Ni me imaginaba lo mal que se nos iba a dar esto hasta que

intenté encender un fuego sin la ayuda de un mechero —ha soltado Nathan—. No podía creer que nadie supiera hacerlo. A ver, sabía que yo no, pero pensaba que alguien podría.

—Yo siempre he odiado ir de acampada —ha dicho Dylan—. Para mí, unas vacaciones no lo son del todo si no puedes sentarte en albornoz y tomarte en paz un aguardiente.

—A mí tampoco me han gustado nunca las acampadas —he coincidido yo.

—Pues yo siempre he detestado el aguardiente —ha terciado Nathan.

He sonreído.

—Me parece que ir de acampada solo les encanta a los críos. Yo tengo dos niñas y me ha tocado ir más veces de lo que me hubiera gustado.

—¿Cuántas habrían sido? —me ha preguntado Dylan.

—Ninguna.

Nathan ha reído. Es un australiano delgaducho, mestizo, que antes llevaba el bar del hotel. Tiene unos párpados muy gruesos y una voz extrañamente monótona que, de buenas a primeras, lo hace parecer apático, aunque sea una de las personas más animadas y optimistas del grupo. Aún consigue hacernos reír, algo muy difícil ahora mismo.

—No sabía que tuvieras hijos —ha dicho Dylan, dejando por fin su caja de herramientas en el suelo—. Yo tengo una hija.

—¿De qué edad? —le he preguntado.

—De treinta.

—¿Dónde... eh, dónde está?

—Vivía en Múnich con su marido. —No ha hecho falta que nos explicara lo que eso significaba—. ¿Las tuyas?

—Están en San Francisco con su madre. Tienen seis y doce años.

—¿Y qué hacías tú aquí? ¿Habías venido al congreso?

—Sí.

—Pensaba que se habían ido todos.

—Sí, muchos de los que han intentado llegar al aeropuerto eran compañeros míos, conocidos de otras universidades.

—Pensé que la mayoría de ellos volvería —ha dicho Nathan, levantándose otra vez—. Cuando se dieran cuenta de que... Nunca he entendido por qué se fueron. Dijeron que no había vuelos, que las carreteras iban a ser una locura. Tendrían que haber vuelto más.

—No, yo creo que una vez que te vas, ya no vuelves —ha opinado Dylan, cogiendo su caja de herramientas.

—A mí me sorprendió que se fueran todos —ha dicho Nathan—. Tantos. ¿Adónde pensaban volar?

Me he levantado, he apoyado la caja de herramientas en la cadera y he seguido subiendo las escaleras.

—Muchas personas confunden movimiento con progreso —ha dicho Dylan—. A mí me pareció mala idea, pero ¿qué íbamos a hacer: retenerlos a la fuerza? No estaban preparados para enfrentarse a la verdad.

Mientras Dylan sacaba su juego de llaves, me he recostado en la pared. El aire allí arriba era demasiado denso, repleto de polvo y de últimos suspiros. Apestaba. Detestaba las escaleras, pero, claro, los ascensores hacía dos meses que habían dejado de funcionar, desde el primer día.

—Confundir movimiento con progreso. Ojalá unos cuantos hubieran pensado como tú mucho antes —he dicho—. Nos habríamos evitado todo esto.

—No andas desencaminado, Jon. ¿Dónde estabas tú cuando la gente necesitaba un candidato cuerdo al que votar?

No he sabido qué decir.

Nos hemos dispersado por la azotea y dirigido cada uno a un depósito. Había cuatro cilindros inmensos con escalerillas laterales. Me he metido una pala por el cinturón y he empezado a subir la mía.

He tenido que quitarme los guantes para poder agarrarme bien a los peldaños y hacía un frío horrible. Pensaba que ya sabía lo que significaba pasar frío, pero ninguno era comparable con este. Resultaba constante e invasivo. Te recomponía la estructura del cuerpo y de pronto te veías caminando con la cabeza gacha, los hombros encogidos, encorvado, todo el tiempo.

Al llegar arriba me he vuelto para contemplar el bosque, los jardines de abajo. Se respiraba un aire limpio, pero las nubes eran muy bajas y todo estaba a oscuras. Durante mi primera noche en el hotel, oía el zumbido de los insectos desde la tercera planta. Ahora los árboles estaban en silencio, secándose y marchitándose, a pesar de ser agosto. No había pájaros, la quietud era absoluta. Se tardaba más de una hora en llegar a la ciudad más próxima y después no había más que kilómetros y kilómetros de bosque.

No recordaba la última vez que había visto un sol en condiciones. A veces lo vislumbraba entre las nubes, como si se escondiera, danzarín, solo visible en forma de triste esfera bidimensional tras una veladura gris.

Me pregunté cuáles de mis compañeros habrían logrado llegar al aeropuerto y qué habrían encontrado allí. No todos habían cogido el coche enseguida. Los que se marcharon a pie más tarde, solos o en grupos de dos o tres, habían subestimado muchísimo la frondosidad del bosque y el frío que hacía. Yo había intentado detener a algunos, pero ya nadie atendía a razones.

Tampoco antes, la verdad. Por eso estábamos así.

Se me ha hecho un nudo en la garganta que me ha cortado la respiración.

He tragado saliva para deshacerlo.

—¿Vas bien por ahí? —me ha gritado Dylan.

He agarrado el asa de la tapa y me han dolido los dedos, pues se me estaban entumeciendo. No podía sentir ni los labios ni la nariz.

—¡Sí, sí! ¡Es que está muy dura! ¡No cede!

—¡Espera, que voy! Esta se abre bien —me ha dicho Dylan, y ha empezado a bajar por la escalerilla.

—¡No, creo que ya lo tengo!

He cogido la pala que llevaba a la espalda y la he clavado entre la tapa de la trampilla y el depósito. El ruido y el rechinar metálicos me han dado dentera. Luego, la tapa ha empezado a ceder y la he levantado cruzando la pala y haciendo palanca.

Oscuridad.

Tras reacomodarme en la escalerilla y procurar no pensar en la altura ni en el frío, he hundido la pala en el depósito con la mano derecha y he hurgado un poco. El agua estaba tan baja que apenas he rozado la superficie, pero no me ha parecido que hubiera animales muertos ni escombros dentro.

Pronto nos quedaríamos sin agua.

Esa discreta sensación de pánico que llevo instalada de forma permanente en el pecho desde hace dos meses ha aumentado de pronto, y me he mareado. Me pasa cada vez que me distraigo de lo que estuviera haciendo en ese momento. He tenido que atrincherarme en el presente y olvidarme del pasado y del futuro. Ha sido la única forma de mantenerme cuerdo.

—¡En este no hay nada! —he gritado, pero el viento se ha llevado mi voz.

He oído un «¡Joder!» aterrado y he mirado al otro lado de la azotea justo a tiempo para ver a Nathan resbalar y caer desde lo alto de la escalerilla.

De manera instintiva, he hecho ademán de socorrerlo y he pisado en falso. Al caer, he perdido de vista a Nathan, me he enganchado de un peldaño con el brazo derecho y, colgado del pliegue del codo, me he estampado ruidosamente contra el depósito.

Me ha recorrido el pecho y la clavícula un dolor tan agudo que he pensado que me habría dislocado el hombro. Pero no. Ha aguantado el tirón. Con los dedos ensangrentados, he recuperado el equilibrio y he visto que la pala había salido volando.

Nathan se estaba levantando del suelo. Se encontraba bien. Dylan se hallaba a su lado, tratando de recuperar el equilibrio también.

He bajado todo lo rápido que he podido y he cruzado corriendo la azotea.

—¿Qué ha pasado? ¿Estáis bien?

—Hay algo ahí dentro, en serio —ha dicho Nathan, remangándose las tres prendas para mirarse los brazos—. El depósito está casi vacío, pero hay algo dentro.

A Dylan parecía que le hubieran dado una paliza. Seguramente Nathan se le había caído encima.

—Creo que es un cadáver —ha dicho.

—¿Humano?

—Sí, eso me ha parecido... No sé, o de algún animal o algo así. Me he asomado para intentar sacarlo —ha dicho, luego se ha tapado la boca con la mano—. Era pequeño, pero no es un puto animal porque tenía pelo. Pelo de niña. Joder. ¿Cómo ha podido subir una niña ahí arriba?

—Una niña —ha repetido Dylan—. Por Dios.

He levantado la vista al depósito. Mide al menos seis metros. Puede que diez.

—¿Quién tiene las llaves de la azotea?

—Hay varias copias, pero solo las tienen los empleados —ha contestado Dylan, extrañado.

Nathan se ha sentado en el suelo, masajeándose los antebrazos y el tobillo derecho.

—Hay que cerrar el depósito, sacar esa cosa y limpiarlo porque..., mierda, estamos bebiendo de esa agua. Joder. ¡Joder! Voy a vomitar, no me puedo creer que hayamos estado bebiendo de ahí.

He tenido que apoyarme con una mano en el depósito para no desmayarme. Se me ha revuelto el estómago.

Incluso Dylan parecía alterado, pero se ha recompuesto antes que yo.

—Hay que abrir los otros depósitos —ha dicho—, abrirlos del todo, serrar la parte superior para que recojan el agua de la lluvia.

—Pero ¿aún llueve? —he preguntado.

Nos hemos mirado, pero ninguno parecía seguro. La verdad es que no podía recordar si había visto llover desde que empezó todo. Ese día hacía sol. Desde entonces, mi memoria no había registrado ningún cambio en el medio ambiente. Hemos estado viviendo bajo un manto permanente de nubes, unos días menos negruzcos que otros. Nada más.

—Bueno, hay que hacerlo igual. Si el tiempo no acompaña, tenemos un lago cerca, otros recursos. Pero antes que nada hay que sacar de ahí a esa cría. Nath, ve a por una lona o un plástico grande. Ve a buscar a Tania también. Jon, voy a necesitar la pala.

He ayudado a Nathan a incorporarse, se ha marchado de la azotea y al poco ha vuelto con una lona de plástico. Por el leve brillo de sus mejillas he sabido que había estado llorando.

Dylan ha cogido la pala y ha subido la escalerilla con la lona colgada del hombro. Menos mal que se ha ofrecido él y no lo hemos echado a suertes. Dudo que yo hubiera podido hacerlo.

Ya de regreso, mientras bajaba despacio, con el cuerpecillo envuelto en plástico debajo del brazo, me ha asaltado de nuevo la tristeza, y esta vez casi me tumba.

Nathan se ha apartado.

—¿Una cría? Por el tamaño, tendría siete u ocho años. No sé. —Dylan ha dejado el cadáver en el suelo—. ¿Dónde está Tania?

Cuando Nathan ha querido responder, no le salía la voz y ha tenido que carraspear.

—Está... Está atendiendo a alguien, pero me ha dicho que le bajemos el cadáver a su habitación.

—Una niña tan pequeña no ha podido subir ahí sola —he dicho sin poder apartar la vista de ella—. Alguien la ha metido.

—A lo mejor subió a buscar...

—No ha podido subir ahí sola —lo ha interrumpido Dylan—. A los tres nos ha costado levantar esas tapas, y somos hombres adultos.

—¿Cuánto tiempo crees que llevaba allí? —he preguntado.

—No sé. ¿Qué piensas tú?

—No sabría decirte.

El cuerpo se había deformado un poco, pero a mí la niña seguía pareciéndome humana. Casi viva, como preservada de algún

39

modo. Tenía la piel con motitas grises y amarillas, algunos trozos verdes, pero no se había descompuesto mucho. Era lógico, teniendo en cuenta el notable descenso de las temperaturas. Lo único que se había podrido era su ropa.

—Entonces la han matado —he dicho al ver que nadie se atrevía a verbalizarlo—. La han asesinado.

Nathan ha empezado a temblar y me ha contagiado.

Me he envuelto el cuerpo con los brazos.

Dylan ha suspirado.

—Puede. Pero seamos realistas: no disponemos de medios para averiguar quién era. Sus padres debieron de marcharse hace tiempo. Por aquí nadie ha hablado de una niña desaparecida. Quienesquiera que fuesen, podrían haber dejado el hotel incluso antes de que empezara todo esto.

—¿Sin su hija? —Me he imaginado a mi hija Marion huyendo de la playa de Fort Funston y riendo—. No parece lógico.

Para quitarme esa imagen de la cabeza, me he acercado y he cogido a la niña en brazos, envolviéndola con el plástico duro como si durmiera. Ya la tenía en brazos cuando me he dado cuenta de que aún me sangraban las manos. Hacía un buen rato que no me las sentía.

—Ya la bajo yo —he dicho.

No pesaba casi nada.

Día 50 (2)

Tania es el único médico del hotel y hemos tenido suerte de que se alojara aquí. Con el deterioro de nuestra alimentación y la demanda constante de medicamentos (como es lógico, casi todo el mundo ha pedido unos antidepresivos que no tenemos), está desbordada. Pero ¿quién iba a imaginarlo? Ella se muestra siempre muy digna. Tiene la piel morena y ahora lleva el pelo afro teñido de color púrpura, aunque he visto cambiar su estilo semana a semana.

En una de nuestras primeras conversaciones me dijo que se había criado en varias casas de acogida en Inglaterra y luego en Suiza, pero que también tenía familia en Nigeria y en Jamaica.

Me contó que su novio se había marchado el primer día, arriesgándose a huir por carretera, en contra de lo que aconsejaban los servicios de alerta, además de llevarse el coche consigo. Ella decidió no acompañarlo y se atiene a las consecuencias con un silencio regio. Desde entonces, no ha vuelto a hablar de él. Por eso no recuerdo su nombre.

Ha examinado el cadáver en una habitación que ha convertido en un quirófano improvisado y ha confirmado que, en efecto, era una niña de nueve años pero menuda y que llevaba muerta unos dos meses.

Me he sentado en una silla junto a la cama —la camilla de exploración improvisada por Tania— y me he envuelto una de las manos doloridas con la otra.

Dylan y Nathan han ido en busca de herramientas más pesadas con las que recortar la parte superior de los depósitos. Sería una obra colosal capaz de llevarles varios días, quizás incluso una semana. A mí me ilusionaba. Menos tiempo para pensar.

—¿Cómo murió? —he preguntado.

—No puedo saberlo. Tendría que hacerle una autopsia y nunca he hecho una, solo he visto hacerla. En realidad, nunca ha sido mi cometido.

Salvo que se emocione, cosa infrecuente, habla bajito, con voz suave. Para parecer más profesional, a lo mejor.

—No aprecio ninguna marca.

—Podría ser engañoso. El agua produce alteraciones curiosas en la carne, y aquí y aquí se ve cómo la piel se le ha empezado a abrir y a levantar. Pero estoy de acuerdo: no se aprecian marcas que pudieran sugerir un golpe en la cabeza o una estrangulación. Tampoco parece que sufriera ninguna agresión sexual, aunque eso es más difícil de saber.

—¿Hay alguna forma de comprobarlo? ¿Ahora?

Me ha mirado a los ojos.

—Sí.

He inspirado hondo.

—Entonces, murió más o menos hace alrededor de...

—Un par de meses, seguro, probablemente justo antes de que ocurriera todo, o poco después. Los cuerpos se descomponen más despacio en el agua, mucho más cuando hace frío, pero no hay forma de determinar el momento exacto de la muerte. Estoy convencida de que no ha sido recientemente. Me gustaría ver si hay agua en los pulmones.

—¿No sería eso lo normal?

Ha negado con la cabeza y ha seguido hablando sin mirarme.

—No, salvo que entrara en el depósito cuando aún respiraba.

Tania ha inspeccionado el material que tenía alineado en el tocador: una selección de todo el instrumental de primeros auxilios del hotel, más algunos cubiertos especiales. He visto un cuchillo de pescado y me he preguntado si lo habría usado ya.

42

Ha suspirado y se ha frotado la cara.

—Ojalá tuviera algunas de mis cosas. Me facilitaría mucho el trabajo.

—Haz una lista; podríamos buscarlas la semana que viene.

Dylan había organizado otra expedición para buscar comida, una en condiciones, a la ciudad, en vez de una cacería por el bosque. Según sus cálculos, en los próximos tres meses empezarían a escasear los víveres. También necesitábamos medicinas, más incluso que la comida. La farmacia más próxima estaba bastante lejos, cruzando el bosque, en un hipermercado, y no podíamos garantizar que no la hubieran saqueado ya.

Dylan dirigiría la expedición, y Tania se había ofrecido voluntaria, pero la habían rechazado por ser demasiado valiosa. Sí iba, en cambio, Patrick Bernardeaux, un francés musculoso y práctico que antes era dentista y que ahora pasaba buena parte de su tiempo corriendo. Adam, un joven inglés muy serio y que parecía fuerte, se había ofrecido también, al igual que Rob, otro joven inglés menos serio. También Tomi, la otra única estadounidense, estudiante de historia y urbanismo.

—Tenéis que centraros en conseguir las medicinas de todo el mundo.

—Si necesitas bisturís y...

—¿Y...? —me ha dicho con una sonrisa burlona.

—Esas cosas que usáis los médicos —he contestado, sonriente, luego me he acordado de que estábamos en presencia de una niña muerta y me he contenido—. En serio, haz una lista y echaré un vistazo. De todas formas, no es que yo sea el imprescindible del equipo. Soy mejor con mis ojos que...

—Sí, está claro que no vas a ser el músculo del grupo —me ha dicho, mirándome de arriba abajo—. Ibas en bici al trabajo tres o cuatro veces por semana, nadabas un poco quizá, pero, por lo demás, te pasabas la vida con un libro delante, ¿no?

—¿Cómo lo has sabido?

—Por cómo te sientas y caminas. Un ochenta por ciento de los pacientes que venían a mi consulta padecían dolores crónicos de espalda y de cuello por mala postura. Tú podrías haber sido uno. Aun así, a tu columna no le vendría mal un cambio de estilo de vida. ¿Qué te pasa en las manos? —me ha dicho, apartando la mirada del tocador y señalándome.

—Nada. He tenido que quitarme los guantes para poder subir la escalerilla, y no soy un buen alpinista.

Ha tapado a la niña con la lona de plástico, despacio, como una madre, y se ha acercado una silla.

—Déjame ver.

—Es poca cosa.

—Ya no podemos quitarle importancia a nada. No contamos con antibióticos suficientes para arriesgarnos a que se infecte. —Me ha cogido las manos, las ha vuelto por ambos lados, me ha examinado los nudillos despellejados y las palmas en carne viva, las uñas mordidas—. Vas a tener que limpiártelas muy bien. A saber qué bacterias habrá alrededor de esos depósitos. No es de extrañar que tengamos a gente enfermando.

He hecho una mueca.

Ella ha entrado en el baño de la habitación y ha titubeado.

—No estamos usando ahora el agua de ese depósito, ¿verdad?

—No, Dylan ha ido a cortarla.

—Bien. Ven aquí. Tengo que limpiarte con alcohol; te va a doler —ha dicho, encogiéndose de hombros, y con la cadera apoyada en el lavabo, lo ha llenado con un poco de agua y jabón.

El agua estaba helada. Cuesta expresar con palabras lo mucho que puede llegar a pesarte el hecho de que todo esté siempre tan frío. Desde hace dos meses no conozco otra cosa que el frío. Me he lavado las manos a conciencia y he vuelto a sentarme al lado de la niña muerta. Tania me ha cogido la mano derecha y ha empapado en alcohol una torunda de algodón.

—Entonces, ¿estabas aquí por el congreso? —me ha preguntado, iniciando una ensayada conversación intrascendente para distraerme—. ¿A qué te dedicabas?

—Era historiador. Daba clase en Stanford.

—¿Y de dónde es tu acento?

—Del sur. He vivido mucho tiempo en San Francisco, por eso es menos fuerte.

—¿A qué se dedicaba tu mujer? —me ha preguntado al verme la alianza.

—Es... Nadia era periodista. Era complicado, sobre todo con las niñas. Pero teníamos que trabajar los dos porque los alquileres eran carísimos. —De pronto he sonreído—. Se me hace raro hablar de cosas como el alquiler.

Ella se ha reído.

—Creo que una de cada dos conversaciones de las que antes solía tener era sobre precios de alquiler.

—O sobre las elecciones.

—Manifestaciones. Yo he ido a muchas.

—Sí, yo también, al final. —He sentido un calambre en la mano, una quemazón muy fuerte, y he estado a punto de retirarla—. No bromeabas cuando has dicho que me iba a doler. ¡Madre mía!

—Bueno, habéis sido vosotros los que lo habéis jodido todo —me ha dicho sin inmutarse, como si aquello fuera mi castigo—. Aquí, en Europa, estábamos bien, rezando para que no hicierais ninguna estupidez. Lo cierto es que el mundo entero ha sido bastante estúpido. Solo esperábamos que esa estupidez no fuera de la clase que podía acabar con el mundo.

He puesto cara de dolor y he retirado la mano. Nos hemos quedado sentados los dos un momento mientras el alcohol penetraba en mis nudillos. El mundo del que estábamos hablando parecía, con perdón por el tópico, un sueño. El presente era, en cambio, mucho más real que cualquier cosa que hubiera ocurrido antes. Me sentía muy despierto, dolorosamente despierto en comparación con el modo en que había vivido tan solo dos meses atrás.

—Dame la otra mano —me ha dicho, indicándola con un gesto.

45

—Necesito un segundo.

—¿Quieres escuchar un poco de música?

Al oír la palabra, he aspirado una porción grande de aire, porque mi portátil lleva semanas muerto y no he podido convencer a nadie para que me dejara cargarlo abajo.

—¿Tienes música?

—Sí, me he estado racionando la batería. Solo escucho una canción cuando siento... Para serte franca, solo escucho algo cuando siento que podría volverme loca si no lo hago.

—¡Sí! Me encantaría, si estás segura de que quieres malgastar la batería conmigo.

—No es malgastarla.

La última vez que oí música fue hace una semana, cuando sorprendí a Nathan escondido detrás de la barra escuchando algo, sentado en el suelo, donde nadie lo veía. Paró en cuanto me vio, avergonzado de estar gastando la batería del móvil en algo tan frívolo. Me dejó escuchar una canción. No recuerdo cuál, pero era country. Antes odiaba la música country, pero ahora me vale cualquier cosa. Ya no soy tan exigente.

No debería haberse sentido culpable cuando lo sorprendí: los que aún tienen móviles operativos saben, aunque se nieguen a reconocerlo, que no van a localizar a nadie con ellos. Yo ya no tengo el mío, pero porque soy imbécil.

Tania ha vuelto con un reproductor de MP3, uno de esos antiguos, pesados y rectangulares, y me ha pasado uno de los auriculares de botón. Me he inclinado hacia delante, con la cabeza a menos de treinta centímetros de la suya, mientras ella me cogía la otra mano en el regazo y me limpiaba con las torundas de algodón.

Hacía semanas que no me sentía tan a gusto. Para bochorno mío, me han dado ganas de llorar y me he puesto tenso.

—Lo sé —me ha dicho ella—. Se te mete muy adentro. Si quieres desahogarte, prometo no contárselo a nadie.

—¿Aún se aplica la confidencialidad entre médico y paciente?

—Claro, ¿por qué no?

—Es bonita, como un... —De nuevo ese dolor, agudo, aunque esa vez me lo esperaba—. Una especie de vals. ¿Es antigua?

—Tú sí eres antiguo. Es Rihanna.

—¿Esto es de Rihanna?

—Sí.

—No sabía que Rihanna sonara así.

—¿La has escuchado alguna vez?

—¿Es posible dar una respuesta que sea menos que nunca?

—He conseguido no retirar la mano y Tania ha empezado a envolvérmela en un vendaje mínimo—. Cumplo treinta y ocho dentro de poco. Es posible que ya los tenga.

—A mí me rondan los cuarenta. Eso no es excusa.

Ha terminado de vendarme las manos y hemos esperado a que acabara la canción. Un escalofrío me ha recorrido los hombros, pero no tenía nada que ver con el frío. Ha sido agradable. La canción ha terminado y ella ha recuperado el auricular.

—Avísame si necesitas ayuda con la autopsia —le he ofrecido.

—¿En serio?

—Sí.

—Gracias, igual te tomo la palabra. Voy a procurar hacerla hoy. Una vez que está fuera del agua, ya no es muy higiénica; habría que enterrarla cuanto antes. —Se ha puesto en pie y ha levantado el plástico por el borde para echar otro vistazo—. De hecho, ¿me ayudas a trasladarla a otra habitación para que pueda recibir a mis pacientes por la mañana? Esto los va a desmoralizar.

—Claro.

Me ha mirado a los ojos, algo raro en ella.

—Eres una de las personas más serviciales de por aquí, ¿lo sabías? Te ofreces voluntario para todo. Ojalá los demás fueran así.

Me he encogido de hombros.

—¿Qué otra cosa se puede hacer?

—No padeces nada más, ¿verdad? ¿Algún otro síntoma?

—No.

Me ha mirado de arriba abajo, pero no ha insistido.

Me ha estado doliendo un poco una muela desde hace un día o dos, una del fondo, en el lado derecho de la boca, pero no lo he mencionado. No quería causarle más molestias. Además, me ha dado miedo que me propusiera sacármela, porque ya había tenido dolor para rato.

He preferido echarme una siesta. Indagaré más sobre la niña en otro momento.

La historia es solo la suma de su gente y, que yo sepa, podríamos ser los últimos.

Día 50 (3)

Debería hablar un poco del hotel. L'Hôtel Sixième tiene trece plantas. Las dos o tres últimas están cerradas por obras, unas obras que ya nunca se terminarán. Hubo un tiempo en que la fachada era dorada, como también lo era el espléndido rótulo que hay sobre la entrada. En los ochenta y los noventa, atrajo a muchos huéspedes ricos, que utilizaban sus salas de conferencias. Pero había dejado atrás sus tiempos dorados y el número de huéspedes disminuyó muchísimo en los últimos diez años. Hay una escalera de incendios que se añadió durante un intento de remodelación hace unos pocos años. Por esa época se modernizó la mitad de las habitaciones, que ahora se abren con tarjeta; el resto, con llaves de las de antes.

Cuando cortamos la luz de las últimas plantas, los que seguíamos en el hotel (casi treinta al principio y unos veinte ahora) nos mudamos de las habitaciones remodeladas a las antiguas, con llave y cerrojo, por cuestión de seguridad. Las puertas que funcionaban con tarjeta llevaban unos imanes que las mantenían cerradas, de modo que nadie ha sido capaz de lograr que funcionen otra vez.

He observado que Dylan dispone de un registro de los que permanecemos en el hotel y que lo repasa todas las mañanas para hacer un seguimiento. Lo incluyo aquí como referencia propia, junto con las nacionalidades y ocupaciones que conozco. El único nombre que no figuraba era el suyo, claro. Lo he añadido al final.

Nathan Chapman-Adler, australiano, barman (empleado)
Tania Ikande, anglosuiza, médico
Lauren Bret, francesa, ocupación desconocida
Alexa Travers, francesa, ocupación desconocida
Peter Frehner, francés, ocupación desconocida
Nicholas van Schaik, holandés, ocupación desconocida
Yuka Yobari, japonesa, ocupación desconocida
Haru Yobari, japonés, ocupación desconocida
Ryoko Yobari, japonesa, menor
Akio Yobari, japonés, menor
Chloë Lavelle, francesa, menor
Patrick Bernardeaux, francés, dentista
Coralie Bernardeaux, francesa, dentista
Jon Keller, estadounidense, historiador
Tomisen Harkaway, estadounidense, estudiante universitaria
Adam Warren, inglés, ocupación desconocida
Rob Carmier, inglés, estudiante
Mia Markin, rusosuiza, recepcionista (empleada)
Sasha Markin, rusosuizo, camarero (empleado)
Sophia Abelli, suiza, chef (empleada)
Dylan Wycke, suizo, jefe de seguridad (empleado)

Tomi, la estudiante estadounidense, que residía en Leiden, Países Bajos, me dijo que estaba escribiendo una tesis sobre el hotel. Antes del fin del mundo llevaba un mes viviendo ahí, entrevistando a los empleados, sacando fotografías. Está bronceada, es alta, atlética, guapa, pero de una forma agresiva y brusca que me incomoda. Creo que le gusta incomodar a la gente para tenerlo todo bajo control.

O, a lo mejor, yo pretenda justificar mi incomodidad insinuando que es algo general. No me hagáis mucho caso.

Antes de enterrar a la niña fui a hacerle unas preguntas sobre el hotel. Ella conoce mejor que yo la historia de este lugar y quiero darle a esta crónica cierta solidez. Que si alguien lo lee, sepa que hemos estado aquí.

Hablamos un rato en el bar. Observé que aún tenía los dientes perfectos.

—He visto que tú también escribes —me dijo, sosteniendo su propia carpeta de apuntes—. Te hace sentir más normal, ¿verdad?

—Podría ser importante.

—No lo va a leer nadie —me replicó.

—Eso no lo sabemos.

—Claro que sí. —Cruzó las piernas—. ¿De dónde es tu acento?, ¿de Misisipi?

—Me crie en Misisipi, pero vivía en San Francisco.

—Eso lo explica todo. Yo soy de Ohio. Creo que he oído hablar de ti. ¿Diste una ponencia en la estatal de California?

Cierto: la había dado.

—Trabajaba en Stanford, podría ser.

—¡Lo sabía! Yo me gradué en Berkeley.

—Puede que diera una charla sobre...

—El vuelo fallido del U-2.

No sé por qué, me irritó que me recordara.

—Sí, me parece que sí.

Se rio de mí.

—Oye, que se habló mucho de lo mono que eras, pero, por lo que recuerdo, también dijiste cosas muy interesantes. —No contesté. Rio—. Venga, relájate. Va, ¿qué querías preguntarme? No te quedes ahí exhibiendo tu desaprobación académica.

—¿Qué te llamó la atención de la historia del hotel?

—Bueno, ya sabes que este establecimiento es conocido por sus suicidios y sus muertes inexplicables. Incluso por un par de asesinatos que hubo en los ochenta y los noventa. Los últimos dueños son bastante sospechosos, difíciles de localizar. Este sitio se ha vendido y revendido mucho a consecuencia de su mala prensa. También porque una vez se alojó aquí un asesino en serie. Mi trabajo... Bueno, lo que pretendía hacer durante mi estancia era, más que nada, escribir biografías de personas que hubieran muerto aquí.

—¿Se alojó aquí un asesino en serie?

—No mató a nadie en el hotel. Aquí fue donde lo atraparon.

Hablaba con soltura y mirándote a los ojos más de lo natural. Habría sido una gran presentadora de telediarios y probablemente habría terminado convirtiéndose en una famosa historiadora televisiva.

Por inercia, fui a coger una bebida que no tenía y enseguida aparté la mano vendada.

—¿Qué te ha pasado? —me preguntó.

—He estado echándole una mano a Dylan con una cosa.

—¿Con qué? ¿El Club de la Lucha?

—¿Quién es el actual propietario del hotel?

Puso un poco los ojos en blanco.

—Eran dos: Baloche Braun y Erik Grosjean. Braun le compró a Grosjean su parte, y llevaba un tiempo intentando venderlo, pero nadie se lo había querido comprar. No pude averiguar mucho de Grosjean; de ninguno de los dos, en realidad, pero Braun procedía de una antigua familia de petroleros, hijo de ricachones. Casi todos sus negocios fracasaron discretamente hasta que compró este sitio.

—Las muertes inexplicables y los asesinatos... —dije—. ¿Qué pasó? Quiero decir, ¿cómo murieron esas personas?

—Hubo muchos ahogamientos, personas que morían en la bañera, que se metían en un lago y no se las volvía a ver jamás. Una cantidad sorprendente de sobredosis, un montón, y algunos accidentes de caza. Muchos maridos y novios a los que un día se les cruzaba un cable y mataban a sus mujeres y novias, aunque por aquella época apenas se le diera difusión.

Fui a coger otra vez la bebida y me encontré de nuevo con el hueco vacío. Éramos las dos únicas personas que había en el bar, sentados en cómodos sillones verdes, rodeados de caoba y oro, de galas raídas por los bordes. Casi todos se quedaban en su habitación durante el día para estar más calentitos. Solo a aquellos a los que aún nos preocupaba la organización, el edificio y la compañía se nos veía deambulando por el hotel o reunidos en el bar y el comedor. Me apetecía muchísimo una copa, pero Nathan guardaba el alcohol como oro en paño.

—Creo que tengo lo que buscas —me dijo Tomi, y sacó una petaca y la puso en la mesa entre los dos.

—¿Qué es?

—¿Te importa?

Desenrosqué el tapón y me lo puse debajo de la nariz. Whisky.

—¿Lo has robado?

—Cuando todo se fue a la mierda, tuve claro que yo me quedaría aquí hasta el final. No soy imbécil, aunque lo parezca —dijo, señalándose el pelo rubio y la cara—. Así que, mientras todo el mundo iba corriendo de un lado a otro, intentando ponerse en contacto con sus seres queridos y coger aviones que no iban a despegar, yo fui recolectando cosas que sabía que necesitaría.

Caí en la cuenta de que a lo mejor tenía más antibióticos.

—Una reacción extremadamente serena ante el fin del mundo.

—Es la conmoción lo que atonta a la gente. Además, no creo que esto sea el fin del mundo. Estamos siendo bastante civilizados, ¿no te parece?

—¿No has intentado ponerte en contacto con nadie?

Enarcó las cejas.

—Como he dicho, no soy imbécil. Puede que necesite la batería del móvil para sobrevivir en algún momento. Tenía claro que todos los que se encontraban en grandes ciudades o cerca de ellas seguramente habrían muerto.

Me dejó sin respiración y di un sorbo para no tener que contestar. Ni siquiera saboreé el primer trago.

Estaba casi convencido de que ella había votado a ese tío.

—Lo siento, sé que algunos aún no lo habéis digerido —dijo, cruzando de nuevo las piernas. Yo dejé la petaca en la mesa, consciente de que no lo sentía en absoluto—. ¿Tu mujer y tú tenéis hijos? —me preguntó, mirándome de pronto la alianza y de nuevo a la cara.

—Sí —contesté.

—Lo siento.

Estuve a punto de volcar la maldita mesa para estrangularla. Hacía meses que no tenía un arrebato así y odié la parte animal de mi ser de la que procedía. Ella también lo notó. Me lo vio en la cara y me miró con altivez. En lugar de sucumbir a la ira, agarré de nuevo la petaca y bebí un buen trago de whisky.

El líquido que me bajó ardiendo por la garganta hasta el estómago vacío me relajó. Cerré los ojos un segundo y esperé a que el alcohol neutralizara la rabia.

Me dieron ganas de preguntarle si le gustaba provocar a la gente o si la razón por la que no había llamado a nadie era que no quería a nadie, pero no quise dejarle claro que me desconcertaba.

—El que muera el último de los dos debería incorporar a su proyecto el trabajo del otro —dijo.

—¿Y por qué iba a hacer yo algo así?

—¡Vaya, tienes claro que voy a morir primero! —No me lo había planteado. Lo había dicho sin pensar—. Entre dos narradores de poco fiar, podríamos conseguir un relato medio preciso —dijo.

—Yo no soy de poco fiar. Es mi deber ser todo lo objetivo posible.

—Los hombres siempre os creéis objetivos y pensáis que los demás albergamos algún interés especial. Me encantaría leer tu trabajo para ver lo mucho que te estás esforzando por convencer a tus futuros lectores de que eres un tío cojonudo. Bueno, da igual, era solo una idea —dijo con indiferencia.

Piqué el anzuelo.

—¿No haces tú lo mismo?

—¿El qué?

—Intentar convencer a tus futuros lectores de que eres buena persona.

—Una vez muerta, me preocupará aún menos que ahora lo que la gente piense de mí. Déjame adivinarlo: cuando escribas sobre esta conversación me pintarás como una chica rubia, de ojos azules y sexi, porque los escritores tenéis que hacer eso por ley. Después admitirás que, a pesar de todo, te desagrado y que eso me resta atractivo a tus ojos y, por último, procurarás diluir esa reacción universalizándola o justificando tu sesgo. Crees que eso te convertirá en un tío liberal y digno de confianza, pero no hará más que poner de manifiesto que te avergüenzas demasiado de tu legado. Llevas escrito «Este es mi momento» en la cara.

Con aquel comentario consiguió arrancarme una sonrisa, lo reconozco.

—¿Y cómo me has descrito tú a mí? —pregunté.

Echó un vistazo a sus apuntes.

—«Lleva un palo metido por el culo. Una especie de Harrison Ford jovencito pero en plan empollón. Me da que no echó ni un polvo en el instituto por rarito, por su educación religiosa y/o porque seguramente estaba gordo». Luego lo redactaré. Dime, ¿he dado en el clavo?

—Ni te has acercado —mentí.

Me excusé porque quería ayudar a Tania con la autopsia. Cuando me volví a mirar a Tomi, la vi sentada en el sillón, con las piernas cruzadas, garabateando algo. Entonces caí en la cuenta de que, en algún momento, nos quedaríamos sin bolígrafos y de que, posiblemente, ella ya lo hubiera pensado: seguro que tenía un montón escondidos.

Vomité cuando no llevábamos siquiera ni un minuto y medio de autopsia y tuve que marcharme. Quedé fatal. Oí a Tania reírse mientras estaba inclinado sobre su lavabo, sujetándome con brazos temblorosos.

En mi defensa diré que no encuentro palabras para describir el olor que despidió el cadáver cuando Tania abrió a la niña con una sierra, del pecho al ombligo, y retiró las dos grandes solapas de carne. Jamás había visto un cuerpo humano tan descompuesto.

Cogí una silla y me senté a la puerta de la habitación, inspirando hondo repetidas veces. Dylan y Nathan esperaban abajo para ayudarnos a enterrarla cuando hubiéramos terminado.

Al cabo de una hora o así, apareció Tania, acalorada, con los guantes manchados de porquería y de sangre ennegrecida. Ese día la notaba cansada.

—Vale, esta no es mi especialidad —dijo, frotándose la frente con el dorso de la mano—. No tengo claro lo que la mató, pero, por el estado de sus pulmones, concretamente por la ausencia de agua en ellos, parece improbable que se ahogara. No puedo hacer un análisis de tóxicos, pero es posible que estuviera drogada. Puede que sufriera un infarto inducido químicamente o algo por el estilo. No veo traumatismos reseñables en la cabeza ni en la garganta. Mi única certeza es que no pudo subir a la azotea y meterse en el depósito ella sola. Solo tengo conjeturas. Lo siento.

—No lo sientas. Con eso sabemos que probablemente estuviera muerta cuando entró en el depósito.

Sonrió y se quitó los guantes.

—No vas a averiguar quién lo hizo. Sabes que hace tiempo que se fueron.

—Puede que sí y puede que no. —Me levanté—. ¿Nos la podemos llevar?

—Sí, ya la he cosido.

—Gracias por tu ayuda. No tenías por qué hacerlo. Bastante tienes con atender a los vivos.

—Es mi trabajo. No pretendo heroicidades, créeme.

Se quitó el poncho que llevaba, lo examinó y se dispuso a meterlo en una bolsa de basura.

Miré más allá, a través de la puerta, al cadáver que estaba en la mesa e intenté recordar un pasaje de las Escrituras o cualquier texto religioso para darle sentido a aquellas manitas sin vida que me daban ganas de estrechar porque no soportaba pensar en el miedo que debía de haber pasado la pobre. En cambio, me vino a la cabeza una frase de Graham Greene: «A fin de cuentas, ¿por qué habríamos de esperar que Dios castigue a los inocentes prolongándoles la vida?».

Tania volvió a la puerta y me miró preocupada.

—¿Te encuentras bien? Te están rechinando los dientes. No te duele nada, ¿verdad?

—No, estoy bien —mentí, mientras me llevaba la mano a la mandíbula para masajearme la zona de la muela que me dolía—. Es el estrés.

Supe entonces que tendría que preguntarle a Tomi dónde escondía su alijo de pasta de dientes. A mí me quedaba poquísima y ya solo la usaba en días alternos. Me fastidiaba porque, para eso, tendría que volver a hablar con ella, y yo ya la había tachado de mercenaria despiadada. Además, había dado en el blanco con respecto a su evaluación biográfica, y eso también me reventaba.

Bajamos a la niña y la enterramos en el jardín, junto con los demás. Cada tumba está marcada con una pequeña cruz de madera. Un par de palitos sujetos con un trocito de cuerda, nada espectacular, y el nombre escrito con rotulador indeleble. Las flores que las adornan son de pega, de nuestras habitaciones. Van envueltas en lazos blancos con la siguiente frase: «Disfrute de su estancia en nuestro hotel».

Día 51

He convencido a Dylan para que me deje las llaves de los despachos de recepción a fin de que pueda empezar mi investigación. Esta mañana ha ido a asegurarse de que el depósito donde encontramos a la niña seguía cerrado, lo que resulta un alivio: ya no estamos bebiendo de esa agua.

Me he encerrado en el despacho y he sacado todas las carpetas y los libros de registro que he encontrado, los he apilado en un escritorio y me he sentado. Estaba todo en silencio. El ambiente me resultaba familiar.

Primero he buscado el listado de reservas de un par de semanas antes de que terminara todo, justo la semana anterior a que los asistentes a nuestro congreso empezaran a registrarse en el hotel. Nosotros habíamos contado con un montón de reservas que tuvieron lugar a principios del verano, no en temporada alta. He marcado todas las reservas que hubo con niños, he descartado las que incluían una cuna supletoria y he terminado con una breve lista de seis familias.

Luego ha venido la parte difícil. He vuelto a subir a la azotea, pero esta vez me he llevado a Nathan conmigo, junto con una cuerda, una muda de ropa y una linterna.

—¿Qué crees que vas a encontrar? —me ha preguntado mientras ascendíamos por la escalerilla de nuevo.

—Puede que nada. Solo quiero ver si hay alguna evidencia que pasáramos por alto la primera vez.

—De modo que te ocupas de la investigación... Me gusta.

—¿No crees que deberíamos averiguar quién era la niña? Fue asesinada. La persona que lo hizo podría seguir entre nosotros.

—¡Venga ya!

He mirado por encima del hombro y he detectado su escepticismo.

—¿Por qué no?

—Casi todos se largaron enseguida. Si hubieras asesinado a alguien, ¿te habrías quedado con un grupo pequeño arriesgándote a que te descubrieran?

He abierto la puerta de la azotea, que estaba cerrada con llave. Por suerte, hoy hacía más calor. Y no soplaba el viento. No he tenido que fruncir el ceño ni poner cara de frío.

—Piénsalo bien: ¿por qué no ibas a quedarte? —le he dicho mientras me ayudaba a atarme la cuerda a la cintura—. Es el fin del mundo. Dudo mucho que la policía vuelva a venir por aquí. El asesino ni siquiera debió de pensar que alguien fuera a encontrar el cadáver. Se cree a salvo. ¿Eso no te... inquieta un poco?

Ha puesto una cara rara.

—¿No? ¿Eso es malo?

—¿Y entonces? ¿El bien y el mal ya no existen?

—No, es solo que, a menos que a alguien le diera por empezar a asesinar a gente ahora, a mí no me va a quitar el sueño.

—Alguien ha sido asesinado.

—Vale, de acuerdo, he subido contigo, ¿no? —me ha dicho como rindiéndose—. Venga, terminemos con esto cuanto antes. Tengo un poco de maría que te vendrá bien.

He trepado por la escalerilla lateral y me ha costado menos abrir la trampilla que la otra vez. Me he asomado al interior a oscuras y me he asegurado de que llevaba la cuerda bien sujeta a la cintura. Puesto que no había pensado mucho en cómo entrar, solo se me ha ocurrido hacer un rápel de aficionado, el único que conocía.

—¿Seguro que vas a poder con mi peso? —le he gritado.

—Creo que sí. Démosle una oportunidad.

De pronto, he perdido la confianza en mi plan. No tenía ni

idea de cómo entrar en el depósito y volver a salir. He cogido la linterna y he iluminado a mi alrededor, pero no he podido ver mucho en el agua. Si la ropa de la niña se encontraba allí abajo, cualquier prueba o forma de identificarla, tendría que meterme en el agua para sacarla.

—¿Estás seguro? —le he vuelto a gritar.

—Lo único que podemos hacer es intentarlo.

—No paras de decir eso, pero es que son unos diez metros, Nath. ¡Si salto y me sueltas, me puedo quedar seco del golpe!

—¡Si la cago, te prometo que voy a buscar a Dylan y él te saca con sus potentes brazos masculinos!

He mirado al fondo, y Nathan se ha contoneado y me ha hecho reír.

—Vale —le he dicho—. Dame un segundo, que tengo que...

—Tranquilo, tómate todo el tiempo que necesites. No voy a llegar tarde a ninguna cita.

Me he subido a la tapa del depósito y he puesto un pie a cada lado de la trampilla. Al iluminar de nuevo el interior he visto que había una escalerilla de mantenimiento por dentro, una que no se veía de buenas a primeras desde el otro lado.

—¡Oye, Nath, no pasa nada: hay una escalerilla aquí dentro!

—¡Genial, tío, porque la verdad es que no tengo fuerza para aguantar el peso de un adulto: te habrías caído de todas todas!

—¡Eres un capullo!

—Pues sí. Lo soy.

He inspirado hondo un par de veces, me he metido por el hueco y he buscado a tientas la escalerilla. Con la linterna en la boca, me he agarrado al borde del depósito y he ido descendiendo hasta que he podido asirme al primer peldaño. He parado un segundo, he cogido la linterna con la mano derecha y he seguido bajando.

La cuerda que llevaba atada a la cintura se ha tensado y ha vuelto a aflojarse en cuanto Nathan la ha soltado un poco.

—¡Lo estás haciendo muy bien! —he oído que me gritaba.

He dado unos golpecitos en la pared del depósito. Son asombrosamente espaciosos. Si los vaciáramos, nos vendrían de maravilla como búnkeres.

El agua oscura olía muy fuerte, peor cuanto más adentro. Me he detenido a escasa distancia de la superficie y he intentado calcular cuánto había descendido y cuánto iba a cubrirme el agua. La cuerda estaba muy suelta. He dado un par de golpes en la pared del depósito y Nathan la ha tensado.

—Tranquilo —me he dicho por lo bajo, examinando el contenido del depósito, con la superficie completamente quieta y tranquila—. Tranquilo, tú puedes. No pasa nada.

La escalerilla se adentraba hasta el fondo. Me he metido y he hecho una mueca cuando el agua gélida me ha inundado los zapatos. Estaba tan fría que dolía. Conteniendo la respiración, he bajado un peldaño más, y otro, y el agua me ha llegado hasta la cintura. He reprimido las ganas de vomitar y he seguido bajando hasta tocar el suelo. Con el agua por el pecho, he sostenido la linterna por encima de la cabeza, mientras me castañeteaban los dientes.

Consciente de que no iba a encontrar gran cosa moviéndome por allí con una sola mano, he apoyado la linterna en uno de los travesaños metálicos de la escalerilla y he agitado los pies por el agua con la esperanza de detectar algún tejido con las piernas. Conteniendo de nuevo la respiración, he sumergido los brazos y he palpado el interior del depósito en busca del extremo de la tubería que suministraba el agua al hotel, difícil de localizar sin la orientación que proporcionaba la sensación de succión.

El hedor era intenso. Olía como cuando dejas un caldo de pollo mucho tiempo en la nevera, con ese toque dulzón, fuerte, como de albaricoques podridos. Me ha dado una arcada, pero no he vomitado.

El pie se ha resbalado hacia un desnivel lateral y he sumergido de nuevo ambas manos en el agua para buscar a tientas el extremo de la tubería. El agua me llegaba hasta cuello, lo que me ha hecho jadear; entonces he notado una tela empapada atrapada en la abertura y he metido la cabeza entera. He soltado la prenda de un tirón y me la he echado al hombro y, entusiasmado por el hallazgo, me he vuelto a zambullir en busca de alguna otra cosa. Me he topado con algo blando, una especie de animalito y, sin querer, me he apartado enseguida de él. Me he obligado a mirarlo, lo he sacado del agua y he visto que, en efecto, se trataba de un animal. Al darle la vuelta, horrorizado, me ha consolado comprobar que era de peluche, un conejo.

Abrumado por el peso de mi propia ropa y con los pies completamente entumecidos, he vuelto a la escalerilla. Con el conejo de peluche bajo el brazo y la prenda al hombro, he subido hacia la luz. Durante el ascenso, me ha parecido que pesaba tres veces más.

—Joder, ¿has encontrado algo? —me ha gritado Nathan en cuanto me ha visto.

He intentado protegerme del aire cortante que me azotaba la ropa mojada y la piel.

Sin mediar palabra, he soltado la prenda y el peluche y he procurado concentrarme en la tarea de bajar al suelo sin resbalar. En cuanto he aterrizado de nuevo en la azotea, Nathan me ha envuelto en una toalla.

—Hueles a cloaca, colega, ¡qué horror! —me ha dicho.

No me salían las palabras. Me he quitado la ropa mojada, me he desatado la cuerda con dificultad y he intentado secarme bien antes de ponerme los pantalones, la camisa y los zapatos que había traído para cambiarme. Aun con tres pares de calcetines, me ha costado recuperar la sensibilidad en los pies.

Luego lo hemos recogido todo en un montón empapado de agua sin prestar mucha atención a lo que había encontrado y hemos bajado en silencio directamente hasta el sótano. Allí, Nathan ha encendido las calderas durante una media hora para que pudiera sentarme cerca y reconfortarme. No sabíamos cuánto más seguiría funcionando la calefacción, así que ha sido un detalle por su parte.

La mayor parte de la electricidad que nos quedaba procedía de una central hidroeléctrica, pero no teníamos forma de saber cuándo cortarían el suministro. Si eso ocurría, aún nos iba a quedar algo de corriente del generador de emergencia, pero no duraría eternamente.

Envuelto en una manta de piel que Nathan se había traído de su alijo del bar, rodeado por cajas de vasos y menaje de cocina, y algo de alcohol que había escondido allí, he señalado con la cabeza la prenda empapada que estaba en el suelo, junto a mi ropa a medio secar.

—Parece un vestido.

Nathan se ha sentado a mi lado y ha liado un par de porros.

—La presión del agua se lo succionaría de algún modo. Menos mal que no terminó en las tuberías. Jamás lo habríamos encontrado.

He alargado el brazo y he apartado un poco más mi ropa para ver mejor el vestido. Era de cuadritos amarillos y blancos, con un anticuado cuello de encaje blanco. Una de esas prendas que pondrías a tus hijas para que pareciesen muñecas. Yo no se lo habría comprado a Marion. Ruth no se lo habría puesto ni loca.

Al mirar la etiqueta he visto algo escrito con rotulador negro que se había borrado casi del todo.

Podría haber sido un nombre que empezara por «H», por «M» o por «N». No estaba seguro.

Me he sentado contra la pared, al lado de la caldera, y he apartado el vestido con el pie.

Nathan me ha pasado un porro y hemos fumado en silencio un rato.

—Y cuando Tania la examinó, ¿no encontró ninguna marca?

—Nada. Me dijo que no parecía que se hubiera ahogado —he contestado, recapitulando—, que posiblemente la drogaran o la incapacitaran de algún modo antes de tirarla al agua.

Se ha estremecido.

—Suena tortuoso.

—Me cuesta creer que no te preocupe que ese tío pueda seguir por aquí.

—¿Qué te hace pensar que es un tío? Y claro que me preocupa, lo que pasa es que... —Exhaló—. Mi barómetro de preocupación está algo descompensado ahora mismo.

—No podemos dejar de preocuparnos por lo que está bien y lo que está mal solo porque...

—¿Porque haya llegado el fin del mundo?

—Seguimos aquí —repliqué.

La maría me estaba empezando a surtir efecto. Era agradable.

—Aún no me creo que probablemente vaya a morir —me dijo con tristeza—. De hambre o algo así. Es una putada.

—Nos va a entrar el hambre en cuanto terminemos de fumarnos esto. Eso no lo hemos tenido en cuenta.

—Mira, ahí sí has tenido gracia —dijo riendo.

—¿No suelo tenerla?

—No, solo que eres mayor que mis colegas.

—¿Cómo terminaste trabajando aquí? —le he preguntado.

Vi su reacción cuando encontramos el cadáver, así que dudo mucho que haya tenido nada que ver con el asesinato. En cualquier caso, quiero recabar tantos datos biográficos como me sea posible sobre quienes se hayan quedado en el hotel.

—Tampoco llevo aquí tanto tiempo. Unos seis meses. Pero es que fue tan raro que, si te lo cuento, no te lo vas a creer.

—Seguro que sí. Ahora todo es raro.

—Fue por mi padre. Bueno, mi padrastro. Pero, sí, mi padre. Por eso estoy aquí.

—Eso no me parece raro.

—Jo, tío, ni te lo imaginas —me ha dicho sonriendo.

La caldera ha emitido un sonido que le ha recordado a Nathan que igual era hora de apagarla, pero, como el sótano ha seguido caldeado durante un buen rato, nos hemos quedado allí sentados, fumando, unas cuantas horas más, hasta que se ha secado la ropa.

Mientras aún estábamos colocados, me lo ha contado. Era una historia curiosa e interesante y yo no le haría justicia si intentara reproducirla con mis palabras, así que le he pedido que la escribiera; ha prometido hacerlo. La añadiré cuando pueda.

Día 52

Esta mañana le he pedido a Dylan que me dejara usar las llaves maestras para registrar el hotel. Estaba a punto de salir a correr hasta el río y luego volver, unos cinco kilómetros según sus cálculos, y parecía más interesado en realizar sus estiramientos a la entrada del hotel que en ayudarme a lograr mi recién descubierta meta personal.

—Tardarás días en registrar todas las habitaciones tú solo, Jon.

—Ya, pero si alguien del hotel subió a una niña a la azotea y la...

—Sabes que ya se fueron.

—¡No lo sabemos!

—Es probable que pudieras encontrar una mejor manera de gastar tu energía —me ha dicho, llevándose los brazos al pecho alternativamente, al compás de unas respiraciones hondas y controladas.

—¿Te has molestado siquiera en registrar el establecimiento?

—¿Para qué?

—No sé. Por si encuentras algo útil.

—Aún no.

—Pues déjame que lo haga yo. Así te ahorras tener que entrar en cientos de habitaciones, y a lo mejor encuentro algo de comida, armas, medicinas...

En ese momento, he sospechado que estaba deseando que me largara.

—No comentes con nadie que tienes las llaves —me ha dicho.

—Para poder subir a la azotea, el asesino tuvo que tener un juego. Pero tú me dijiste que solo tenían llaves los empleados.

—Si la niña murió más o menos ese día, el día en que empezó todo, no creo que le resultara difícil robar unas llaves —me ha dicho suspirando—. Pero no le cuentes a nadie que las tienes.

—No lo haré.

—Lo digo en serio, a nadie en absoluto.

—¿Por qué?

—Porque no los conozco —ha dicho, mirándome mientras estiraba los tendones de las corvas.

He pensado en Tomi y en todo lo que debía de haber ido recogiendo por ahí y he entendido a qué se refería.

—¿Y por qué confías en mí? —le he preguntado.

—Porque necesito que te ofrezcas voluntario para la siguiente expedición —me ha contestado con una sonrisa triste.

Me ha entregado el abultado juego de llaves, ha echado un vistazo al bosque —ruidoso hoy, perturbado por el fuerte viento—, ha salido corriendo y se ha perdido entre los árboles.

Yo he seguido con mi lista de reservas. Solo dos familias de las que había marcado con un círculo, aparte de los Yobari, pidieron que les adaptaran la habitación para los niños: los Luffman y los Lavelle, de la 377 y la 101, respectivamente. Florence Lavelle había muerto y su hija se encontraba ahora al cuidado de los Yobari. Solo quedaban los Luffman.

Una corriente de aire procedente de algún sitio azotaba el interior del hotel. Me he subido la cremallera del abrigo y he enfilado las escaleras. Rara vez subía a esa planta, ni siquiera cuando merodeaba por ahí. Los Yobari vivían en ella y también Sophia, la chef del hotel, quien, milagrosamente, seguía haciéndonos la comida.

Creo que algunas mujeres jóvenes se alojaban, asimismo, en esa planta, reconfortadas quizá por la presencia de los dos hijos de los

Yobari y de la pequeña de la difunta Florence Lavelle, a la que habían adoptado. Las mujeres eran Mia, una chica rusosuiza que primero había trabajado de gobernanta y, más recientemente, de recepcionista; Lex (Alexa), una joven francesa con la que no he hablado nunca; y Lauren, otra chica francesa con la que tampoco he hablado.

Mia tiene un hermano gemelo, Sasha, que también era empleado del hotel. Que yo sepa, aún se aloja en una de las habitaciones de la zona de personal, en la primera planta, al lado de la de Dylan. Aparte de Patrick, no sé bien quiénes son los otros hombres. Nosotros estamos más dispersos, mientras que las mujeres se han agrupado.

He ido a la 377 y me he colado dentro. Por el olor, la habitación parecía ocupada, pero no por un muerto, gracias a Dios. Había un par de maletas enormes en el suelo, a los pies de la cama. El armario estaba abierto y dentro solo había perchas vacías. He visto una cajetilla de tabaco en una de las mesillas y tengo que confesar, aunque me avergüence, que me la he guardado en el bolsillo.

Al parecer, los Luffman habían estado haciendo las maletas, lo que me ha llevado a preguntarme por qué no se habían llevado todas sus cosas consigo.

He repasado lo que hice yo ese día. No fui mucho más racional, me dejé llevar por la conmoción. Muy posiblemente habían huido del hotel sin todo su equipaje movidos por el pánico. Quizás hubieran cogido alguna bolsa más ligera, prescindiendo de las maletas más pesadas.

Algo parecido a un espasmo mioclónico me ha sacudido el cuerpo entero y, sobresaltado, he tenido que buscar asidero en la cómoda. Me pasa siempre que pienso con detenimiento en ese día. En este momento, la única sensación que he podido captar ha sido el recuerdo de estar sentado en el suelo del vestíbulo del hotel, apoyado en la pared, incapaz de ver nada, con el móvil pegado al pecho.

Me he sentado en la cama de los Luffman y he pensado que me iba a echar a llorar, pero he logrado mantener la compostura. Ha durado un buen rato, demasiado, y la idea de estar a punto de perder el control me ha asustado. No sabía qué más podía terminar haciendo si sucumbía al miedo.

Tras recobrar el ánimo, me he acuclillado junto a las maletas a medio hacer y he empezado a hurgar en ellas.

—¿Qué estás haciendo?

—¡Jo-der!

Me he levantado, perdiendo el equilibrio momentáneamente. Era Sophia, la chef. Es una pelirroja alta y muy blanca de treinta y tantos años, nariz aguileña y pose seria y digna. Me parece que antes hablaba francés suizo, pero ahora habla inglés, como la mayoría de los empleados del hotel, porque es lo que hablamos casi todos. Y ya se encarga ella de reprochárnoslo.

—¿Cómo has entrado aquí? —me ha preguntado.

—Dylan me ha dejado las llaves —he contestado, lamentándolo enseguida—. Aunque te agradecería que no se lo dijeras a nadie.

—¿Por qué? —me ha dicho con recelo.

—Estoy investigando una cosa. Dylan no quiere que lo sepa demasiada gente. Pero seguro que se fía de ti. Te conoce.

No sé por qué he empezado a comportarme como si hubiera hecho algo malo. Supongo que Sophia me estaba poniendo nervioso. Como era de esperar, no le ha impresionado ninguna de mis respuestas, y yo he suspirado.

—Cierra la puerta, anda.

—¿Por qué?

He juntado las manos para pedírselo por favor y me ha obedecido.

—¿Te has enterado de lo del cadáver del depósito de agua? —le he preguntado para asegurarme.

—Sí, Dylan me lo contó ayer. Creo que nos lo va contando por separado para que la cosa no se desmadre.

—Bueno, pues era una niña pequeña, una huésped del hotel. Tania le hizo la autopsia al cadáver y no extrajo ninguna conclusión definitiva sobre la muerte, pero parece ser que podrían haberla asesinado antes de tirarla al depósito, quizás antes de que... empezara todo esto.

—¿Quién era?

—No estoy seguro, tengo que ver si puedo acceder al archivo de reservas, pero dependerá de si el hotel guarda esos registros en un sistema que no precise de acceso a internet.

Se ha quedado mirándome un momento.

—Entonces..., ¿qué haces aquí?

—Ah, sí. He deducido de quién podría tratarse revisando los registros del hotel. Creo que podría tratarse de Harriet Luffman. Esta era su habitación. He pensado que al menos tendría que averiguar qué le paso.

—¿Piensas que el asesino sigue en el hotel?

—Puede.

—Ya te digo yo que no.

—¿Cómo lo sabes?

—Si tú fueras el asesino, ¿te habrías quedado en el hotel?

La he mirado ceñudo.

—Me habría quedado si pensara que nadie iba a averiguar jamás quién soy, sí.

Ha guardado silencio de nuevo, luego se ha encogido de hombros.

—Entiendo lo que dices. ¿Qué buscas?

—Aún no lo sé.

—Yo te ayudo.

Muy seria, ha pasado por delante de mí y ha abierto la cremallera de la otra maleta, que estaba llena de ropa de adulto.

Yo he seguido hurgando en la mía, y estaba a punto de hacerle una pregunta cuando se ha dirigido a mí.

—He observado que andas escribiendo cosas —me ha dicho—. ¿Por qué? ¿Llevas un diario?

—No es un diario; más bien es una crónica escrita en tiempo real.

—¿A qué te dedicabas antes? ¿Viniste por el congreso?

—Sí, era historiador.

—¿Y estás entrevistando a la gente? ¿Buscando historias?

—No solo historias, no soy periodista...

—Dices «periodista» como si fuera algo malo.

Me he reído.

—Bueno...

No era mala idea, entrevistar a la gente. Nathan ya me había contado una historia. ¿Por qué no todos los demás? Me daría una percepción más precisa sobre los que aún seguíamos aquí, por qué ellos se habían quedado y los otros, no. Puede que incluso alguien recordara algo que me facilitara una pista.

—Yo llevo cuatro años en este hotel —me ha dicho mientras sacaba unas prendas, las ponía en montoncitos y miraba en los bolsillos—. No estaba aquí cuando ocurrió ninguno de los incidentes, los asesinatos y los suicidios.

—¿Por qué decidiste trabajar aquí?

—Había una vacante, pagaban bien. Mi marido estaba en este lugar.

—¿Ya no está aquí?

Me ha mirado.

—No.

No me ha dado más detalles.

Yo le he mirado las manos y he visto que no llevaba alianza, pero me ha contestado tan rotundamente que no he querido indagar más.

—¿Viste a esta familia o hablaste con ellos?

—No me acuerdo. Trabajo en la cocina y no tengo que hablar con la gente.

—Es comprensible —he dicho, y he cogido otro vestido, de niña, y he mirado la etiqueta del cuello.

H. L.

Como me dolían los tobillos de estar en cuclillas, me he sentado en el suelo, con las piernas cruzadas.

—Esto no tiene sentido —he dicho.

—¿Por qué?

—Pensamos que la tiraron al depósito antes de que huyeran todos. ¿Por qué no alertaron sus padres a nadie?

—A lo mejor no les dio tiempo. Cuando nos enteramos de la noticia, la mayoría de nosotros no pensaba en otra cosa que en sobrevivir. A lo mejor no tuvieron tiempo de buscarla. A lo mejor tuvieron que aprovechar la oportunidad.

—No, no se habrían ido sin ella —le he dicho, levantando la vista del vestido—. ¿Tienes hijos?

—No.

—Si yo supiera que una de mis hijas ha desaparecido, preferiría morir buscándola antes que intentar salvarme llegando a un aeropuerto.

—¿Aunque pensaras que se acababa el mundo?

—Sobre todo, entonces. —Se me ha hecho un nudo en la garganta, pero he seguido—. Si una de mis hijas desapareciera y el mundo fuera a acabarse, al menos lo último que vería sería a mí intentando encontrarla, protegerla. Tendría que saber que, por lo menos, procuraba encontrarla.

Ha ladeado la cabeza y se ha sentado en el suelo, como yo.

—Entonces, ¿por qué te has quedado aquí?

He vuelto a sentir una punzada de remordimiento, pero de otro tipo.

—Oí los avisos. Dijeron que no había vuelos. Pensé que, al final, vendría alguien: la Cruz Roja, el Ejército o algo así.

—Yo también.

—¿Tu marido se fue, si no te importa que te lo pregunte? ¿Se marchó del hotel?

Ha seguido hurgando en la maleta y ha encontrado una bolsa de aseo.

—¡Mira, pasta de dientes!

—¿Hay dos?

—Sí. No se lo decimos a nadie, ¿vale? ¿Necesitas una cuchilla de afeitar?

—Claro. ¿Tú necesitas productos para el cabello? Aquí hay unos cuantos.

Hemos intercambiado algunos artículos y los hemos guardado en las bolsas de aseo. Le he dado a Sophia un estuche de maquillaje y ella ha probado otro color de lápiz de labios con la ayuda de un espejito, luego me ha mirado por encima de él.

—Era el dueño del hotel —me ha dicho.

—¿Cómo dices?

—Mi marido. Se fue del hotel, sí. Era el dueño. —Se ha levantado y ha recogido sus cosas—. Ya me contarás si averiguas algo nuevo. He de trabajar.

—Oye, ¿Tomi sabe lo de tu marido? —le he preguntado mientras abría la puerta—. Estaba escribiendo la historia de este sitio.

—Seguramente.

No ha parecido inmutarse y ha salido al pasillo. Yo me he levantado y he cerrado la puerta en cuanto se ha ido.

Había estado evitando hablar con algunos empleados del hotel porque no sabía seguro si llegarían a entenderme, y lo cierto es que Sophia me intimidaba bastante. Me alegro de haber podido conocerla y superar ese prejuicio. A lo mejor pensaba eso porque solo la había oído dar órdenes en la cocina, y por ser alta.

Para ser mujer no ha mostrado mucho interés en la niña muerta. Claro que las perspectivas de entonces se hallan sesgadas ahora. Lo sucedido antes, nuestra vida anterior, apenas importa ya. Vivimos el día a día y ya no recordamos a todas las personas a las que odiábamos, las cosas que nos irritaban, que nos enfadaban en internet, los estados de Facebook que nos hacían poner los ojos en blanco, los vídeos cucos de animales que nos enternecían, las venganzas contra periodistas, los presentadores de telediarios, los políticos, los famosos, los parientes..., todo ha desaparecido. Asesinaron a una niña, pero ocurrió antes. Y el antes ya no existía.

La gigantesca pizarra del mundo estaba en blanco. Como tampoco existían las consecuencias.

He vuelto a meterlo todo en las dos maletas y me las he llevado a mi habitación, después he cerrado la puerta con llave. Los Luffman no se dejaron ningún documento de identidad, lo que parece señalar que huyeron al aeropuerto sin su hija. Aun así, quería echar otro vistazo a sus pertenencias sin sentirme observado.

Día 53

Tengo que escribir sobre el primer día antes de que pase demasiado tiempo y mis recuerdos queden enterrados. Eso es lo que hace la mente con los traumas: los borra, te los devuelve de vez en cuando en forma de *flashbacks* y sueños, con vértigos, hiperventilación y ataques de pánico. Pero el recuerdo en sí se convierte en una obra de ficción.

He dedicado mi vida entera al tiempo, aunque ninguno de nosotros sepa con exactitud qué es. ¿Una invención social? ¿Una ilusión? ¿Algo cíclico o que avanza en línea recta? A mí me parece lineal, porque debo creer en el progreso para que tenga sentido lo que estudio: las civilizaciones. Pero si pienso ahora en él, me recuerda más bien a una goma, como un intento de alargar el brazo, de avanzar, hasta que un suceso te devuelve de golpe al punto de partida.

Así que tendré que afrontarlo en algún momento, abordarlo de una vez por todas para poder olvidarlo definitivamente. Todos preferimos eludirlo, pensar que estamos progresando para no perder la cordura, pero esa cordura no nos va a salvar, y sé que no avanzaré hasta que me obligue a escribirlo todo.

Ocurrió durante el desayuno. Un grito. La mujer que miraba el móvil. «¡Han bombardeado Washington!».

Sería fácil escribir que, a partir de ese momento, todo sucedió como en una nebulosa, porque así fue. Pero este es mi recuerdo más nítido de lo que pasó luego.

Me levanté; primer instinto fue ir a por el móvil de aquella mujer. Un par de personas más hicieron lo mismo.

Ella lloraba, miraba el móvil y lloraba.

Eché un vistazo alrededor, a los otros que se habían levantado, y al recordar que tenía el móvil en la mesa, volví a sentarme. Me había llegado un mensaje.

Me pregunté si el remitente habría terminado arrepintiéndose de enviarme el que probablemente fuera el último mensaje de su vida.

Alguien gritó: «¡Madre mía!», pero no vi quién.

Me levanté de mi sitio, con el móvil en la mano, y salí corriendo al vestíbulo. Había cola en recepción, de unas tres personas. Miré el móvil, a recepción y a la puerta. No sé cuánto tiempo me quedé allí plantado, pero fue un rato. No tenía ni idea de qué hacer: si marcharme, intentar llamar a alguien o pedir más información al personal del hotel. Así que me quedé allí hasta que alguien que se dirigía a toda velocidad hacia la salida me golpeó el hombro.

El sobresalto me puso en marcha. Intenté llamar a Nadia, pero comunicaba o estaba fuera de cobertura. Ni siquiera conectaba, no daba tono. No sé por qué, probé a llamar a Luke, el alumno de doctorado que me había mandado el mensaje, pues figuraba el primero en el registro, aunque tampoco conseguí conectar.

Noté que estaba a punto de sufrir un ataque de pánico, pero me dije que no. No dejaba de decírmelo. Sería un atentado terrorista, seguro, ya habíamos padecido alguno antes. Egoístamente, me dije que, de todas formas, no tenía familiares ni amigos en Washington. Era algo malo, pero todo el mundo al que conocía estaba a salvo. Podría tratarse de otro 11-S, pero todos mis conocidos estaban bien.

Me aparté de recepción, donde la gente discutía a voces en un batiburrillo ininteligible de idiomas extranjeros, abrí las aplicaciones de las redes sociales en el móvil y me recosté en la pared del vestíbulo, lejos del bullicio. Estaba pensando en volver al comedor cuando vi un titular.

ÚLTIMA HORA: ATAQUE NUCLEAR EN CURSO SOBRE WASHINGTON.
SEGUIREMOS INFORMANDO.

Fue como si una mano helada me agarrara por el cuello. Se me entumeció la mandíbula. Un escalofrío me sacudió el cuerpo entero, desde el estómago hasta los hombros, y luego se extendió por la espalda. Me empezaron a temblar las manos. No podía leer. Lo único que veía era la palabra NUCLEAR.

Me recompuse. No podía ser nuclear. No, en ese sentido. «Nuclear» significaba el fin. Estarían usando esa palabra como ciberanzuelo.

Recuperé el control de mi móvil mientras me desplazaba por los titulares de la secuencia de sucesos.

ÚLTIMA HORA: ESTALLA UNA BOMBA NUCLEAR EN WASHINGTON.
SEGUIREMOS INFORMANDO.

ÚLTIMA HORA: ATAQUE NUCLEAR EN ESTADOS UNIDOS.

ÚLTIMA HORA: LOS EXPERTOS CALCULAN UNAS DOSCIENTAS MIL VÍCTIMAS.

ÚLTIMA HORA: CONFIRMADO, EL PRESIDENTE Y SU EQUIPO ENTRE LOS FALLECIDOS POR LA EXPLOSIÓN NUCLEAR. A LA ESPERA DE MÁS INFORMACIÓN.

Había otros titulares, sobre el silencio informativo de Reino Unido y otro ataque en Alburquerque.

Recordé que había un televisor en mi habitación.

Pero, de pronto, dejé de ver. Se me fue la vista como se va la luz. Todo se puso negro y solté el móvil. Creo que vomité, pero no estoy seguro. Quise volver al comedor a tientas, pero decidí que era inútil, así que me senté en el suelo, con la espalda pegada a la pared.

Por un momento me sentí parte de *El día de los trífidos*. Pensaba que me había quedado ciego de verdad. Oía actividad en torno a mí, a personas corriendo y llorando, y alguien gritó, una vez. Nadie se detuvo, sin embargo, a hablar conmigo.

Recobré la vista después de lo que me parecieron horas, aunque probablemente no fueran más que treinta minutos. Gateando por el suelo, había rescatado el móvil y me lo había pegado al pecho, abrazándolo, hasta que pude volver a ver.

Alguien se detuvo a mi lado cuando parpadeaba, intentando recobrar la visión, y entonces vi que una mujer se alzaba sobre mí. Ahora sé que era Tania. Entonces, no.

—¿Se encuentra bien? —me preguntó—. ¿Necesita ayuda?

Otra persona, un hombre, le dijo que se diera prisa, que tenían que llegar al coche.

No contesté, o a lo mejor le dije que estaba bien. No lo sé. Siento no poder ser más preciso.

Entonces, me sorprendí de nuevo en el comedor. O, por lo menos, me recuerdo en la entrada, mirando fijamente mi libro, mi café y mi mesa. Había dos personas en la puerta del bar, cogidas de la mano: Mia y Sasha, creo, los gemelos. Todos los demás se habían ido.

Vi que miraban un televisor montado en la esquina superior del salón y corrí hacia ellos. No entendía lo que decían, claro, pero no dejaban de reproducir un vídeo breve en bucle. El presentador tartamudeaba, visiblemente sudoroso.

Alguien había estado grabando algo, uno de sus amigos, hasta que una luz cegadora había inundado la pantalla entera y la emisión se había cortado. Ruido blanco.

—¿Qué está diciendo? —les espeté.

—No hay más que luz —contestó el joven Sasha—. La ciudad se ha evaporado.

Otro vídeo, filmado desde lejos y procedente de Twitter, captaba las luces del contorno de Nueva York en el instante mismo del apagón: con los edificios sumidos en la oscuridad o absorbidos por ella, y a la izquierda de la imagen, una nube gigantesca que latía mientras se elevaba. Eso era lo único que veía todo el mundo. Un destello cegador, la nube, la nube más colosal que jamás hubiera visto, y las luces apagándose.

—¿Cuántas ciudades estadounidenses? —pregunté.

—De momento hablan de tres.

—¿Tres?

—Una en algún lugar de Texas —dijo Mia, llorando.

Empezó a hablar frenética con Sasha en un idioma que desconocía.

De pronto, me flojearon las piernas y me alejé tambaleándome y chocando con una mujer a la que estuve a punto de tirar al suelo.

—Perdón, perdón... —masculló, sin dejar de correr.

Ella iba gritando, pero no creo que fuera a mí.

Subí a mi habitación y, de pronto, estaba allí, haciendo las maletas. Encendí la tele, pero los principales canales estadounidenses ya no emitían. Solo funcionaban los suizos, y casi me vuelvo loco intentando averiguar cómo ponerle subtítulos a aquel vídeo que se repetía una y otra vez. Cuando lo conseguí, intenté llamar de nuevo a Nadia, pero no había señal. Probé con el fijo de la habitación, preguntándome si serían solo los móviles los que no funcionaban, pero tampoco obtuve nada.

Me dieron ganas de estampar el teléfono, pero no lo hice. Se me ocurrió la idea absurda de que me iban a cargar los desperfectos. La conmoción casi me había dejado ciego, pero aún conservaba la presencia de ánimo suficiente para preocuparme por la cuenta.

No terminé de hacer la maleta porque, sinceramente, no sabía qué hacer. Salí de la habitación y empecé a deambular por los pasillos, buscando a los compañeros del congreso. Supuse que alguno de ellos llevaría mejor la noticia y me diría qué hacer. Necesitaba desesperadamente que alguien me dijera qué hacer. Era como volver a ser un chiquillo, y lo único que deseaba era que un adulto se hiciera cargo de todo.

Buscando obsesivamente titulares en el móvil que estuvieran en inglés, no paraba de ver la palabra NUCLEAR. Seguía pensando que la estaba leyendo mal. Washington no podía haber sufrido un ataque nuclear, porque eso no había pasado nunca. Si hubiera habido un ataque nuclear, aquello sería el fin, pero el mundo que conocíamos no se acababa sin más. No se acababa porque eso no había pasado nunca antes.

ÚLTIMA HORA: ESTALLA UNA BOMBA NUCLEAR EN WASHINGTON; SE TEME QUE HAYA CIENTOS DE MILES DE MUERTOS.

ÚLTIMA HORA: EL PRIMER MINISTRO CANADIENSE PIDE CALMA ANTE EL ATAQUE NUCLEAR EN ESTADOS UNIDOS.

ÚLTIMA HORA: ESTADOS UNIDOS SIN GOBIERNO MIENTRAS LA BOMBA NUCLEAR DEVASTA WASHINGTON.

La única foto de Washington que tenían de momento estaba hecha con un móvil. En ella solo se veía la oscuridad y la nube. Nada más.

Yo no estaba capacitado. Necesitaba a alguien que me orientara. En mi planta, se abrían y cerraban puertas. Vi a algunas personas correr hacia las escaleras. Un hombre salió de su habitación y se volvió a mirarme. Sabía quién era, pero había olvidado momentáneamente su nombre.

Joe Fisher, un profesor de la Universidad Estatal de Pensilvania. Ahora sé quién era. Hacía siete años que lo conocía.

—Jon, hay que pedir un taxi —me dijo, recolocándose las gafas—. Escocia ha desaparecido.

—Escocia... ¿ha desaparecido?

—Sí, hay que pedir un taxi. ¿Tienes algún número?

Tardé un momento en comprender lo que me decía. Ninguno de nosotros tenía coche. Todos habíamos venido de la estación en taxi.

Me eché a reír, como si me hubiera vuelto loco. Desde luego, eso fue lo que pensó de mí. Me miró como si hubiera perdido el juicio, y me dejó allí. Yo no podía dejar de reír. Tuve que sentarme mientras mantenía la cabeza entre las manos, mirando fijamente el móvil y las noticias que iban apareciendo en él. Me pareció absurdo que, en un momento así, lo único que se le ocurriera fuese pedir un taxi. Escocia había desaparecido, de modo que, por supuesto, había que pedir un taxi.

Al cabo de un rato, la risa cesó. No se transformó ni en lágrimas ni en nada. Simplemente, se desvaneció y me dejó confundido a causa de mis propias reacciones.

Me levanté, fui a por mi maleta a medio hacer y cogí el ascensor al vestíbulo. Todo el mundo gritaba, en muchísimos idiomas distintos. Una de las recepcionistas intentaba hacerse oír, pero nadie le hacía caso. Ella y un compañero se subieron al mostrador y se alzaron sobre la multitud.

—¡Silencio! ¡Silencio! ¡Silencio! —gritó. El hombre, más joven, se puso a su lado y, temblando, tradujo al inglés lo que ella decía. Todo el mundo guardó silencio un segundo—. ¡No salen vuelos de ningún aeropuerto! ¡Es muy improbable que hoy funcione ningún otro medio de transporte público! ¡Por favor, procuren mantener la calma y los ayudaremos en lo que podamos! ¡Les aconsejamos que no se vayan ahora en coche!

Pero la gente se marchaba, salía en tropel del edificio. Los observé, pegado a la pared, parcialmente oculto por una planta. Empecé a caer en la cuenta de que nadie iba a decirme qué hacer. Mi país no tenía gobierno. Escocia había desaparecido. Cientos de miles de personas habían muerto y todo el mundo esperaba que un gobierno que ya no existía les informara del protocolo que debían seguir en una situación que nunca había ocurrido antes.

Intenté llamar a Nadia al móvil otra vez, pero no había señal.

Estarían en casa. Allí era medianoche.

Pensé en el destello de luz, en aquella nube gigantesca y el amanecer artificial que había generado, y en las luces de la ciudad apagándose después.

Probé a llamar al fijo, y me dio tono.

El corazón...

No, no puedo escribirlo así.

Pensé que si lograba hablar con Nadia, si una de mis hijas cogía el teléfono, todo iría bien. Perdí de vista lo demás, salvo el tono del teléfono. Sonó y yo me imaginé el aparato en el pasillo de casa. Estaba a punto de oír la voz de Nadia y todo se iba a arreglar. Me iba a decir que ella y las niñas estaban bien y, luego, decidiríamos qué hacer. Podríamos coordinarnos y hablar por el fijo.

Siguió sonando y no contestó nadie. La voz que me hizo polvo fue la del contestador. No era la de Nadia, ni la de Marion, ni la de Ruth. Era la mía, yo mismo pidiéndome que dejara un mensaje.

Ese fue el momento en el que el tiempo se detuvo para mí. Da igual cuántos días hayan pasado. Todo se remonta a ese instante que arrasó mis cimientos.

Perdí el control y lancé el teléfono, que golpeó contra la pared que había a la izquierda del segundo ascensor. Oí que se rompía la pantalla, y ese fue el fin. Me tapé la cara con las manos y lloré, allí mismo, en el vestíbulo, delante de todo el mundo, aunque nadie me prestara la más mínima atención, y apenas pasó un momento cuando me di cuenta de que la gente hablaba de más bombas que habían estallado en China, y otra cerca de Múnich, o en algún lugar de Alemania. No me acuerdo bien.

Luego empezó a resultar más difícil informarse en otra parte que no fueran las redes sociales, porque la mayoría de las cadenas de televisión ya no emitían. Más tarde, oí a alguien hablar de bombardeos en Rusia y, más concretamente, en Jerusalén. Tengo por ahí una lista que hice deprisa y corriendo antes de que internet dejara de funcionar. No sé por qué intento recordar el orden preciso aquí. Ni siquiera sé si importa. Oí decir: «¡Han bombardeado Washington!», y, aun ahora, sigo sin saber quiénes fueron.

Ese fue el verdadero principio de todo, el primer día.

Día 54

La pareja de la 27 se ha suicidado esta mañana. O, por lo menos, eso parece. Yo llevaba un rato en pie porque ahora me levanto en cuanto me despierto. Ya no remoloneo en la cama. Cuando remoloneaba, sin querer, empezaba a pensar en Nadia, en Ruth, en Marion. Inventaba una fantasía detrás de otra y las imaginaba conduciendo por la carretera de la costa, tomando desvíos, incluso compartiendo vehículo con autostopistas amables también con hijos. Llegaba a imaginar escenas tremendas en las que Nadia se enfrentaba a bandas enteras de ladrones de coches.

Era horrible. Me fastidiaba hacerlo. Me fastidiaba aún más refugiarme en ello, apartarme de la realidad cotidiana.

He visto que los Bernardeaux no estaban en el comedor a la hora del desayuno y he subido a ver si se encontraban bien.

Cuando he llegado a nuestra planta, Dylan y Nathan se me habían adelantado y enseguida han supuesto lo que había pasado. En el primer mes desde que empezó todo, hubo un aluvión de suicidios y la escalera, que siempre permanecía a oscuras y apestaba, era el sitio más propicio para hacerlo. Hacía unas semanas que no se suicidaba nadie, pero los tres primeros me habían impactado tanto que cada vez que usaba la escalera esperaba encontrarme otro cadáver.

—J, no entres —me ha advertido Dylan—. No es agradable.

—¿Y qué lo es a estas alturas? —le he contestado, y he entrado de todos modos.

Nathan estaba plantado en la puerta del baño, con los brazos cruzados.

—Parece que él la ha matado a ella y luego se ha quitado la vida —ha dicho.

Tenía razón.

Patrick estaba tirado boca abajo y sin camisa sobre el borde de la bañera, con los brazos hacia delante en un pequeño charco de sangre. Era un hombre musculoso de cuarenta y muchos años; se mantenía en forma. A menudo me cruzaba con él en mis paseos por el hotel. A veces bajaba corriendo descalzo de la decimocuarta planta a la primera y luego volvía a subir; otras, corría solo por el pasillo de nuestra planta. Corría descalzo (y nunca fuera, como Tania o Dylan) porque no quería gastar su último par de zapatos.

En el suelo, detrás de Patrick, yacía su mujer, Coralie, con el rostro vuelto hacia la puerta, hacia nosotros, los ojos bien abiertos por la sorpresa y un moretón oscuro alrededor del cuello. No me ha quedado claro si la muerte de ella había sido consensuada. Puede que hubiera sido idea suya, pero se habría visto incapaz de llevarla a cabo.

—No hay indicios de juego sucio, ¿verdad? —he preguntado para asegurarme de que ninguno de los dos detectaba en el escenario algo que a mí se me escapara.

—Yo no veo nada —ha contestado Dylan.

Los dos eran dentistas, de Lyon. Aunque fueran bastante reservados, yo había hablado con Coralie unas cuantas veces en el comedor. Su inglés no era estupendo, pero la entendía. Con Patrick no había tenido ocasión de charlar mucho, salvo por una conversación inusualmente franca que habíamos mantenido hacía poco, cuando él volvía de una cacería con Dylan. Me habló de un verano que había pasado en la granja de su tío en Rumanía. Por entonces tenía catorce años. Su tío se lo había llevado consigo de caza, pero no como diversión, ni tampoco para comerse las piezas después. Habían estado siguiendo rastros de sangre para rematar de un tiro a las víctimas de un oso rabioso, de modo que habían pasado siete horas en el bosque acabando con el sufrimiento de ciervos y oseznos mutilados. Me dijo que era un recuerdo que no dejaba de venirle a la memoria en los últimos dos meses.

Me pareció que quería contármelo porque sabía que yo lo anotaba todo. Muchos han empezado a hablar conmigo y a contarme sus cosas.

Patrick y Coralie tenían tres hijos adultos, la mayor de los cuales ya era madre también. Por desgracia, no me acuerdo de los nombres.

—¿También notasteis que no habían bajado a desayunar? —he dicho.

Dylan ha asentido con la cabeza.

—Por eso paso lista. No solo por seguridad.

—¿Los conocías? —me ha preguntado Nathan.

—Eran dentistas —le he contestado, porque era lo único que sabía en realidad.

—Supongo que sabes que tienen una tasa de suicidio altísima.

Dylan y yo nos lo hemos quedado mirando.

Se ha encogido de hombros.

—¿Qué? Es verdad. Los dentistas tienen una tasa de suicidio mucho más elevada que cualquier otra profesión, míralo en Google.

—¿Que lo mire en Google? —le ha replicado Dylan, enarcando las cejas.

—Sé que no puedes... Ya sabes a lo que me refiero. Pero es cierto.

—Que lo mire en Google... —ha repetido Dylan, riendo.

—Me enfrento al abismo con humor, ¿se puede saber qué hay de malo en eso?

—«Cuando miras al abismo...».

—Me parto, ja, ja —ha terminado la frase Nathan mientras mostraba las palmas de sus manos en ademán de rendición.

Me ha sorprendido que tuvieran ganas de reír.

Mientras hablaban, no he podido dejar de mirar a Coralie Bernardeaux. La tristeza y la desesperanza se han apoderado de mí. Me he vuelto a sentir como el primer día, o el segundo, o el tercero.

—¿Los llevamos al jardín? —he preguntado.

—Preferiría no hacerlo mientras estén todos abajo —ha contestado Dylan, mirándome a los ojos—. Me preocupa que desencadene un efecto dominó.

Tenía razón.

—Pues ven a buscarme luego y te ayudo a sacarlos.

Nathan y Dylan han salido del baño. Ninguno de los dos parecía alterado. A lo mejor por todo lo que han visto ya. A lo mejor mi desesperación se deba a que aún no he visto lo suficiente.

He entrado en el baño y me he acuclillado para cerrarle los ojos a Coralie. Estaba fría. Lo que fuera había ocurrido durante la noche. He intentado recordar si había oído algo, algún forcejeo, algún grito, pero, que yo sepa, he dormido toda la noche de un tirón.

Una vez, Coralie se ofreció a mirarme los dientes. Me recosté en la silla del comedor y, asomándose a mi boca, me escudriñó el interior a la escasa luz del restaurante, hurgándome con un palillo, mucho más cómoda con los dedos en mi cavidad bucal de lo que había estado intentando darme conversación. El pelo no paraba de caerle por la cara.

—Bebes demasiado café —me dijo.

Yo contuve una carcajada.

Hizo una pausa y sonrió fugazmente.

—Supongo que voy a dejar de tener ese problema: el café de aquí es horrible.

Tenía bien los dientes por entonces, antes de que todos empezáramos a racionarnos la pasta dentífrica.

—Jon, ¿te encuentras bien? —me ha preguntado Dylan, tocando ligeramente con los nudillos en la puerta.

—Esto es un asco —he dicho en voz alta, levantándome.

—Lo sé, tío.

—En serio, es una mierda.

—Lo sé.

—A lo mejor han salido ganando —ha terciado Nathan. Meneando la cabeza, me he ido con ellos, y Dylan ha cerrado la puerta del baño.

En un edificio tan grande, los Bernardeaux podrían quedarse allí para siempre, no habría que volver a abrir ni ocupar su habitación, pero por costumbre y por humanidad, o quizá solo por higiene, seguíamos enterrando los cadáveres. Alguien tenía que decir siempre unas palabras, y nunca se proponía a otra persona que no fuera yo. Era el único de los que quedaban que aún recordaba las Escrituras.

Al parecer, cuando nos abandonamos a nuestra suerte controlamos muy poco lo que somos capaces de recordar. Se me olvidan los nombres (los de los compañeros de clase de mis hijas, los de sus profesores, los de los compañeros de trabajo de Nadia) y se me están olvidando también las caras. Hasta el recuerdo de mi propio padre parece borroso. Pero aún puedo recitar las Escrituras. Son como la memoria muscular.

Nathan ha vuelto al comedor; yo, en cambio, me he entretenido abriendo y cerrando cajones en la habitación, pero he visto que no tenían muchas pertenencias.

—¿Buscas algo? —me ha preguntado Dylan, que me esperaba en el pasillo.

—Sí... Pasta de dientes, analgésicos, lo que sea.

He mirado en el armario y he visto una maleta. En el compartimento delantero con cremallera estaban sus pasaportes. Los he abierto y he confirmado su identidad, procurando fingirme indiferente.

La única otra cosa interesante que he encontrado ha sido una cajetilla de puritos, algo que me ha sorprendido. Luego he salido por fin de la habitación y Dylan la ha cerrado con llave.

—Deberías comer algo —me ha dicho.

—No tengo hambre.

—Es comprensible —ha contestado, asintiendo con la cabeza—. Yo he tenido que impedir una pelea hace un momento. Nicholas, ya sabes, el holandés, ha empezado a provocar a Nathan, buscando bronca.

—¿Por qué?

—¿Porque está cabreado y quiere pelea? No sé. No me fío de los tíos que se han quedado en el hotel. Los ingleses, Adam y Rob, bueno, pero Peter, aunque ha estado tranquilo, no me gusta... Y tampoco ese holandés, Nicholas. Los he tenido muy vigilados, pero me agotan, ¿sabes?

—Adam es majo —le he dicho—. A Rob lo he saludado unas cuantas veces. Con Peter y Van Schaik no he hablado... Con ninguno de los dos.

—Bueno, te aseguro que no quieren hablar con estadounidenses —me ha dicho, sonriente—. Voy a trabajar en los depósitos y a fumar. ¿Te vienes?

Ya iba caminando a su lado antes de que terminara de plantearme la pregunta.

Día 54 (2)

Dylan y yo hemos pasado casi todo el día en la azotea. Por la mañana algunos de los otros hombres jóvenes nos han estado ayudando, pero, cuando ha empezado a atardecer y han caído en picado las temperaturas, nos han dejado solos. Entre ambos hemos conseguido retirar parcialmente la parte superior de uno de los depósitos. Había chatarra esparcida por todas partes y me sangraban las manos otra vez, al igual que a Dylan.

Me ha propuesto que fumáramos y he accedido. A lo mejor, así podría empezar con él esas entrevistas más largas.

Me ha dicho que la azotea se quedaba muy tranquila a última hora, y tenía razón. Hacía un frío que pelaba, pero con las vistas del bosque hemos podido imaginarnos que volvíamos a estar en un auténtico complejo turístico en el que el suave murmullo del viento no venía cargado con nombres de muertos, ni de relaciones rotas, de familiares y amigos desaparecidos. Por un momento me ha hecho sentir como si hubiera vuelto al congreso.

Dylan me ha hablado de los años que llevaba trabajando aquí, de las habitaciones reservadas para drogadictos y de algunos de los huéspedes más infames.

—Solíamos usar las habitaciones libres. El tío que lo llevaba seguía un pequeño plan, años antes de que a mí me ascendieran. Nos permitía sacarnos un dinero extra que repartíamos con los demás empleados. Trabajar aquí era bastante ingrato, pero entonces podíamos hacer lo que quisiéramos, siempre y cuando la clientela fuera decente. Daba igual que consumieran drogas, mientras fueran de las caras.

—¿No era arriesgado?

—Hubo una época en que tuvimos un aluvión de sobredosis y las ambulancias venían por aquí demasiado a menudo según la dirección. A mi jefe anterior lo despidieron, discretamente. Entonces, me volví más prudente. Con los años, creo yo. Maduré y empecé a pensar a largo plazo, en mi familia, más que en comerme un buen chuletón y tomarme una buena cerveza. Hay cosas más importantes en la vida. Las había.

Me ha pasado nuestro segundo canuto y yo le he dado una buena calada.

Estábamos sentados el uno al lado del otro, con las piernas colgando por el borde del edificio. No era tan peligroso como parecía, con la serpentina escalera de incendios de hierro forjado justo debajo. Habría sido increíble ver la puesta de sol desde allí arriba, pero obviamente ya no había puestas de sol.

Me ha parecido que la brisa era casi cálida, aunque puede que hayan sido imaginaciones mías. Iba bastante colocado.

—¿Llegaste a conocer a alguno de los asesinos? —le he preguntado—. Tomi me dijo que se alojó aquí uno famoso.

—Sí, Victor Roux... Bueno, podría decirse que se las tuvo que ver conmigo.

—¿Y eso?

—Lo conocí como a ti. También deambulaba por los pasillos, aunque sobre todo por la noche. Por entonces, no me pareció extraño. A muchos huéspedes, por lo visto, les gusta pasearse por el hotel cuando todo está tranquilo, si no quieren andar por el bosque. Victor y yo hasta nos fumamos una vez un porro juntos, como me lo estoy fumando ahora contigo, fuera de las cocinas. Era un hombre encantador y se las llevaba a todas de calle, pero supongo que eso ya lo sabes si me estás preguntando por él.

—No sé mucho. Es Tomi la que está escribiendo la historia del hotel. ¿Lo viste alguna vez acercarse a una mujer?

—No acostumbro a beber en el bar del sótano, pero sé que él solía bajar a ver algún espectáculo musical y, a veces, salía de allí en compañía de alguna mujer. En una ocasión me contó que de joven había conseguido participar en un *reality* de citas, no recuerdo cuál... Pero que el programa no llegó a emitirse.

—¿En serio? ¿Victor Roux concursó en un programa de citas?

—Ya sabes cuáles digo; esos en los que una fila de hombres compite por salir con una mujer y nadie habla como lo hace en la vida real. Según él, ganó. Pero luego no lo pusieron por la tele.

—¿Te explicó por qué?

—Él dijo que la mujer armó la gorda, que se quejó de que era rarito y se negó a salir con él. El premio eran unas vacaciones en Grecia o algo parecido, así que debía de ser verdad que no quería ir con él. Muy fuerte, si lo piensas. La intuición de esa mujer seguramente la libró de convertirse en una de sus primeras víctimas.

—¿Qué edad tenía él por entonces? ¿Había empezado ya a matar?

—Nadie sabe cuándo empezó a hacerlo.

Se me ha puesto la carne de gallina y le he pasado el canuto. He pensado que daría lo que fuera por ver la grabación de ese programa. Claro que probablemente nunca volveríamos a ver ningún otro entretenimiento en una pantalla.

La constatación ha sido dura y me ha entristecido más de lo que querría reconocer.

—¿Lo viste con Natalie du Morel? —le he preguntado.

Dylan ha enarcado las cejas y ha puesto cara de asco un segundo.

—Una vez. Ella me caía bien, llamaba la atención. Era muy menuda, una dama diminuta de pelo corto. Tenía todas las de perder con él, que era alto, aún más alto de lo que parecía en los periódicos. Y fuerte, como si no fuera del todo humano.

—¿Lo viste la noche en que...?

—Lo tumbé yo.

—¿Qué?

—Lo que oyes —ha dicho, asintiendo con la cabeza mientras le daba una fuerte calada al canuto—. Mi jefe llegó como tres minutos después y se apuntó el tanto. Este era otro director, no el tío al que echaron. Antes de que me ascendieran vi pasar por aquí a varios.

—¿Cómo que se apuntó el tanto? ¿Quieres decir que se atribuyó el mérito?

—Le preocupaba que, si la prensa local se enteraba de que un negro le había dado una paliza a ese blanco, al final me culparan a mí de todo. De los asesinatos..., de todo. A nadie se le iba a ocurrir tergiversar la heroicidad de un blanco, pero conmigo la cosa habría terminado mal. Por entonces, era distinto. No tan diferente de lo de ahora, como os pensáis, pero sí lo bastante para que yo prefiriera no hacerme famoso por haber estado a punto de matar a un hombre.

—Guau. ¿Y qué pasó?

Ha dado otra calada al porro y ha hecho un gesto con la mano como para indicar que volvía al principio de la historia. Luego se ha llevado la mano al estómago, como si se agarrara con fuerza una herida reabierta.

—Ella desapareció un tiempo, Natalie, la mujer a la que intentó..., pero pensamos que se habría refugiado en la ciudad, en casa de algún amigo. Entonces, al día siguiente, alguien oyó gritos en la sexta planta, donde se alojaba Victor. Me llamaron por radio y subí corriendo. No tenía miedo. Ignoraba qué estaba pasando. A veces había altercados, peleas, así que esas cosas, de buenas a primeras, no me asustaban. Pero, entonces, me topé con ellos.

Un par de pájaros han pasado rozándonos la cara, graznándose el uno al otro, y yo me he asustado y he pegado los talones a la fachada del edificio.

—¡Pájaros! —he exclamado—. ¡Madre mía!

—Mola —ha coincidido, y hemos observado cómo trazaban círculos el uno alrededor del otro hasta que han descendido a unos árboles de por allí.

—Perdona, ¿qué me estabas diciendo?

Me ha pasado el canuto.

—¿Sabes? Ahora, siempre que pienso en esa época me viene a la cabeza una canción. Cuando me llamaron, yo venía de un descanso y había estado escuchando a Billy Ocean en mi viejo reproductor de casete, un *walkman*.

—Ostras, un *walkman*.

—¿Los recuerdas?

—Sí, aunque yo pasé directamente al reproductor de cedés. Me crie escuchando los vinilos de mi padre. Tenía veintitantos años cuando oí por primera vez algo distinto.

Al mencionar a mi padre, me he callado en seco. Se me ha borrado la sonrisa de la cara y se me ha hecho un nudo en la garganta. No sé por qué, últimamente no he pensado mucho en mi padre ni en su mujer, Barbara. Puede que lograran escapar de la onda expansiva. He intentado calcular si mi padre estaría trabajando en Memphis ese día y si eso habría importado siquiera, pero no hay forma de saber nada con certeza.

Demasiado en lo que pensar.

—Así que justo antes estaba escuchando *Love Really Hurts Without You*, y aún me la estaba cantando cuando eché a correr. Estuve días sin poder quitármela de la cabeza. Ahora, cada vez que la oigo me dan ganas de vomitar. Me produce escalofríos. Total, que llegué a la sexta planta. Como los ascensores no funcionaban, tuve que subir por las escaleras, y antes de llegar ya oí los gritos y supe que era ella. Enseguida caí en la cuenta de que hacía una o dos noches que no la veía. Victor la había echado de su habitación y llevaba un cuchillo enorme, una especie de machete. Prácticamente le había cortado la mano; no tenía más que colgajos de piel y sangre por todas partes. Perdona que sea tan gráfico.

—No, continúa.

—La tenía en el suelo y le estaba atizando con ese cuchillo espantoso de casi medio metro de largo. De no haber estado tan furioso, le habría cortado la cabeza, pero no atinaba. Ella se tapaba la cara con la mano para protegerse y la tenía... destrozada.

—¿Qué hiciste?

—No vi lo que había hecho hasta que estuve encima de él, y recuerdo que pensé: «Serás imbécil: te va a matar». Pero me había abalanzado sobre él y yo creo que ni lo notó hasta que empecé a darle puñetazos. Me atacó con el machete, pero no tenía ángulo para acertar. Lo retuve en el suelo y empecé a sacudirlo en la cara. Jamás se me pasó por la cabeza que pudiera convertirme en un héroe. Ni siquiera pensé en la pobre mujer. Solo podía pensar en que tenía que acabar con aquel animal pues, de lo contrario, él acabaría conmigo.

He vuelto a pasarle el canuto. Sujetándolo con los dientes, Dylan se ha sacado de la cinturilla del pantalón la camisa beis que llevaba debajo del abrigo y me ha enseñado el vientre. De un lado a otro del torso, justo por encima del estómago, tenía una cicatriz profunda. Se ha subido la manga y, en la parte superior del bíceps, tenía otras dos.

—El caso es que ella sobrevivió al ataque —ha dicho—. Vivía en Marsella, así que puede que haya sobrevivido a esto también. No sabemos qué ha pasado en Francia, ¿verdad? He oído algo de París, pero... No sé.

—Es una historia increíble.

No he sabido qué más añadir. No se me ha ocurrido hacerle un comentario que estuviera a la altura de las circunstancias.

—Seguramente por eso me dejaron llevar a mi equipo como quisiera, hacer lo que me apeteciera mientras mantuviera el hotel, y a los huéspedes, a salvo. Podía ganar dinero por mi cuenta, elegir mi horario y a todos mis empleados. Cuando te la juegas por tu trabajo, la dirección te trata con respeto.

—¿Adónde se fue tu jefe, tu antiguo jefe?

—Murió de cáncer de páncreas. Sería en... —ha dicho, meneando la cabeza—. ¿Te lo puedes creer? No me acuerdo. Fui a su funeral, pero no recuerdo ahora el año. Aunque tendría. Siento que debería recordarlo. —El canuto se ha apagado. Ha intentado volver a encenderlo, pero no prendía. Lo ha tirado y ha empezado a liar otro—. ¿Has averiguado algo de la niña? —me ha preguntado.

—No. Solo su nombre.

—¿Aún sigues queriendo registrar el hotel entero?

—No sé. ¿Puedo quedarme las llaves de momento?

Se ha encogido de hombros.

—Supongo. Dudo mucho que encuentres algo.

Día 55

Se me ha ocurrido una idea, pero necesito un cómplice, o dos, y no tengo confianza suficiente con nadie para pedírselo. Esta mañana, en el desayuno, he pasado un buen rato explorando el comedor, escudriñando a la gente. Hay personas con las que ni siquiera he hablado aún. Aparte de mí, la única persona que se encontraba sola era Tomi. Yo estaba esperando a Tania, pero no ha bajado. Mi primera opción, antes que cualquiera de las dos, habría sido Patrick, por su fortaleza física y porque el hecho de que formara parte de una pareja lo hacía más fiable que ningún otro que estuviera allí solo.

Me he levantado y me he acercado a Dylan.

—¿Tania está bien?

—He pasado a verla. Se ha subido comida a su habitación a primera hora, antes de que llegara nadie al comedor. No se te escapa una, ¿eh? —me ha dicho sonriente.

—Me alegra saberlo —le he contestado yo, verdaderamente aliviado.

He vuelto a mi mesa y me he terminado el café. Llevamos un tiempo tomándolo soluble y estaba amargo y casi frío. Bebo todo lo que me dejan de esa cosa, aunque no sea mucho.

Al fondo del comedor, Tomi se ha levantado y se ha ido. En ese instante, he decidido que se lo iba a pedir a ella primero. Dudo que esté implicada en el asesinato (es una mujer joven, y las mujeres jóvenes rara vez cometen delitos) y, con lo bien que se le dan el hurto y el psicoanálisis, podría resultarme una aliada muy útil.

Como no quería llamar mucho la atención, la he seguido a cierta distancia.

Dylan me ha visto marcharme, así que he esperado a alcanzar la escalera antes de llamarla.

—¡Oye, Tomi!

Se han detenido un instante los pasos que oía por encima de mi cabeza y, al acercarme a la barandilla, la he visto asomarse.

—Ah, eres tú —me ha dicho divertida.

—¿Podemos hablar?

—Claro.

La he oído subir trotando un par de tramos más y luego alejarse de la escalera. La he seguido y, cuando he llegado a la sexta planta, me la he encontrado esperándome en el pasillo. Aún sostenía en la mano la taza de café.

—Me repugna esa cosa —le he dicho.

—Está asqueroso, pero a veces le añado un chupito —me ha dicho, incómoda—. ¿Vamos... a mi habitación o...?

—Sí, mejor en privado.

—Ah, «en privado».

—No es nada de eso, te lo aseguro.

Ha reído.

—Como si yo te fuera a invitar a mi habitación si lo creyera...

Tomi se aloja en la 505. No creo que esa fuera su habitación original. Como los demás, se ha mudado de una de las habitaciones con la caprichosa tarjeta-llave a otra de las que puedan cerrarse manualmente. Me he preguntado si elegiría ese número por ser capicúa y también por qué no se habrá mudado a la cuarta planta, más baja y con más compañía femenina.

He pensado que tenía que estar al tanto de lo ocurrido con Victor Roux. Debía de saber que habían estado a punto de matar a hachazos a una mujer a escasos metros de donde estábamos, y aun así había decidido alojarse en esa planta, ella sola.

Supongo que no es tan extraño, si no es supersticiosa. Pero yo no habría querido instalarme en la sexta.

—Bueno, ¿qué es tan urgente como para que me sigas desde el comedor? —me ha preguntado.

He cerrado la puerta y ella se ha sentado en el borde de la cama.

—Quería hablarte del cadáver del depósito de agua.

—¿El de esa niña?

—Sí. —He retirado la banqueta de su tocador y me he sentado en ella y, mientras lo hacía, he explorado la habitación en busca de objetos—. No sé cuánto sabes ni qué rumores corren por ahí.

—Que la asesinaron, pero que fue antes.

—Eso parece.

Entonces se ha levantado, se ha inclinado sobre mí y ha alargado la mano sorteándome para abrir los cajones del tocador.

—Si lo que quieres es ver si guardo algo aquí que te apetezca, dímelo sin más. No hace falta que te inventes un pretexto solo porque te dije que tengo un alijo de whisky.

Para fastidio mío, no he podido resistir la tentación de bajar la mirada y he visto que guardaba varios tubos de pasta de dientes, montones de botecitos de gel de baño y algunos cepillos plegables. Estaba demasiado cerca y me he tenido que levantar.

—Mira, no me malinterpretes. Me llama la atención todo lo que has robado, pero no he venido por eso. La verdad es que necesito tu ayuda.

—¿Para qué?

He observado que su habitación olía bien. Ya no olía bien ninguna habitación.

—Para investigar —le he contestado, acomodándome para sentarme en el suelo.

Tras poner un poco los ojos en blanco, se ha vuelto a sentar en la cama.

—¿Quieres encontrar al asesino?

—Quiero saber qué pasó. Lo raro es que nadie más quiera.

—¿Y por qué me lo pides a mí?

—¿Por qué no?

—Ni siquiera te caigo bien.

—Eso no es... —He suspirado y he mirado su café—. ¿Puedo tomar un poco?

Riendo, me ha pasado la taza, ha cogido una botella de whisky y ha añadido un chorrito.

—Si has venido a la habitación de una chica que no te cae bien a por un carajillo, eres un pelín gilipollas.

Me lo he bebido de golpe y he notado cómo el whisky hacía más soportable el café.

—Gracias. Y no me caes mal, simplemente no te conozco. Lo cierto es que nadie conoce bien a nadie.

—Me agobia no conocer a nadie. Pensé que sería al contrario, que me resultaría liberador, pero más bien es como estar encerrada en una habitación a solas contigo misma —me ha dicho, señalando alrededor—. A ver, a mí me gusta estar sola, pero también hace que todo parezca mucho más preocupante.

—Tienes razón.

—Antes no valoraba lo bastante a mis amigos.

—Pensaba que no habías querido llamar a nadie cuando todo esto empezó...

Me ha arrebatado la taza de café.

—¿Qué quieres que haga?

—No sé si es cosa mía, pero los empleados del hotel: Dylan, Sophia..., cuando menciono el cadáver, actúan de forma extraña.

—Estábamos bebiendo todos caldo de cadáver y el mundo se ha vuelto radiactivo. Es normal que la gente se muestre rara. Bastante mierda llevamos ya encima —me ha dicho, mirando a otro lado mientras se encendía un cigarrillo.

—No, yo me refiero a que se muestran esquivos. No es que no quieran hablar de ello, sino que ni siquiera me dejan investigar. Y allí arriba hay cuatro depósitos. No teníamos por qué estar bebiendo... caldo de cadáver.

—A lo mejor les parece inútil.

—No, hay algo más, estoy seguro. ¿Crees que podrías ayudarme a averiguarlo? —Me he llevado la mano al bolsillo y le he enseñado las llaves en señal de confianza—. Tengo las llaves maestras. Puedo registrar todas las habitaciones que quiera. Aunque esto deba parecer cosa de una sola persona, necesito que alguien tenga vigilado a todo el mundo, sobre todo a los empleados.

Una diminuta sonrisa.

—¿Y qué es lo que he de vigilar?

—Aún no lo sé, pero ¿lo harías?

Ha agarrado la botella y se ha servido otro chupito. Le ha dado igual que fuera de día. Cuando se ha agachado para dejar la botella en el suelo, le ha resbalado el pelo por encima del hombro derecho y, justo entonces, los finísimos rayos de sol del amanecer renqueante que se colaban por la ventana lo han hecho brillar.

—Oye, que esto es el fin del mundo —ha dicho, riendo—. Cada uno tiene sus aficiones, ¿no?

Camino de mi habitación, he parado delante de la consulta de Tania y me he quedado allí un buen rato. No tengo ni idea de qué hace ahí dentro cuando no está con algún paciente. Las costumbres de cada cual son privadísimas, sobre todo las suyas.

De pronto, ha abierto la puerta.

—¿Puedo ayudarte en algo? —me ha dicho. Como no me lo esperaba, no me ha dado tiempo a inventarme una excusa—. ¿Es por lo de la muela? —me ha preguntado, enarcando una ceja.

No sé si con ello pretendía buscar una salida que me ahorrara la situación de apuro, pero la he aprovechado. Me ha sentado en su sillón y, de espaldas a mí, se ha puesto unos guantes de látex. La he notado distraída y cansada.

—Apoya la cabeza en el respaldo del sillón. Voy a tener que usar una linterna.

He seguido sus instrucciones. Ha descorrido las cortinas de la ventana todo lo posible, pero no se ha notado mucho la diferencia. Cuando se ha inclinado para alumbrarme la boca, he observado que tenía los labios cortados, como si se los hubiera estado mordiendo.

He notado un pinchazo en la nuca, pero no lo he mencionado. Tras emitir un suspiro, se ha apartado de mí.

—Tiene pinta de estar muriéndose.

Me he incorporado con dificultad.

—¿Por qué?

—No soy odontóloga, pero está descolorida. Desconozco qué lo ha causado; podría ser por montones de cosas. Probablemente haya que extraerla, me temo. —Ha debido de verme la cara que he puesto, porque enseguida ha añadido—: No tiene que ser ahora. Puede que se caiga sola, o a lo mejor te la arrancas sin querer cuando aprietes los dientes; tienes pinta de ser de esos tipos a los que les rechinan los dientes. Aunque, si empieza a parecer que podría infectarse o te empieza a doler la zona de alrededor, habrá que sacarla.

—¿Tienes anestesia aquí?

—No, pero ya se nos ocurrirá algo. —Se ha quitado los guantes y los ha encestado en la papelera del otro extremo de la habitación—. No digo que vaya a ser agradable.

—¿Te encuentras bien? No te he visto durante el desayuno.

Se ha sentado desanimada al borde de la cama, que ahora tiene pegada a la pared del fondo.

—A veces pienso demasiado en el día en que ocurrió todo. No creo que sea bueno hacerlo.

—¿Quieres que charlemos?

—No me apetece que me entrevistes para tu proyecto.

He sonreído.

—No te lo he preguntado por eso.

—No, pero sí has venido a verme por eso.

Se ha hecho un breve silencio y he pensado en marcharme, pero, en realidad, no me ha importado que haya podido ver el plumero. Me resulta extrañamente reconfortante el hecho de que alguien me vea siquiera.

—Quizá no eres la única persona que necesita hablar de vez en cuando —le he dicho mostrando las palmas de las manos en ademán de franqueza—. No voy a escribir nada que no quieras que comparta.

—Seguramente se trata de una buena terapia para ti —ha musitado cruzando las piernas y apoyando la cabeza en una mano—. ¿Por qué te quedaste en el hotel? Todos los demás del congreso se fueron. ¿Por qué tú no?

—¿Te soy sincero? No me acuerdo. Ese día está lleno de lagunas en mi caso. Y en cuanto a ti, ¿por qué te quedaste?

—Yo me iba a marchar —me ha dicho al final—. Fui hasta el coche, pero luego cambié de opinión. Me acordé de lo que pasó con aquel avión que se estrelló, creo que fue un avión, y de esa niña que, después de haber sobrevivido, bajó corriendo a la pista de aterrizaje y fue atropellada por una ambulancia. Murió. No sé por qué me vino eso a la cabeza, pero caí en la cuenta de que, a lo mejor, marcharse no era lo más sensato. Igual moríamos todos camino del aeropuerto o en la misma estación, porque podía ser ahí perfectamente donde cayera la siguiente bomba, mientras que me pareció poco probable que nadie quisiera atacar el hotel, así que... —ha terminado, encogiéndose de hombros.

—Tiene su lógica —le he dicho yo.

—¿Sí?

—Más que el que te hubieras marchado solo porque se fuera tu novio. —He decidido ir a por todas y preguntar—: ¿Cuánto tiempo llevabais juntos?

Para mi sorpresa, no se ha cerrado en banda.

—Habríamos cumplido los tres años hace... unos dos meses. Por eso estábamos aquí. A solo una semana de nuestro aniversario, con una bonita ciudad cerca, un lago, ya sabes.

—¿Tres años?

Ha asentido con la cabeza.

—Y no era mi novio. Era mi prometido.

Me ha afectado su respuesta.

—¿Y se fue?

De nuevo, ha hecho que sí con la cabeza.

No he sabido qué decir. Me he sentido fatal por haber sacado el tema. No había razón para intentar pillarla así. Es evidente que Tania no guarda ninguna relación con el asesinato de Harriet Luffman.

—Estaba convencida de que volvería cuando se diera cuenta de que no iba a llegar a ninguna parte, de que terminaría volviendo de todos modos. Como puedes ver, ni se le pasó por la cabeza —ha dicho, señalando muy seria la habitación.

Me ha dado mucha rabia y he tenido ganas de volver al vestíbulo del hotel a darle un puñetazo en la cara a ese tío.

—Lo siento.

—No, lo siento yo —ha replicado, mirándose las uñas—. Siento haber malgastado los últimos tres años. Podría haberlos pasado durmiendo sola, saliendo siempre que hubiera querido, comiendo más, teniendo mi propia casa, acostándome con quien hubiera deseado.

—A lo mejor, algo le impidió volver —he dicho, no sé muy bien por qué.

—Espero que esté muerto —ha soltado, mirándome fijamente a los ojos como si yo no hubiera entendido nada.

Día 58

Me he saltado un par de días. Me fastidia no haber sido más constante, así que voy a incluir aquí lo sucedido entremedias. He vuelto a fumar. Llevaba sin hacerlo desde los veinticuatro años. Fue Nadia, claro, la que me convenció para que lo dejara. Bueno, a lo mejor «convencer» no es la palabra. Me lo pidió, y yo lo dejé. Era así como funcionaba nuestra relación.

Me acerqué a Adam en el desayuno porque me pareció una buena persona con la que charlar. Me refiero a que habla inglés y a que siempre se ha mostrado amable conmigo, a pesar de su tono serio y su ceño fruncido. Está palidísimo, casi de forma preocupante, y tiene unos mechones rojos en la barba oscura.

Me ofreció tabaco y, al principio, lo rechacé, pero él insistió.

—¿De qué tienes miedo, de morir? —me dijo, encendiéndose un cigarrillo—. He oído decir que lo estás escribiendo todo para que los futuros habitantes del planeta sepan que estuvimos aquí.

—¿A ti no te da miedo que nadie te recuerde?

—No. Solo vine aquí para quitarme de en medio. No tenía muchos motivos para volver.

—¿Padres? ¿Novia?

—No —me contestó como si nunca hubiera tenido padres—. Tenía un hermano, pero..., esto, tampoco me llamaba nunca.

Me propuso que saliéramos para que los demás no olieran el humo y empezaran a pedirle cigarrillos. Así que nos pusimos unas prendas extra, gorro y guantes, y fuimos a sentarnos en el jardín. Encontramos un banco y, lo confieso, me está gustando muchísimo volver a fumar. Me había acostumbrado ya a la rigidez permanente del pecho. El tabaco me relajaba los hombros doloridos.

Debimos de fumarnos tres cigarrillos cada uno durante el rato en que estuvimos allí sentados.

—¿Cuántos más tienes? —quise saber.

—Montones —me contestó—. Me aprovisioné en el aeropuerto cuando llegué a este país.

—¿Qué hacías en el hotel? —le pregunté, volviéndome a mirarlo para que no prestara mucha atención a mis anotaciones.

—Tocar la guitarra y consumir drogas. Estaba de gira, ¿verdad? —No me miraba a los ojos—. Nada del otro mundo, solo unos cuantos conciertos en Europa. Me peleé con el cantante y esos cagados se pusieron de su parte, así que una noche les robé todas las drogas y me fui. Apagué el teléfono. Que se jodan.

Soltó una risa.

—¿Sabes si han sobrevivido?

—No, y lo cierto es que, aunque suene mal, no me importa. Me preocupan mis amigos de casa, no mis compañeros de juergas. Ni siquiera echo de menos a mis padres, en serio. Echo de menos a mis colegas, eso sí, a las personas que me conocen de verdad.

—¿Dices que les robaste todas las drogas? No pensarías volver con todo eso a Reino Unido...

Titubeó.

—Sí, no estoy seguro de que pensara volver.

Decidí no preguntarle a qué se refería. Él decidió no explicármelo.

Al fondo del jardín vi a un grupo de hombres (Dylan, Sasha, Peter...) arrastrando al aparcamiento, sobre una lona de plástico, un ciervo que acababan de matar. Yo no había querido acompañarlos, no porque no supiera disparar, sino porque todos los demás me habían parecido más deseosos de empezar a matar que yo. Ahora que Patrick ya no andaba por aquí, a lo mejor debía apuntarme.

—No sabía que quedaran ciervos —comentó Adam.

—Yo tampoco —respondí con tristeza.

Peter indicó a los otros que le ataran las pezuñas al animal y lo colgaran de una de las farolas que debería haber iluminado el aparcamiento. Ya le habían cortado el cuello. Adam y yo vimos el horrendo reguero de sangre que habían ido dejando a su paso alrededor del hotel.

El animal muerto se quedaría allí colgado tres o cuatro días. Desvié la conversación hacia Harriet Luffman.

—Cuando llegaste, ¿viste algún niño en el hotel?

—¿Te refieres a esa niña a la que encontrasteis en el depósito de agua? No. La verdad es que no soporto a los niños —añadió—. Me mantengo alejado de ellos.

Reí.

—¿Por qué no los soportas?

—Es una historia rara.

—Tan rara no será...

Le dio una calada larguísima al cigarro y esbozó una sonrisa de satisfacción.

—Cuando era más joven hice una güija con mis colegas. Todos pensamos que era de coña, pero terminamos hablando con un niño que había muerto en un accidente de tráfico en Australia. No sé quién era, pero dijo que yo no le caía bien. Seguro que mis colegas me estaban vacilando, pero, desde entonces, sueño a menudo con que ese niño espeluznante está en un rincón de mi cuarto.

No era la respuesta que esperaba. Dejé de tomar apuntes un momento.

—¿En serio?

—Sí. Lo más raro es que todas las novias que he tenido se negaban a dormir en mi casa porque se despertaban en plena noche flipando porque había un niño que daba miedo en el rincón. —Me miró de reojo—. El otro día vino Tomi a mi habitación, pensé que la tenía ya en el bote y, de pronto, se incorpora y ¿sabes qué me dijo?

—¿Qué?

—Me preguntó si podíamos irnos mejor a la suya porque le parecía ver algo en el rincón de la mía.

Tenía el boli sobre el papel, pero no sabía qué escribir. No sé por qué, me enfadé con él, pero solo un momento.

—Yo..., yo no creo en fantasmas —le dije.

—Ni yo, colega. Me fastidia, ¿sabes? Porque no entiendo cómo esas chicas han terminado viendo lo mismo que yo —dijo, ceñudo—. El caso es que por eso no soporto a los niños. No recuerdo haber visto a esa cría que encontrasteis. Lo curioso es que aquí tampoco he tenido pesadillas con el niño fantasma.

Al lado del nombre de Harriet escribí: «No parece que sepa nada».

A lo mejor, este no es un buen sitio para los niños, ¿verdad? Vivos o muertos.

Añadí al lado: «Pero no soporta a los niños».

Día 58 (2)

Cuando empezó a hacer demasiado frío, nos fuimos. Seguimos el reguero de sangre hasta la entrada, donde me detuve a mirar en qué dirección enfilaba la carretera desierta y luego tomaba una curva hacia el bosque.

Adam me dijo que, estando en Ginebra, había pillado un poco de coca y otras cosas y, por algún motivo, pensé: «¿Por qué no?». Ya no tengo que ser un ejemplo para nadie. Ya no me preocupa meterme en una pelea de bar o tener un accidente de coche, ni siquiera sufrir una sobredosis.

Así que volvimos a la habitación de Adam y, de camino, me preguntó si me importaba que invitara a Tomi.

Le dije que no, aunque en el fondo sí me importaba un poco.

—Antes de que empezáramos a quedar, me parecía un poco cabrona, pero la verdad es que es divertida —me dijo.

—Lo que tú digas.

—Y está buenísima.

Reí. Adam todo lo dice con un poco de sarcasmo. Es divertido sin querer. Inexpresivo.

—Si tú lo dices... —repuse.

—Venga ya —bufó—. Eres un mentiroso, colega.

Probé la cocaína una vez, a los veinticinco años, con Nadia. No he vuelto a hacerlo, pero sé que ella sí. Iba con su trabajo, con sus compañeros, con mantenerse despierto mientras cubrían un congreso del partido o un mitin, o la publicación de un nuevo informe desclasificado que debían leer al mediodía.

Adam me lio otro cigarrillo y yo me senté con las piernas cruzadas en el borde de su cama, fumando, mientras él iba a buscar a Tomi. Lo tenía todo recogido, como si hubiera estado pensando en marcharse y, al final, hubiera preferido no hacerlo. No se había molestado en que pareciese un hogar. O a lo mejor sí. Si me hubiera dejado más tiempo solo, me habría visto tentado de echar un vistazo a sus pertenencias, porque no parecía que tuviera muchas. Pero entonces volvió con Tomi, que iba envuelta en un par de mantas.

—¿Me lías uno de esos? —preguntó al ver mi cigarrillo.

Yo señalé a Adam, que se sentó en el suelo y empezó a liárselo. Se me pasó por la cabeza que quería invitar a Tania, pero no estaba seguro de si ella querría, ni de si no sería abusar de la generosidad de Adam.

—¿Qué habéis estado haciendo para terminar esnifando tan pronto? —preguntó Tomi—. ¿Contándoos intimidades?

—Adam me ha contado una historia de fantasmas de su infancia —contesté.

Tomi se sentó en el suelo, a mis pies, y Adam le encendió el cigarrillo con una cerilla.

—No es una historia de fantasmas —replicó.

—Entonces, ¿creéis en fantasmas? —preguntó ella.

Adam contestó que no.

—Me parece que no —dije yo—. ¿Y tú?

—Soy atea —respondió, como si eso lo explicara todo.

—Y para ti, ¿un fantasma es sinónimo de Dios? —dije por encima de la cabeza de Adam, que estaba arrodillado sobre un espejo que había traído del baño, puesto boca abajo, deshaciendo los pelotones de polvo blanco que había sacado de una bolsita.

—Un fantasma implica una dualidad —contestó—. No hay pruebas científicas que indiquen que el cuerpo humano contenga un ente independiente e intangible llamado alma, así que no creo en el más allá. No creo en Dios. Creo que, cuando morimos, se acaba todo. Supongo que no estarás de acuerdo.

No sabía por dónde empezar. Me estaban distrayendo los golpecitos de Adam con las llaves en el cristal.

—No, yo no creo eso —dije.

—Educación religiosa —me espetó Tomi, señalándome y sonriendo—. Lo sabía.

—Sí, crecí en una familia religiosa, pero eso lo sabe todo el mundo. Soy el único que aún puede decir unas palabras en los funerales.

Eso no disminuyó su autocomplacencia.

—Entonces, ¿tú piensas que tenemos alma?

—Pienso que la ciencia puede explicar el cómo, pero no el porqué.

—No tiene por qué haber un porqué, eso es para los críos.

—¡Tú estabas escribiendo una tesis sobre el folclore urbano!

—Me gradué en Historia y Antropología, me doctoré en Desarrollo urbanístico. Estudio los acontecimientos del pasado y cómo afectan al presente, no conceptos abstractos e imposibles de demostrar. ¿Y...?

Adam se recostó y sonrió para sí. Me dio la impresión de que estaba disfrutando, sobre todo, por vernos discutir. Reconozco que fue lo más parecido a la normalidad que he sentido en el tiempo que llevo aquí. Fue como si estuviera en el despacho otra vez, con los alumnos entrando y saliendo para pedirme una revisión de examen o un aplazamiento. A veces querían hablar de algo que les había llamado la atención en alguna clase. Esas eran siempre mis charlas favoritas. Tomi debió de ser un tostón como alumna, pero seguro que enseñó a sus profesores unas cuantas cosas.

Oí a Adam esnifar un par de rayas, luego le pasó el espejo a Tomi, que se recogió el pelo con la mano, se dobló hacia delante e hizo lo mismo. Yo pedí un billete limpio y Tomi se burló de mí. Esnifé dos rayas y me maravillé de lo fácil que era.

Tomi dijo que iba a por parte de su alijo y, en su ausencia, Adam se tumbó en el suelo, con las manos en la nuca.

—Te estás poniendo colorado —me soltó.

Le dije que era solo porque la coca me estaba acelerando el pulso.

—Podrías echar un polvo si quisieras.

—Ni siquiera le caigo bien.

Me miró como si hubiera dicho algo increíblemente pueril.

—Esto es el fin del mundo, colega.

Tomi regresó con una botella de Jack Daniel's y pensé: «Allá vamos, ya no hay vuelta atrás».

No recuerdo todo lo que hablamos después, pero voy a escribir lo que pueda.

Adam no dijo gran cosa, pero se rio muchísimo. Creo que eso era lo que quería.

Tomi y yo retomamos la conversación sobre la dualidad. Me bebí unos cuantos chupitos seguidos. No sabría decir si estaban buenos. Ni siquiera fui capaz de saborearlos.

—¿Qué sentido tiene preocuparnos por supersticiones y especulaciones varias cuando ahí fuera pasan tantísimas cosas muchísimo más interesantes que, de verdad, te alucinan? ¿Cosas como otras galaxias, agujeros negros y viajes espaciales? ¡En eso tendríamos que haber derrochado nuestra inteligencia, no en la Iglesia! —dijo, dando un puñetazo en la alfombra.

—¡A mí no me parece un derroche de inteligencia dedicar tiempo a pensar qué hacemos aquí! Si existe el libre albedrío, si somos algo más que animales...

—Pero no lo somos.

—¿Me dejas terminar?

—¡Adelante!

Se lo estaba pasando en grande, por lo visto.

Creo que yo también, porque, durante un montón de minutos seguidos, pude olvidarme de dónde estaba.

—Para el ser humano es importante sentir que su existencia tiene sentido —dije.

—¿Y no tiene sentido si no crees que al final de todo te van a dar una pegatina y una chuche? ¿Como si esta vida no valiera nada, a menos que luego puedas vivir otra? ¡Eso sí es absurdo!

—¿Cómo puedes ser tan atea y tan... tan liberal de derechas?

—¿Qué te hace pensar que soy liberal?

No recuerdo ahora qué le contesté, pero me parece que se ofendió. Aunque también reconociese que era liberal y que siempre había votado lo contrario que yo. Así que, al final, lo que no tuvo sentido fue que se ofendiera.

Se nos empezó a pasar el efecto de la cocaína. De modo que esnifamos otras dos rayas cada uno. Tomi se desprendió de las mantas y yo me senté en el suelo, apoyado en la cama. La habitación se había llenado de humo y eso caldeaba el ambiente.

—Todo resulta mucho más divertido si te lo imaginas narrado por el tipo de la serie *Arrested Development* —dijo Tomi.

Reí. Se me hizo raro reírme de verdad.

Adam empezó a narrar, con un fuerte acento americano: «Adam ha pasado el día con dos historiadores, esnifando cocaína en el ala este».

Tomi se reía a carcajadas, enseñando los dientes.

—«A Dylan le gusta tener a todo el mundo bien lejos de la zona de personal porque no quiere que descubran su inmenso depósito de armas».

—¿Qué?

—¡Es cierto! —dijo Tomi, sirviéndonos whisky a los dos—. Esto era un famoso coto de caza. Hay montones de armas aquí; la gente las alquilaba.

—Me produce escalofríos pensar que la gente pueda ir por ahí armada —resopló Adam asombrado—. No mola.

—No pasa nada. Tampoco van a poder usarlas mucho tiempo.

—¿Por qué? —pregunté.

—Porque igual he cometido una travesura —me susurró con una sonrisa cómplice.

—Ay, por favor, dime que lo has hecho —dijo Adam.

No tenía gracia, pero en ese momento nos lo pareció. Adam

quiso echar la ceniza en el platillo, pero le cayó encima, así que se la quitó de encima sobre la moqueta.

—El día en que empezó todo —dijo Tomi mirándome— encontré una pistola metida en el cajón del escritorio de un despacho e igual... me la llevé. Además, se habían dejado la zona de personal abierta y, en serio, allí había muchísimas armas. Rifles de caza, ya sabéis, para alquilárselos a los huéspedes.

—Joder —masculló Adam, mirando la puerta, que estaba cerrada.

—¿Los robaste todos? —pregunté extrañado.

—Claro que no... ¡Mírame! En vez de eso, me guardé en la mochila todas las balas que pude y me las llevé. Cuando se les acaben las dos cajas que dejé, no hay más.

—Espera, Tomi, espera —dije, apartando el humo con la mano—. ¿Tienes toda la munición del hotel y una pistola?

Le dio una calada al cigarrillo de Adam y procuró contener una media sonrisa de satisfacción.

—Sí.

—¡La hostia, cásate conmigo! —dijo Adam, levantándose para ir al baño.

A mí me interesaban más las armas. Aún no se me había pasado el último chute.

—Y Dylan, ¿nunca te ha dicho nada? Seguro que la pistola era suya, ¿verdad?

—No quiere que se sepa que hay tantas armas disponibles en el hotel —contestó Tomi—. Prefiere que todos crean que solo hay uno o dos rifles de caza. No veinte. Supongo que dio por sentado que la munición la robaron cuando se fueron todos, que alguien le sustrajo la pistola de su escritorio y se llevó consigo todas las balas. ¿Por qué iba a pensar que ese tipo sigue en el hotel?

—Pero ¿por qué hiciste algo así? —pregunté, preocupado por las posibles consecuencias.

— ¿Y por qué no? Solo pensé en que todo se había ido a la mierda y en que, en algún momento, iba a necesitar protección.

Prefiero que sean los otros quienes se preocupen por cómo van a poder cazar ciervos a que tengan algo con lo que venir a por mí.

—Pero si nadie tiene previsto ir a por nadie, Tomi.

—No es eso lo que insinuaste cuando me pediste que te hiciera de espía.

No pude rebatírselo.

La idea de que ella fuera la única persona del edificio con una cantidad ingente de munición en su poder me incomodaba. Me hacía sentir como si previera una guerra.

—Oye, ¿os apetece un poco de metanfetamina? —preguntó Adam, desconcertado por la revelación de Tomi.

Volvió con un artilugio de plástico muy aparatoso que, uno o dos segundos después, reconocí como una pipa improvisada. Abrió el quemador e inhaló, con los labios pegados a la boquilla. El agua borboteó.

—¿Qué efecto tiene esa cosa? —pregunté, muy reticente.

Las drogas de clase A no eran precisamente una materia que yo dominara. En mi opinión, la meta ocupaba el mismo compartimento mental de cosas como el crack o la heroína, mientras que la marihuana y la cocaína eran drogas experimentales, de esas que pruebas en la universidad, pero de las que no te haces adicto, salvo que tengas pensado morirte.

—Te hace verlo todo más claro, más brillante... —dijo Adam—. Es una especie de *superspeed*, pero dura un poco más.

—Claro —aceptó Tomi, encogiéndose de hombros.

Yo me lo pensé un poco y luego acepté. Lo hice porque me estaba divirtiendo y no quería salir de la habitación. Así que fumé un poco de ese cristal y fue sorprendentemente agradable.

Recuerdo fragmentos sueltos de la conversación que mantuvimos durante las siguientes cuatro horas, pero no merece la pena que los reproduzca aquí. Hablamos, sobre todo, de series de televisión, de frases de películas que nos encantaban. Tomi contó una historia divertida (al menos, a mí me lo pareció), aunque asquerosa, de uno de sus exnovios. Hubo un rato en que Adam y yo nos reímos tanto que me costaba respirar. Nos estuvo hablando de Alan Partridge; luego Tomi y yo hablamos de libros, el uno pegado al otro. Adam fumó un poco más y se quedó dormido, con las manos en la nuca y una media sonrisa en la boca.

Tomi tenía los ojos muy abiertos y la mirada algo desenfocada. Observé que la meta hacía que el alcohol supiera aún mejor. Me producía una sensación de piel seca y todo me hormigueaba con una especie de calor eléctrico, como si se estuvieran friendo mis terminaciones nerviosas. Me notaba el centro de gravedad muy arriba, a la altura del cuello, junto con toda la respiración, y la leve irritación del humo rancio me obligaba a tragar varias veces por minuto.

De algún modo, empezamos a hablar de política. No recuerdo cómo fue, pero sí que ella suspiró y dijo:

—¡No empecemos con lo de Irak! ¡No seas aguafiestas!

—Tú los votaste.

—¡Yo solo los voté para que el país mejorara!

—¿Y te ha valido la pena?

Creo que conseguí fastidiarla, o que le toqué la fibra sensible.

—Eso es simplificar mucho —me contestó, haciendo hincapié en la palabra «simplificar».

Para entonces, a mí ya me costaba utilizar palabras polisílabas y me dejó impresionado que ella mantuviera un dominio decente sobre su vocabulario. Buscó el cigarrillo y se dio cuenta de que se lo había fumado. Apoyó la cabeza en el colchón de Adam y soltó un largo suspiro. El aire de la habitación era tan denso que parecía una noche de verano en Florida.

Tomi abrió los ojos y dijo:

—Quiero sexo. —No recuerdo lo que dije yo: «Perdona, ¿cómo dices?», o alguna otra cosa igual de absurda—. Lo digo en serio —añadió—. No es una petición de matrimonio. Solo quiero sexo.

Yo seguía sin saber qué responder. Ni siquiera me sentía capaz de decidir si me caía bien o no como persona. El sexo era otra cuestión muy distinta, completamente al margen de gustos y aversiones. Quiero decir que resultaba fácil de compartimentar, hasta el punto de que, en ese momento, no recuerdo que Nadia se me pasara siquiera por la cabeza.

—¿Qué pasa? —preguntó Tomi—. ¿Nunca te has follado a una liberal?

—No es eso.

—Guau, ¿lo has hecho? ¡Eso sí resulta interesante! Claro que también me ha sorprendido que quisieras probar la meta. Pensaba que te ibas a rajar.

—¡Yo también! Luego me he dicho: «¡Qué coño!».

—Bien hecho. ¿Qué ganamos negándonos?

—No sé si es buena idea. —Busqué una excusa—. A Adam le gustas, me sentiría un poco capullo.

—No te preocupes. Adam me rechazó.

—¿Qué? —dije como si no conociera la historia.

—Sí, íbamos a hacerlo, pero... fue raro. Me acojoné porque, como estaba borracha, me pareció ver algo en un rincón de su habitación. Cuando se lo dije y le propuse que nos fuéramos a la mía, le corté el rollo y me pidió que me largara.

—¿Qué viste?

Lo pensó un poco.

—Nada. No vi nada. ¿Sabes cuando ves objetos normales en la oscuridad, pero tu mente los transforma en personas...? Pues eso.

Los dos miramos al rincón un instante, y luego a Adam.

Tomi rio.

—Además, los tíos que toman tantas drogas no suelen aguantar mucho.

—¿Me estás diciendo que soy tu segunda opción?

—Bueno, se lo pedí también a Rob, pero es gay, así que... —dijo, encogiéndose de hombros, y en aquel momento no supe si bromeaba o no, aunque seguramente no lo hiciera—. ¿Qué dices, entonces? —preguntó enarcando las cejas—. ¿Te vas a ir a tu habitación a qué?, ¿a escribir o algo así?

La miré y, no sé si fue por la meta o por el whisky, pero volví a pensar: «¡Qué demonios!».

Se me debió de notar en la cara, porque se levantó de pronto y me tendió la mano. La dejé que me ayudara a ponerme en pie y los dos nos tambaleamos, perdimos el equilibrio, con los dedos entrelazados, y yo volqué el vaso de Tomi con el talón. Ella rio y apoyó la frente en mi mejilla, y así nos quedamos un rato. No sabría decir cuál de los dos sostenía a quién. Aquella cercanía, después de tanto tiempo sin gozar de contacto prolongado alguno con ningún ser humano, me produjo un subidón de oxitocina en el cerebro, donde se mezcló con la meta, y nos abrazamos fuerte. El pelo le olía a humo, y el contacto de su cuerpo con el mío no era en absoluto como con Nadia, más bajita y menuda, aunque la sensación fuera demasiado agradable para renunciar a ella. Subió una mano, me acarició la nuca con las uñas y casi me echo a llorar.

No tenía ni idea de lo que estaba sintiendo ella, si es que sentía algo.

—¿Nos vamos? —me dijo, apartándose después de un buen rato, mientras yo aún la cogía de las manos con fuerza.

Dejamos a Adam dormido y tranquilo en el suelo de su habitación. Le puse un vaso de agua junto a la cabeza. A mí casi se me había pasado el efecto de la meta, pero no del todo. El colocón había oscilado de fluorescente a luz de vela. Todavía reinaba en mi cabeza, pero el ritmo cardíaco había descendido. Era lo más parecido a la felicidad que experimentara desde que estaba allí, y le agradecía a Adam que lo hubiera compartido con nosotros.

Tomi y yo nos fuimos a mi habitación y nos quedamos allí el resto del día, y de la noche, y hasta ahora. Como es lógico, no he escrito nada de eso. Ha estado bien no dormir solo.

Como ayer no comí nada, hoy me siento deshidratado, vacío y aletargado. Nathan me ha subido comida, pero no la he tocado aún. Prefiero dormir. No he vuelto a mirar las maletas de los Luffman, pero lo haré en cuanto esté más despierto.

Querida Nadia:

Si algún día lees esto, sé que te dolerá enterarte de ello. Pero es el fin del mundo. He pensado que tampoco ahora era el mejor momento para empezar a comportarme como un marido decente. Por si te sirve de consuelo, ella me ha dejado claro que su interés por mí se debe, sobre todo, a que no hay mucho donde elegir. A lo mejor, el mío también.

Debes de pensar que soy un hipócrita al enfadarme tanto porque a Tania la dejara su prometido. Crees que no me acuerdo de la pregunta que me formulaste cuando me fui. Te estaba escuchando. Te oí.

Seguro que sospechaste que yo fingí no haberte oído, y la verdad es que estabas en lo cierto. Lo siento. Siempre has dado en el clavo conmigo.

JON

Día 59

Esta noche se me ha ocurrido que podría encontrar grabaciones de las cámaras de seguridad de todo el hotel. He dado una vuelta a primera hora de la mañana, antes de que nadie se despertara, y he contado una docena de cámaras repartidas en puntos estratégicos. Si había cámaras y alguna se usaba de forma habitual, tenía que haber una sala donde Dylan, o alguno de los otros empleados, vigilaran.

He cogido las llaves maestras y me he dado una vuelta rápida por las plantas superiores, abriendo y cerrando puertas sin entrar. Me he topado con cuartos de limpieza, cuartos de ropa limpia, almacenes, pero no he dado con nada que se pareciera a una sala de seguridad hasta que he llegado a la sexta planta y he abierto una habitación repleta de pantallas de ordenador en blanco.

La luz estaba cortada.

—¡Mierda! —he pronunciado en voz alta, y luego he cerrado la puerta detrás de mí.

He pulsado unas teclas por si alguno de los equipos estuviera en modo ahorro, pero no ha pasado nada. En el escritorio he visto unas revistas y un par de tazas medio vacías de café ya enmohecido.

No podía volver a dar la luz sin avisar primero a Dylan.

Me he olvidado de los ordenadores y me he centrado en revisar los cajones del escritorio y los archivadores. No estaban cerrados con llave.

Dentro de uno de los archivadores he encontrado centenares

de cedés, archivados cronológicamente. He buscado la semana anterior al día en que empezó esto, pero luego he caído en la cuenta de que iba a tener que llevármelos todos. En realidad, no tenía ni idea de en qué día había desaparecido Harriet Luffman. Tampoco sabía cómo podría revisarlos luego, de modo que, por si acaso, he cogido los relativos a dos semanas completas. Entonces, he visto que faltaba un día. He vuelto al archivador y he buscado entre los cedés de tres meses por si se hubiera traspapelado. Pero no. Solo faltaba un cedé: el del primer día.

He registrado los archivadores restantes en busca de cedés de otras cámaras y he confirmado enseguida mi sospecha. Todos los demás cedés relativos a esa fecha, del día del fin, habían desaparecido. Al menos, ya conocía la fecha de la desaparición de Harriet. Y que visionar cualquier otra grabación iba a resultar inútil.

Ahora sabía también, sin asomo de duda, que alguien estaba encubriendo al asesino. Es más, el encubridor solo podía ser una persona que tuviera acceso a aquella sala, lo que reducía mi investigación a los empleados del hotel. Ya no podía fiarme de ninguno de ellos. Nathan era el único al que no me preocupaba descartar porque, por más que lo intentara, me costaba creer que su reacción del día en que la encontramos fuera fingida.

Después de buscar los cedés inmediatamente anteriores y posteriores al día de su desaparición, he salido de allí y he vuelto a cerrar con llave.

El hotel estaba desierto. Caminar por los pasillos solo y a oscuras ha sido como hallarme de pronto en medio de una ilusión óptica. El disparatado dibujo de las baldosas del suelo se fundía con el estampado de papel de las paredes y había espejos por todas partes. He oído resonar unos pasos. Me ha recordado a cuando Patrick corría por las plantas superiores.

Consciente de que me estaba asustando yo mismo, me he detenido un instante y he inspirado hondo un par de veces.

He vuelto a oír pasos.

A oscuras era fácil pensar que me lo estaba imaginando, pero no. Se oían pasos, irregulares y pesados, como de alguien que avanzara con dificultad por el pasillo.

—¿Hola? —he gritado como un imbécil.

Los pasos se han detenido.

Sin saber muy bien por qué, he dirigido la atención hacia mí. He mirado fijamente en dirección al final del pasillo, donde este se bifurcaba: las escaleras a la derecha, más habitaciones a la izquierda. Los ascensores quedaban a mi espalda, pero no servían de nada. Me he preguntado si conseguiría llegar corriendo a la escalera.

Se han vuelto a oír pasos.

He reculado.

Se me ha ocurrido que, si forzaba las puertas de los ascensores, a lo mejor podría esconderme en ellos. Durante un segundo de locura he pensado que podía tratarse de Victor Roux, el asesino en serie. De su fantasma, que aún merodearía por los pasillos de la sexta planta del hotel donde había sido abatido.

Entonces he visto a una persona: bastante bajita, de espaldas anchas, apoyándose mucho en la pared.

—¿Sasha? —he gritado.

Era Sasha, el hermano gemelo de Mia.

El alivio que he sentido al reconocerlo no ha durado mucho. Ha respondido a su nombre, pero solo avanzando a trompicones. No sabía qué le pasaba; igual estaba borracho. Ha ido acercándose de pared en pared; después, ha alargado la mano hacia donde yo estaba y ha mascullado algo.

—Sasha, ¿te encuentras bien? —Entonces ha venido a mí a toda velocidad—. Sasha, espera, aguarda un momento, ¿qué te pasa? ¿Necesitas ayuda? —Estaba todo oscuro y yo, asustado, con lo que mi primer instinto ha sido asestarle un puñetazo, pero no quería hacerle daño—. ¡Sasha, espera! —le he gritado al ver que me tendía ambas manos.

Para esquivarlo, me he echado hacia un lado de la pared; pero él me ha rozado la cabeza con las yemas de los dedos mientras se me caían los cedés con gran estrépito.

—¡Sasha! —he oído gritar a Dylan, que ha aparecido de pronto al fondo del pasillo.

Sasha se ha vuelto al oír su voz y ha perdido su interés en mí. Dylan se nos ha acercado y lo ha agarrado de los hombros sin mirarme apenas.

—Perdona. No lo he visto salir de su habitación.

—¿Qué?

—Es sonámbulo. No creo que nadie se haya tropezado con él aún. No hay muchas personas que deambulen por el hotel a estas horas —me ha dicho, mirando fijamente lo que se me había caído, luego ha hecho ademán de llevarse a Sasha—. Deberías dormir un poco. Vas a necesitar tus fuerzas mañana.

No he querido recoger los cedés del suelo para no pasar aún más vergüenza. Además, me ha fastidiado que me pillara.

—Pero ¿sube las escaleras y todo estando dormido? —le he preguntado incrédulo.

Dylan ha echado una ojeada por encima de su hombro.

—Incendió la cocina al intentar preparar un guiso mientras dormía. Los sonámbulos hacen de todo.

Cuando estaban llegando al final del pasillo, me he agachado para recoger los cedés, con el corazón acelerado por aquel suceso tan extraño. Luego he ido a preguntar otra cosa, pero ya se habían esfumado.

Iba a preguntar qué más cosas hacen los sonámbulos.

Alterado y asustadizo, he vuelto a mi habitación y, una vez dentro, he echado la llave y el pestillo. He dejado los cedés en mi escritorio, junto a mis documentos y mi portátil, que llevaba sin batería mucho tiempo. Por la mañana, vamos a buscar comida. A lo mejor encuentro otra batería en la tienda o puedo cargarla en algún sitio. Merece la pena intentarlo.

Me he despertado dos veces más antes de que se filtrara algo de luz por la ventana, convencido de que alguien estaba forzando mi puerta. En ambas ocasiones, mi habitación estaba en silencio, pero no creo que haya sido una pesadilla. El sonido era demasiado real. Ha habido un momento en que he oído llorar a un niño, a lo lejos, pero me he dicho a mí mismo que no sería más que Yuka Yobari paseando a la pequeña por los pasillos.

Día 60

En la vida me había dado tanto miedo salir de un edificio. Llevábamos casi dos meses en el mismo sitio, lo lógico sería que tuviésemos más ganas que antes de reconectar con el mundo exterior, pero nadie quería partir. No nos estábamos quedando sin comida, aún no, pero el invierno se nos echaba encima y Dylan quería que tuviéramos suficiente para aguantar tranquilos hasta la primavera.

La última vez que mandamos a alguien a por comida fue cuando Dylan, Peter y Sasha volvieron del bosque con un ciervo que congelar. No hizo falta.

Lo único que me inquietaba era la recreación mental de los primeros colonos que llegaron a Pensilvania, incapaces de cultivar nada y asaltados por la hambruna en su primer invierno, desenterrando a sus muertos para comérselos. También ellos subestimaron el invierno. No podía ocurrirnos lo mismo. Como ellos, tampoco podíamos confiar en nosotros mismos, ni en el clima, ni en el suelo para cultivar nada.

Al final hemos ido Adam, Tomi, Rob, Mia y yo. En el vestíbulo nos hemos reunido con Dylan. Nos ha pedido que lleváramos las armas que teníamos guardadas, porque los rifles de caza iban mejor para largas distancias. Obviamente, yo no tenía nada guardado, así que me han ofrecido un cuchillo de cocina pequeño, como a todo el mundo.

También nos ha pedido que lleváramos mochilas vacías y nos ha dicho que íbamos a salir en dos coches. Las mujeres del hotel nos han pedido, además, que les traigamos todos los tampones y compresas que podamos cargar.

—¿Creéis que sigue vivo alguien de la ciudad? —ha preguntado Rob, pues nadie más se atrevía a hacerlo.

Nos hemos mirado todos.

—No han dicho nada de que Suiza estuviese dentro de la zona del impacto, así que es posible —ha dicho Tomi.

—Lo habríamos visto —he añadido yo—. El impacto, digo.

Tomi se ha encogido de hombros.

—A estas alturas debería preocuparnos más que no nos maten otros supervivientes.

—¿Quién dice que ya no tengamos sol? —ha dicho Rob, riendo—. Pero si tenemos nuestro propio rayo de sol aquí mismo.

—Es que es la verdad —ha contraatacado ella—. No es la radiación lo que debería preocuparnos. La radiación no pasa hambre ni se vuelve loca. Habéis visto todos *La carretera*, ¿no?

—Si nos capturan unos caníbales, prometedme que me mataréis —ha dicho Mia, mirando a toda la tropa.

—Lo mismo digo —ha terciado Tomi.

—¡Ninguno va a ser devorado por caníbales! —les he espetado yo.

—Ya lo habéis oído —ha dicho Dylan, señalándome con la cabeza—. Ni hablar de eso. Vamos. Quiero que estemos de vuelta antes de que anochezca, y esto no debería llevarnos más de unas horas. Solo vamos al súper y luego volvemos. Nada más.

Nos hemos encaminado hacia los coches.

Dylan ha cogido el suyo, con Tomi, Mia y Adam, y yo me he ofrecido a conducir el Volvo, con Rob de copiloto. Creía que conducir me calmaría los nervios, pero hace tanto que no lo hago que, mientras Dylan arrancaba y se ponía a la cabeza, he pensado que se me había olvidado cómo se hacía, pero la memoria muscular ha hecho su trabajo y he rodeado el hotel con el Volvo, enfilando la carretera del bosque.

Cuanto más nos alejábamos, más contento me sentía.

—Esto es flipante —ha dicho entonces Rob, dando voz a mis pensamientos.

—No sé qué sería peor —he dicho yo, mirando el indicador de gasolina—: Que todo estuviera desierto o que...

—O que siga habiendo gente por ahí.

—Eso es.

—Bueno, si en un par de meses la humanidad queda reducida a comerse unos a otros, no merecemos prosperar como especie —ha dicho con una sonrisa torcida.

Rob me caía bien. Era tan suyo que uno daba por supuesto que fuera tímido, hasta que lo conocía. Era discretamente ingenioso, con su espléndida sonrisa y sus ojos entusiastas y luminosos. Pasaba mucho tiempo en el bosque, sacando fotos de lo que quedaba de la naturaleza. Su cámara era una de esas caras. Cuando le pregunté, me dijo que había estado cursando un grado en fotografía.

—Tranquilo, no nos va a pasar nada —he dicho, más para mí que para él.

—¿Has visto el sol esta mañana?

—Sí, un sol de verdad.

—Me ha hecho pensar que igual sobrevive a esto algo más que las cucarachas.

Al ver el sol esta mañana, un claro diminuto que se ha abierto paso en una nube después del desayuno, varios de nosotros hemos salido corriendo a buscar un poco de resplandor en el jardín. Nos hemos plantado allí en silencio absoluto. No pegaba mucho. No era esa clase de sol por el que notas el calor en la cara, pero solo el hecho de saber que estaba ahí, poder verlo durante un instante fugaz, ha bastado para llenarme de ilusión. Hoy hemos hecho acopio de esperanza, la hemos atesorado en nuestro interior y hemos confiado en que alcance para ayudarnos a aguantar hasta la próxima vez que se despeje un poquitín ese cielo plomizo.

—¿Cómo terminaste alojándote en este hotel? —le he preguntado.

—Se me ocurrió pasar aquí una semana y fotografiar todos los pájaros que había alrededor de los lagos. Milanos negros, gansos percebe, ánsares campestres, currucas... Hay mucha variedad por la zona. Tengo una impresora portátil en mi habitación y espero poder imprimir la serie antes de que nos quedemos sin electricidad.

—Yo procuro no pensar en eso —he dicho.

—¿En la electricidad?

—Sí, en lo que se avecina. Lo peor de todo es la incertidumbre. Como con internet.

—No hay nada más estresante que estar sin wifi. También lo era antes —ha dicho Rob, sonriendo.

He acelerado un poco al ver que Dylan giraba a la derecha, y Rob ha bajado la ventanilla para asomarse y contemplar el otro tramo de carretera, el que conducía a las montañas. Todavía no habíamos visto más coches, ni más personas. He pensado en mis compañeros que se fueron a pie el primer día, en cuánto debió de costarles recorrer estos caminos. He temido que, en cualquier momento, pudiéramos pasar junto a algún conocido mío como si fuera un animal atropellado.

—Me estoy poniendo malo —le he dicho a Rob, porque cada vez me angustiaba más la idea de encontrarnos con otras personas—. ¿Y si nos atacan?

—¿Te refieres a algún bandido?

—Sí, el ratio de posesión de armas de los suizos es altísimo.

—Me sorprende que no haya más en el hotel.

—Las hay, solo que no tenemos munición.

Me ha mirado extrañado y yo solo he tardado un segundo en soltarlo todo. No le debía nada a ella.

—Tomi saqueó el arsenal y se llevó casi toda la munición.

—¿Y por qué hizo algo así?

—Ella tiene un arma, solo una. Debió de parecerle preferible que nadie pudiera disparar a nadie.

—Ah, ¿quién más lo sabe?

—Tú, yo, Adam, ella...

—¿Dylan?

—¿No crees que ya habría montado un registro de su habitación si lo supiera?

Lo he notado alterado.

—A lo mejor deberíamos decir algo.

—No sé. Está claro que nos lo contó a Adam y a mí confidencialmente. Tal vez sea preferible que ninguno de nosotros tenga un arma.

—Ya, pero ¿y en situaciones como la de hoy?

—Sí, podríamos usarlas. —He cambiado mal de marcha y el coche ha dado una sacudida—. Mierda.

Los dos nos hemos quedado callados pensando en lo mismo. Por un lado, Tomi tenía razón, desde luego. Una mujer, sola en su habitación, sentía la necesidad de protegerse. Quizá debía hacerlo. Había pruebas de que en algún momento se había alojado un asesino en el hotel y existía la posibilidad de que siguiera entre nosotros. ¿Quiénes éramos nosotros para decirle de qué debía asustarse y de qué no? Por otro lado, la naturaleza deliberada de sus actos, por no hablar de la imposibilidad de que los demás hiciéramos lo mismo y nos armáramos también, era un problema.

—Si comentamos algo discretamente —he dicho, pensando en voz alta de nuevo—, no creo que Dylan se lo tome demasiado mal. Quizá se la lleve a un aparte y hable con ella sin alterarse. No tiene por qué ponerse hecho un basilisco. No somos... salvajes.

—Aún nos queda mucho para eso —ha coincidido Rob—. Aunque el aislamiento produzca extrañas alteraciones en la conducta humana.

—Somos suficientes como para impedir que esto se convierta en *El resplandor*.

—En *El resplandor* bastó con que un solo hombre se volviera loco.

Me he acordado de Harriet Luffman en el depósito de agua.

Dylan ha tomado un desvío a la derecha justo antes de llegar a la ciudad.

—¿Por qué ha hecho eso? —he preguntado.

—¿El qué?

—Salir por ahí.

—La tienda grande no está en la ciudad, sino en las afueras, y apenas hay casas cerca. Creo que por eso lo propuso. Podría ser más segura.

Me ha aliviado saber que estábamos a cierta distancia del núcleo urbano. Me ha producido una falsa sensación de seguridad, antes de caer en la cuenta de que ya no estábamos a salvo en ninguna parte.

Ha empezado a disminuir el número de árboles moribundos del lateral de la carretera y hemos desembocado en el aparcamiento de un hipermercado inmenso. Dylan se ha detenido cerca y yo he aparcado detrás de él. Lo he visto asomarse por la ventanilla y explorar la zona.

El lugar parecía totalmente desierto. No había ningún coche abandonado allí.

He bajado.

Tomi llevaba la mochila colgada de un solo hombro y se la había dejado lo bastante abierta como para acceder al interior rápidamente. Llevaba la pistola encima, desde luego.

—¿Qué te parece? —le he preguntado a Dylan, que evaluaba el establecimiento, rifle en mano.

—Estaría más tranquilo si dos de nosotros nos quedáramos en los vehículos —me ha contestado—. Por si hay que salir corriendo.

—Me quedo aquí con la escopeta —ha dicho Adam.

Dylan ha asentido.

—Yo me quedo en el Volvo —se ha ofrecido Rob, y le he entregado las llaves.

—No vengáis a buscarnos —ha advertido Dylan—. Pase lo

que pase. Dadnos una hora y, si no salimos, marchaos. Si viene alguien más que no seamos nosotros, marchaos también. ¿Entendido?

Adam y Rob se han mirado.

Los demás hemos cruzado el aparcamiento. Mia llevaba una mano en el cuchillo que había traído metido por el cinturón. Tomi iba pegada a mí, detrás de mi hombro izquierdo. No me importaba. Ver un lugar público tan desprovisto de actividad resultaba espeluznante. Me sentía como si nos espiaran, aunque no hubiera forma de saberlo.

—Me mosquea que esto esté tan tranquilo —ha dicho Tomi.

—Y a mí —ha coincidido Dylan—. Cuando entremos, nos dividimos. Mia, tú vienes conmigo; Tomi, ve con J. Volvemos a encontrarnos en la puerta, pero que nadie vaya por ahí solo. Si pasa algo, haced ruido.

—¿A modo de señal? —ha preguntado Mia.

—Mi señal va a ser gritar fuerte —he dicho yo, sonriendo sin ganas.

—Joder, ¿nadie más está muerto de miedo? —ha dicho ella.

—Yo estoy cagado, si te sirve de consuelo —le ha contestado Dylan.

—Vale, bien. No soy yo sola.

Nos hemos acercado a la entrada y hemos visto que las puertas automáticas estaban abiertas. Dylan nos ha llevado dentro, muy despacio. Pensaba que nos recibiría un fuerte olor a comida en descomposición, pero no ha sido tan fuerte como esperaba. Entonces he sabido que no iba a quedar demasiado que pudiéramos llevarnos. Al llegar al pasillo de los alimentos frescos, lo hemos encontrado vacío. Algunas piezas podridas, otras a medio comer tiradas por allí, pero la mayoría había sido objeto de pillaje, probablemente hacía semanas.

He levantado la vista hacia los techos altos y luego he mirado a Dylan, que meneaba la cabeza.

—Esto no me gusta —ha dicho.

He echado un vistazo a la izquierda, hacia las líneas de caja, y luego a los carteles que colgaban arriba en los pasillos.

—Nosotros vamos a la farmacia —he propuesto.

Dylan ha asentido con la cabeza y se ha llevado a Mia hacia el pasillo de las conservas.

La sensación de que nos vigilaban ha empeorado. Me he alegrado de que Tomi estuviera conmigo: era la única de los dos que tenía medios para defenderse en condiciones. Hemos cruzado la sección de productos frescos, hemos girado luego a la derecha en menaje de cocina y hemos seguido avanzando en dirección al fondo de la tienda.

—¿Vas armada? —le he preguntado en voz baja.

—¿Tú qué crees? —me ha contestado, enarcando una ceja, con la mano derecha rondando la cremallera abierta de su mochila.

—Creo que deberías contarle a Dylan lo de las balas.

—¿Por qué?

—Porque los demás también necesitamos poder defendernos.

—¿Y qué pasa con mi capacidad para defenderme de cualquiera?

—¡Nadie va a por ti, Tomi!

—¿Has salido con hombres?

—¿Qué quieres decir?

—¡Que no eres quién para decidir por mí! —me espetó.

—¡Tampoco tú eres quién para decidir por todos los demás!

Nos hemos parado los dos en seco. Me ha parecido oír que algo se movía. Tomi casi ha tirado la mochila al suelo, y de pronto estaba empuñando el arma. La pose y el agarre me han parecido bastante sólidos; he confiado en que, si hacía falta dispararle a alguien, no iba a errar el tiro.

—¿Tú sabes usar una de estas? —me ha preguntado, mirando alrededor.

—Hace mucho que no cojo una. —He guardado silencio—. Igual no muy bien.

—Pues entonces...

Me ha señalado con la cabeza hacia la farmacia y hemos seguido avanzando. Ha parado y ha cogido una botella de suavizante, ha reído y ha vuelto a dejarla en su sitio.

La he esperado.

—Ahora ya todo parece tan inútil...

—El otro día estaba pensando en la colección de cactus que Nadia tenía en el pasillo. De adorno, no de verdad. —Tomi se me ha quedado mirando—. ¿Para qué comprar adornos? —he añadido, mostrando las palmas de las manos en ademán de consternación.

—Igual tendríamos que buscarte uno —ha dicho sonriendo—. Antes de salir nos pasamos por la sección de menaje, como si fuera una aventura.

Hemos llegado a la farmacia y yo he saltado el mostrador. Ella ha hecho lo mismo. No había nada en los cajones, nada en la zona de venta propiamente dicha. Me he sacado un papelito del bolsillo y lo he examinado. En él, Tania había dispuesto una lista rápida de cosas que podría necesitar.

—¡Eh!

Me he vuelto y he visto a Tomi dar golpecitos con el pie en una puerta cerrada. Esta tenía un cierre metálico con teclas numeradas para abrirla, como una caja fuerte. He abierto y cerrado unos cuantos cajones, pero ya se habían llevado todos los medicamentos corrientes.

—No parece que nadie haya entrado aquí aún —me ha dicho Tomi.

La he visto pensar. Si reventaba la cerradura de un disparo, alertaría a todo el mundo, no solo de nuestra presencia, sino de que poseía un arma.

—¿Y bien? —he dicho.

—Espera un segundo. —Ha girado el pomo, ha probado con unos números, ha pulsado furiosa el botón de cancelación y luego ha vuelto a intentarlo.

—No lo vas a sacar —le he dicho.

—Déjame que lo intente primero.

—Puede que haya más antibióticos ahí dentro —he añadido—. No tenemos suficientes.

—¡Ya lo sé! Deja de explicarme las cosas.

Me he asomado desde detrás del mostrador, he mirado por los pasillos, a derecha e izquierda.

—Mira, podemos decir que te has encontrado el arma, si eso es lo que te preocupa.

—¿Harías eso?

—Sí, pero solo porque vas a ser tú la que se lo diga a Dylan, no yo. No me gusta tomar decisiones por los demás.

—Eres insufrible, de verdad —ha dicho, suspirando, y ha mirado el arma—. Diré que me la encontré en el hotel. Dudo que Dylan no reconozca su propia pistola. Del resto ya me encargaré más adelante.

He asentido con la cabeza.

En cuanto ha apuntado a la cerradura, alguien a mi espalda ha dicho:

—¿Jon?

Día 60 (2)

He oído mi nombre. Menos mal que no iba armado, porque habría disparado a ciegas al oír una voz distinta de la de Tomi. Me han flojeado las piernas y me he agachado instintivamente a la vez que ella se volvía con brusquedad y apuntaba por encima de mi cabeza. Debo decir en su favor que no ha apretado el gatillo.

—¿Jon?

—¿Quiénes coño sois? —ha gritado Tomi.

He dejado de cubrirme la cabeza y me he vuelto, de rodillas. Me ha costado un poco reconocer las caras que nos miraban aterradas desde el otro lado del mostrador, pero entonces he caído. Los nombres, me ha costado más recordarlos, pero los he reconocido. ¡Los conocía!

—¡Tomi, espera! —he dicho, y me he puesto de pie inmediatamente—. ¿Jessie? ¡Al!

Han sonreído de pronto y Jessie —Jessica Schrader— ha trepado por encima del mostrador para abrazarme. Era una profesora de gesto amable y cincuenta y muchos años, originaria de Detroit, pero que daba clases en... ¿el University College? En alguna universidad de Londres, seguro.

Cuando me ha abrazado, he notado que estaba más fuerte. Casi me ha cogido en volandas.

A su espalda, Albert Polor, profesor de historia latinoamericana, de cincuenta y tantos, ha bajado el rifle de caza.

—¿Qué hacéis aquí? —La he soltado y Tomi se ha acercado y

133

se ha puesto a mi lado, aún recelosa—. Tomi, tranquila, los conozco. Son del congreso.

—¿De dónde has sacado eso? —le ha preguntado a Al, señalando su rifle.

Él se lo ha pegado al pecho en un gesto que me ha parecido involuntario.

—Me lo he encontrado.

—Os fuisteis hace meses. ¿Qué ha pasado? —he preguntado yo.

—No llegamos muy lejos —ha contestado Jessie—. Pensé que era nuestro fin, no sabíamos que la ciudad estuviera tan lejos. Entonces vimos este sitio. Era un caos, lo habían saqueado. Encontramos... encontramos unas armas.

Me he vuelto hacia Al, he visto cómo se han mirado y enseguida he sabido que habían matado a alguien por esa arma. Me ha recorrido un escalofrío y me he acercado un poco más a Tomi.

—Nos quedamos aquí por estar a cubierto —ha proseguido—. Almacenamos algo de comida y espantamos a unas cuantas pandillas. Ya solo quedamos Al y yo, desde hace algún tiempo. No estaréis buscando comida, ¿verdad?

—Pues sí.

—También a nosotros nos queda poca —ha dicho Jessie, meneando la cabeza.

—¿Armas? —ha preguntado Tomi.

—De esas nos quedan algunas —ha dicho Al, inquieto—. A veces aún vienen grupos de la ciudad. Bueno, suponemos que vienen de la ciudad. No son grupos grandes ni organizados. Saben que no queda comida, pero que nosotros todavía tenemos algo.

—¿Tan mal están las cosas?

—Tan mal como era de esperar —ha contestado Al.

—¿Qué hay al otro lado de esta puerta? —ha preguntado Tomi.

—Pensamos que más medicamentos —ha dicho Jessie—. Por

suerte, de eso aún vamos surtidos. Reservábamos lo que sea que haya ahí dentro para emergencias.

Se ha hecho un breve silencio y he oído actividad al fondo de la tienda. Por el rabillo del ojo he visto a Dylan y a Mia acercándose despacio a nosotros. Dylan empuñaba el rifle y he pensado que igual no lo llevaba cargado.

—¡Dylan, tranquilo! —le he dicho, haciéndole una seña—. ¡No pasa nada!

—¿Quiénes sois? —ha gritado él.

—¡Son del congreso! ¡Los conozco!

—Madre mía —ha dicho, bajando el arma.

He observado que Mia y él habían conseguido llenar las mochilas. He visto que Dylan se fijaba en que Tomi empuñaba su arma. La ha mirado al reconocerla, pero no ha dicho nada. He supuesto que no quería discutir delante de desconocidos.

—¿Habéis estado aquí todo el tiempo? —les ha preguntado, mirándolos de arriba abajo.

—Hicimos una incursión en la ciudad, pero es peligroso —ha contestado Al.

—¿Cómo es?

—No hay mucha actividad. La gente está encerrada en sus casas. Si sales a la calle a plena luz del día o te acercas por los alrededores, hay muchísimos disparos. Es como una zona de guerra. Aunque, antes de quedarnos sin luz, nos conectábamos a internet un rato. Ahora nuestros móviles están muertos.

—¿Os enterasteis de algo? —Mia ha sacado enseguida el móvil, sin saber si encenderlo—. Nosotros no tenemos internet.

—¿Seguís en el hotel? —ha preguntado Al con incredulidad, y eso me ha fastidiado—. ¿Por qué?

—Vosotros seguís aquí. ¿Por qué? —ha replicado Tomi.

—Volviendo a lo de internet —ha intervenido Mia—. ¿Qué está pasando? ¿La gente se conecta?

—Sí, a ratos. No funciona en todas partes y, claro, las grandes ciudades han desaparecido del mapa, pero hasta hace un mes la

135

gente aún entraba en las redes sociales. Algunos seguían usando Messenger y Twitter, sobre todo para intentar localizar a sus familiares.

Una chispa de esperanza me ha recorrido el pecho.

—¿Aún funciona tu teléfono? —le he preguntado a Tomi.

—Sí —me ha contestado.

—Por favor, ¿podrías entrar en el Facebook de mi mujer, en su Twitter?

—Sí.

—Por favor, por favor, ¿me dejas tu móvil? —le he dicho, juntando las manos, llevado por un miedo irracional a que fuera a negarse—. Por favor, será solo un minuto.

—Relájate, tío. —Me ha pasado el móvil enseguida—. No pasa nada.

Me he llevado el teléfono a un aparte, sin prestar mucha atención a lo que hacían los demás; he vuelto a saltar el mostrador y he encendido el terminal con manos sudorosas. No sé por qué me he apartado tanto del grupo, pero era algo que quería mantener en estricta privacidad.

A mi espalda, he oído que tenían una conversación tensa. No me ha quedado claro hasta que he vuelto, pero era por la puerta cerrada y los medicamentos.

Se ha encendido el móvil y he activado los datos de Tomi, rezando para que se conectara a algo. Había dos barritas de cobertura. Era lo máximo que había llegado a distinguir en un móvil desde aquel primer día.

Se ha conectado. He ido directo a Twitter, que era lo que Nadia usaba más.

Su última publicación era de la noche anterior al día en que había empezado todo. O concluido. Había retuiteado una noticia de la CNN sobre la ruptura de las relaciones entre nuestro presidente y los otros representantes del Consejo de Seguridad de Naciones Unidas. Se me ha hecho raro verlo ahora. He recordado que la política me angustiaba, pero no me producía sensación de peligro. Jamás se me había ocurrido que pudiéramos llegar a algo así. Ni siquiera después de las manifestaciones a las que había acompañado a Nadia, todas esas protestas antinucleares que me habían hecho sentir como si viviera en los sesenta, la histeria cada vez mayor... Ni siquiera entonces había imaginado algo así.

Como no parecía que hubiera actividad reciente en el Twitter de Nadia, he entrado en mi cuenta de Facebook.

No había nada suyo, pero tenía mensajes, tres.

Con el corazón desbocado, incapaz de estarme quieto de la emoción y alejándome aún más del grupo, he revisado los mensajes. Uno era un aviso de Facebook a sus usuarios; los otros dos, de antiguos alumnos que me habían agregado después de graduarse. He leído esos primero. Por lo visto, los habían enviado a una larga lista de destinatarios.

El primero, de Millie Santiago, decía: «¿Alguien ve este mensaje?».

El segundo, de Alice Reader, decía: «¿Alguien sigue vivo? ¡Contestad, por favor! ¡Estoy en St Cloud!».

Los habían enviado hacía un mes.

El mensaje de Facebook era más largo. Avisaba de que varias naciones habían lanzado ataques nucleares en las últimas veinticuatro horas y de que, si pulsábamos el botón de abajo, nuestros familiares y amigos podrían saber si estábamos a salvo. Al mirar mi muro he visto que solo cuatro personas que yo conocía habían confirmado que estaban a salvo, ningún familiar, ni amigo íntimo, ni compañero de trabajo. De esos cuatro, dos me habían enviado un mensaje privado.

He contestado a los dos mensajes con lo siguiente: «Soy Jon, estoy en L'Hôtel Sixième de Suiza. No tengo acceso a internet todo el tiempo, pero, por favor, confírmame que estás bien y, si hay alguna forma de hacerlo, intenta localizar a mi familia, Nadia Keller en San Francisco, o Ian y Margaret Keller en Greenwood, Misisipi. Cuídate. No sé cuándo volveré a conectarme, pero, si puedes, mantente en contacto. J».

Con eso me ha parecido suficiente.

He mirado el correo por si Nadia me hubiera mandado algo, pero, tristemente, tenía el buzón de entrada repleto de suscripciones a páginas de venta de localidades, de tiendas y a boletines semanales. Eso era todo. Ni siquiera el correo electrónico era ya lo bastante inmediato para recurrir a él en una emergencia.

Si Nadia hubiera intentado contactar conmigo, me habría mandado un mensaje de texto o dejado un mensaje en el buzón de voz, pero yo había hecho pedazos mi móvil.

Antes de desconectarme le he mandado un mensaje por Facebook y Twitter: «Por favor, dime si las niñas y tú estáis bien. Yo estoy vivo y sigo en Suiza. Os quiero mucho a las tres. Cuidaos, por favor. J».

Me he mantenido apartado un rato más, intentando digerir que esa diminuta chispa de esperanza se hubiera extinguido. He desconectado los datos del móvil de Tomi y lo he apagado. Al volverme, he visto que se estaban apuntando unos a otros con las armas.

—¡Eh, eh, un momento! ¿Qué está pasando aquí?

—¡Quédate donde estás! —me ha espetado Jessie y, volviéndose hacia mí, me ha apuntado a la cara.

Nunca me habían apuntado con un arma antes. Tampoco he oído gritar a Tomi ni a Dylan. Todo cuanto veía era la boca de su pistola. Entonces he mirado a Jessie a los ojos y los he visto tan oscuros y sin fondo, como el cañón del arma con la que me apuntaba.

—¿Qué estáis haciendo?

—Vamos a necesitar esas pastillas —ha dicho—. Os tenéis que marchar.

A su espalda, Al apuntaba con el rifle a Tomi, y Dylan lo apuntaba con el suyo a él. También Tomi apuntaba con la pistola a Al.

—¿No os venís con nosotros? —he dicho mirándolos, y he visto un no sé qué despiadado en el rostro de Al.

—¿Por qué íbamos a volver? —me ha contestado sin apartar la vista de Tomi.

—¡Porque allí estamos a salvo! —le he gritado.

—No estamos a salvo en ninguna parte. Al menos aquí tenemos provisiones y vemos quién viene a por ellas. Nos robaron el equipaje el mismo día que llegamos aquí. Entonces nos quedó claro que ya nada es como antes.

—¡Tíos, esto es una locura!

He dado un paso adelante y Jessie me ha encañonado.

—¡No te muevas!

—¿Sabes usar eso, niña? —ha dicho Al, mirando de pronto a Dylan y luego de nuevo a Tomi, que se mantenía firme.

—No vas a tardar en averiguarlo como no bajes eso.

Me costaba creer lo que estaba pasando.

—Jessie, Al, somos amigos —he dicho.

Jessie se ha reído.

—¿En serio? Es el fin de mundo, Jon. Madura.

Y entonces la cabeza de Jessie ha reventado con una lluvia de sangre y fragmentos de cráneo. Yo me he tirado al suelo, me he tapado los oídos con las manos y me he perdido lo que ha ocurrido después. Han sonado otros dos disparos, atronadores. He mirado a Jessie y la he visto tendida en el suelo con un charco de sangre alrededor de la cabeza, los ojos medio abiertos, mirándome fijamente. Detrás de ella ha caído Al, boca arriba, y el rifle de caza se ha estampado contra el suelo con gran estrépito, disparando una bala perdida que ha pasado a menos de medio metro de Tomi.

Tomi estaba en cuclillas; se ha agachado justo después de disparar el primer tiro. Desde abajo, le ha disparado dos veces en el pecho a Al.

Nos hemos quedado los cuatro clavados en el sitio mientras Al emitía unos sonidos extraños, los pulmones llenos de sangre.

Dylan cubría a Mia, con el rifle colgando de un costado. No me ha quedado claro si había disparado o no.

Al cabo de un minuto me he levantado y me he acercado a Al, que agonizaba con una lentitud exasperante.

—¡Haz algo! —le he dicho a Tomi, que se había vuelto a levantar y miraba si tenía alguna herida.

—No quiero malgastar otra bala —me ha contestado.

—¡Pero no puede respirar!

Tomi me ha mirado con desdén, como lo había hecho Jessie. «Madura». Con frialdad, se ha encaminado hacia la puerta de detrás del mostrador de la farmacia y ha destrozado la cerradura de un disparo. Luego la ha abierto de una patada y ha entrado.

Al se estaba ahogando y alargaba una mano con la que no alcanzaba nada.

—¡Tíos, moveos de una vez! —ha gritado Tomi—. ¡Aquí hay cosas!

Dylan, que estaba deseando largarse de allí cuanto antes, la ha seguido, meneando la cabeza.

Mia estaba apoyada en la pared más próxima, temblando con violencia.

Yo no he seguido a nadie. Me he sentado en el suelo detrás de Albert Polor, de la Universidad de Nueva York, y le he cogido la mano. Él me ha mirado y se ha esforzado por respirar, apretándome cada vez con menos fuerza hasta que ha cesado su lucha. A mi espalda, Jessie Schrader, del University College de Londres, ha muerto en el acto, y me he dado cuenta de que me había sentado encima de su sangre. El tiro de Tomi había sido tan certero como ella prometía.

Día 60 (3)

Hemos buscado algo más de comida, pero no hemos encontrado mucho.

—Al menos, no moriremos de gripe mientras nos morimos de hambre —ha comentado Adam, mirando una de las cajas de pastillas que nos habíamos llevado de aquel cuarto.

Dylan, algô más optimista, quería que nos adentráramos un poco más en la ciudad, pero a los demás no nos entusiasmaba la idea y hemos decidido que ya habíamos tenido suficiente por un día.

He cogido unas cuantas baterías para el portátil en la sección de electrónica. No tenía claro cuál le valdría a mi Mac, si es que le valía alguna, por eso me he llevado varias, además de todo lo que he visto con el logo de Apple. También he robado algo que me ha parecido un cargador portátil.

A la vuelta, he ido con Tomi y Dylan. Conducía ella. Quería estar presente cuando empezara a preguntarle por su arma. No tenía claro si quería ponerme de su parte o defenderla a ella. Eso era lo malo de la oxitocina: que me había hecho cogerle cariño. Sí, nos había salvado a todos, pero también había disparado a dos de mis compañeros, mis amigos. Aun así, imperaba en mí la irritante necesidad de protegerla.

—¿De dónde has sacado eso? —le ha preguntado Dylan en cuanto hemos salido del aparcamiento y enfilado la carretera del bosque.

—No me acuerdo —ha contestado ella—. Me la encontré el

día en que empezó todo. La vi y pensé que podría necesitarla. No se me ocurrió preguntar de quién era.

—Sí, pero ¿dónde?

—Ya te he dicho que no me acuerdo.

—Sabes que es mía.

—Pero tú ya tienes armas —le ha dicho Tomi, artera—. ¿Para qué quieres esta?

Dylan ha titubeado. Por un lado, quería recuperar su pistola; por otro, apenas tenía munición y no quería desvelar la envergadura del arsenal del hotel.

—¿Cuántas armas hay en el hotel? —he terciado yo desde el asiento de atrás.

—Unas cuantas —me ha contestado—. Se alquilaban a los clientes para que pudieran salir de caza. He prestado algunas cuando hemos salido a buscar comida y las he recuperado después. No quiero que haya mucha gente con rifles.

—¿Por qué no las repartimos?

Tomi se ha vuelto a mirarme, sorprendida.

—No creo que sea buena idea —ha dicho él, mirando el rifle que llevaba en el regazo.

—¿Por qué? —he insistido.

—Cuantas más armas tenga la gente, más posible será que ocurran accidentes.

—Pues la mía no me la vas a quitar —le ha espetado Tomi.

—Muy bien. Pero no creo conveniente repartir armas a los demás. No conocemos a todo el mundo. La cosa podría ponerse fea.

—¿Y eso lo decides tú? —le ha replicado ella, haciéndose eco de mi argumento anterior.

—Alguien tiene que hacerlo. ¿Confiáis acaso en que todo el mundo sepa controlarse? —Ha hecho una pausa y luego ha seguido—. Además, no quiero alentar el suicidio rápido. No sabemos cuántos están aguantando solo por miedo al dolor. Ni quiero saberlo. Tampoco quiero saber si alguien se la tiene jurada a otro o se siente frustrado por el racionamiento.

—Suena deprimente —he dicho yo.

—Soy realista. —Dylan ha suspirado y, por lo visto, ha tomado una decisión—. De acuerdo, Tomi, quédatela. Está claro que sabes usarla. ¿Cómo vas de balas?

—Me queda una. Igual dos. Las que hubiera en el cargador.

—Vale.

A lo mejor me equivoco, pero me ha parecido ver en el rostro de Dylan un destello de confirmación, luego ha guardado silencio.

Tomi me ha mirado por el retrovisor mientras lo reajustaba. Aunque Dylan ha visto que nos observábamos, ha hecho caso omiso.

Me he limpiado las manos en los pantalones, pero la sangre ya se había secado. Me ha empezado a doler la muela otra vez; seguramente el estrés me haga apretar los dientes.

El coche de delante ha frenado de golpe y Tomi ha pisado bruscamente el freno.

Yo he salido disparado hacia delante y me he pegado en la cara con el reposacabezas del asiento de Dylan. Han saltado los airbags. En el momento en que me agarraba la nariz, ha empezado a chorrearme sangre fresca por las manos. No se me había ocurrido abrocharme el cinturón de seguridad. He gritado: «Pero ¿qué coño...?», y cuando por fin he conseguido abrir los ojos, Tomi y Dylan ya se habían bajado del coche.

He buscado a tientas la manilla y en mi afán por seguirlos casi me caigo del vehículo.

Me había roto la nariz, lo tenía claro.

—¿Qué coño pasa aquí? —ha gritado Dylan.

—¡Mirad eso! —ha dicho Adam, refiriéndose a los árboles del lateral de la carretera. —Yo no veía nada hasta que ha señalado la cruz fina tallada en uno de ellos. He mirado adelante mientras el dolor se me extendía a los ojos y la frente, y he visto otra, y otra... Alguien ha salido de la carretera y ha ido marcando el camino.

—Es una trampa —ha dicho Mia.

—O necesitaban recordar el camino de vuelta —ha replicado Dylan.

—¿Cuánto tardarían en llegar aquí andando desde el hotel? —ha preguntado Tomi—. Si es que son del hotel.

—No sé, pero más de un día. En coche hay un trecho.

—¿Y cuánto habrá de aquí a la ciudad a pie? —he preguntado yo, sorbiendo sangre.

—Yo qué sé, no lo he hecho nunca.

—¿No lo puedes calcular?

—No sé, en coche no es mucho, pero a pie... El terreno no es llano.

Se han mirado unos a otros.

—¿Qué te ha pasado en la cara, Jon? —me ha preguntado Tomi espantada—. ¿Te encuentras bien?

—No llevaba puesto el cinturón.

—¿Necesitas sentarte un momento? —me ha preguntado Dylan, tocándome el hombro.

—¡No, estoy bien! Voy con vosotros.

—Entonces..., ¿vamos? —ha preguntado Mia con una mueca.

—Hay que echar un vistazo, ¿no? Igual queda alguien vivo por aquí. Quédate con los coches si quieres —le ha dicho Tomi, cerrando de golpe la puerta del vehículo.

Se ha adentrado en el bosque y los que nos considerábamos lo bastante valientes hemos tenido que demostrarlo siguiéndola.

Mia y Adam se han quedado vigilando los vehículos.

—¿Por qué habrán salido de la carretera? —ha mascullado Rob a mi espalda.

—Porque hace frío y es preferible acampar a cubierto. O porque tendrán miedo de algo —he añadido, mirando por encima de mi hombro.

Rob se ha metido la mano en el bolsillo y me ha pasado un clínex.

—Te vendrá bien.

Me lo he pegado a la cara y se ha empapado de sangre.

Habremos caminado unos treinta metros en silencio, hasta que he visto que Tomi paraba, y después Dylan. Yo me había quedado un poco rezagado, absorto en mis pensamientos sobre Al y Jessie, y sobre cómo me había mirado ella, sin rastro alguno de humanidad, como lo haría a un desconocido, a un saqueador enemigo.

Rob y yo nos hemos acercado y yo he dicho:

—¿Qué pasa? ¿Habéis visto algo?

No han contestado.

Hemos apretado el paso, preocupados por su silencio, y les hemos dado alcance. Pero Tomi llevaba la pistola pegada al cuerpo. Me he quitado el clínex de la nariz y he inspeccionado el pequeño claro con mis ojos doloridos.

Aquellos dos hombres jóvenes, quienesquiera que fueran, parcialmente descompuestos y abrazados, habían intentado construir un refugio con ramas y hojas y se habían tendido en él metidos en sacos de dormir. No tenían nada más.

He visto un par de muletas caseras a la derecha de su fuerte improvisado y he caído en la cuenta de que, con un tobillo roto o cualquier otra lesión grave en una pierna, no habrían podido sobrevivir. Habrían muerto congelados sin conseguir llegar a otro edificio, y menos aún a la ciudad.

Dylan se ha acercado a los restos de su campamento y ha abierto la cremallera de una de las bolsas.

—Aquí hay comida —ha dicho, sosteniendo en alto una caja—. Y analgésicos potentes, fotos, utensilios de cocina... No son del hotel. Parece que venían de la ciudad.

No sé cómo ha podido soltar solo eso, hacer esas observaciones tan frías.

Me he vuelto hacia Tomi porque ella siempre tiene algo que decir, pero miraba al infinito.

Dylan ha cogido las dos bolsas y se las ha colgado del hombro.

—Por lo menos, hay algo de comida —he dicho yo.

—Conservas de salmón, verduras y caballa. Y refrescos.

—Dylan ha echado otro vistazo por allí, procurando evitar los cadáveres y fingir despreocupación—. Tienen hasta bolsas de ositos Haribo y de patatas fritas. Eso está muy bien.

—Entonces, la gente ha huido de la ciudad... —ha dicho Tomi.

De algún modo, era lo que todos pensábamos pero no nos atrevíamos a expresar en voz alta.

Tomi ha asentido con la cabeza, como confirmando para sí una cruda realidad, luego ha dado media vuelta y se ha ido mientras nos dejaba a los demás digiriendo las implicaciones de todo ello. Me he ofrecido a llevarle una de las bolsas a Dylan, pero él no ha querido.

Después, todos nos hemos alejado de aquel escenario horrible. Tomi ha cogido el coche y ha conducido de vuelta al hotel en silencio. En teoría, habíamos encontrado lo que buscábamos, pero costaba mostrarse optimista, dada la tremenda pérdida de esperanza que habíamos sufrido. A lo mejor, hasta entonces no nos habíamos atrevido a pensar casi qué podía haber más allá de nuestro pequeño reducto porque nos daba demasiado miedo que la respuesta fuera nada.

La idea se me había pasado una o dos veces por la cabeza: dadas las circunstancias, ¿tan malo sería que me suicidara? ¿De verdad quería presenciar cómo terminábamos, nosotros y la humanidad en su conjunto? ¿Acaso quería ver cuánto más podían empeorar las cosas antes de empezar a mejorar, si es que alguna vez mejoraban?

Pero la idea de quitarme la vida siempre me repelía. Mientras pudiera seguir siendo útil, aguantaría. No iba a echar a perder mi existencia de forma voluntaria. Jamás censuraría a los que decidieran que era demasiado, porque lo era. Aquello era demasiado. Pero yo podía haber estado en San Francisco cuando estallaron esas bombas, podía haber estado en Misisipi con mis padres, y sin embargo no estaba en ninguno de los dos sitios. Había terminado en uno de los pocos lugares que se habían librado de la devastación absoluta, y la idea de contribuir a ella cediendo a la desesperación me parecía, en cierto sentido, ingrata.

Me han dado ganas en múltiples ocasiones de preguntarle a Tomi si se encontraba bien, pero he tenido la sensación de que no quería saber nada de mí. No acababa de concebir por qué la entristecía más el suicidio de dos personas que la muerte de esos dos tipos a los que ella misma había disparado. La he observado mientras conducía, sujetándome la nariz dolorida, y he pensado en su cabeceo anterior. Antes de abandonar el claro, ha cabeceado para sí en señal de asentimiento, lo que me ha parecido un gesto muy sombrío. Cabezazo. «Así que eso es todo, entonces». Cabezazo. «Ya no queda nada ahí fuera». Cabezazo. «Está claro que nadie va a venir a rescatarnos». Cabezazo. «Estamos completamente solos».

Día 61

Ayer, cuando volvimos, todo y todos parecían fuera de quicio. Como si nos evitáramos unos a otros. Incluso en el comedor, eran pocos los que hablaban. Los Yobari, y también las mujeres que habían hecho piña, actuaban con normalidad, pero no así las personas con las que yo tenía más confianza.

Me acosté en cuanto llegamos y he dormido la noche entera de un tirón, después de que Tania me confirmara que, en realidad, no me había roto la nariz. No me he despertado ni una sola vez. Tomi se acostó a mi lado para vigilarme, por si sufría una conmoción cerebral.

Hoy he entrevistado a Peter, un hombre soltero de cuarenta y tantos años que yo pensaba que era francés, pero resulta que es alemán. Solo ha consentido en hablar si era en su habitación, modesta y ordenada. Tiene uno de los rostros más pálidos y enjutos que haya visto jamás, como si estuviera tallado en mármol.

Tania ha accedido a estar presente para traducir y transcribir sus respuestas, porque no ha querido que lo entrevistáramos en inglés (aunque sé que lo habla).

He corregido los apuntes de Tania y la entrevista ha quedado como sigue:

YO. Entonces, ¿se alojaba usted solo en el hotel?
PETER. Sí. No creo que haya nada malo en ello.
YO. No, claro que no. ¿Dónde vivía?
PETER. En Oranienburg.

YO. ¿Y eso dónde está?

PETER. (*Poniendo los ojos en blanco.*) Es una población pequeña que hay a las afueras de Berlín, donde trabajaba.

YO. Bien, ¿y a qué se dedicaba usted antes?

PETER. Era psicólogo infantil. Mi especialidad consistía en ayudar a los abogados a interrogar correctamente a los niños que declaraban como testigos.

Eso no me lo esperaba, así que he titubeado. Tania ha dejado de escribir un momento mientras me repetía la respuesta en inglés.

PETER. ¿Qué pasa?

YO. Nada, perdone. Es que resulta interesante descubrir lo que hacía la gente antes de venir aquí. ¿Por qué vino a este hotel?

PETER. Necesitaba estar solo. Tenía pensado cazar ciervos.

YO. ¿Por alguna razón en particular?

PETER. Mi mujer me había pedido el divorcio. Yo me ofrecí a marcharme de casa unas semanas para que ella pudiera mudarse en mi ausencia.

YO. ¿Consiguió ponerse en contacto con ella cuando... ocurrió todo?

PETER. No.

YO. Lo siento.

PETER. Yo, no.

YO. De acuerdo. Entonces, ¿cuánto tiempo llevaba aquí antes de la mañana del fatídico día?

PETER. Dos días antes de que terminara todo.

YO. ¿Qué recuerda de ese día?

PETER. Me desperté tarde, poco antes de mediodía, porque había vuelto de la ciudad en taxi a las tres de la madrugada la noche anterior. Para entonces, casi todos los demás huéspedes se habían marchado ya, como usted sabe.

YO. El fin del mundo lo pilló durmiendo.

PETER. (*Ignorando mi comentario.*) Metí mis cosas en la bolsa, como ve no había traído mucho equipaje, y me fui a pie. Enseguida me di cuenta de que ir andando a la ciudad resultaría completamente inútil, sobre todo porque luego no encontraría ningún vehículo que me llevara al aeropuerto. Llevaba caminando poco menos de dos kilómetros, así que di media vuelta y regresé, me encerré en mi habitación y esperé por si llegaba alguna ayuda. (*Extendiendo las palmas de las manos en ademán de consternación.*) Aún seguimos todos esperando.

YO. ¿Recuerda haber visto lo que hacían los demás?

PETER. ¿Quiénes?

YO. Los que aún seguían por aquí. ¿Los recuerda de ese día? ¿A Dylan, a Sophia, a Nathan..., a alguno de ellos?

PETER. No, porque entonces no los conocía. Yo voy a lo mío. Hay cosas más importantes que andar observando siempre a los desconocidos.

YO. De acuerdo. Voy a ser más concreto: ¿recuerda que alguien actuara de forma sospechosa?

PETER. (*Después de una pausa larga.*) No.

YO. ¿Recuerda haber visto a algún niño durante su estancia?

PETER. A los dos japoneses. Había una mujer con un bebé que ahora tiene la pareja japonesa. También a otra niña, pelirroja, de tono rubio fresa.

YO. ¿De qué edad?

PETER. ¿Cómo dice?

YO. Me refiero a la niña.

PETER. No sé. ¿Ocho? Diez, como mucho.

YO. ¿Dónde la vio?

PETER. Desayunando, la víspera del día en que se acabó el mundo.

YO. ¿Le llamó la atención por algún motivo?

PETER. No. Solo recuerdo su existencia.

YO. ¿Recuerda algo de sus padres?

PETER. Su padre parecía un hombre triste.

YO. ¿Lo notó triste?

PETER. No. Digo que parecía una de esas personas tristes.

YO. ¿Por qué reparó en eso?

PETER. ¿Por qué no iba a hacerlo?

YO. ¿Recuerda algo de la madre?

PETER. No vi a la madre.

YO. Antes usted dijo «padres».

PETER. Fue usted el que dijo «padres». Yo dije «padre».

YO. ¿La niña solo estaba con su padre?

PETER. Estaba desayunando con su padre; su madre estaría en otro sitio. No sentí la necesidad de especular.

YO. ¿Qué sabe de la historia del hotel?

PETER. Sé que se alojó aquí un célebre asesino en serie. Aparte de eso, lo único que sé es que es viejo.

YO. ¿Le ha ocurrido algo extraño en el tiempo que lleva aquí?

PETER. ¿Aparte de la guerra nuclear?

YO. Sí, aparte de eso.

PETER. A veces tengo la sensación de que podría haber más gente de la que creemos en el hotel. Es enorme. Es algo que me ronda la cabeza. Además, hay mucho ruido en el edificio, muchos portazos y porrazos por las noches. Pero no creo que sea más que porque las tuberías son antiguas.

YO. ¿No ha visto a nadie que no conozca?

PETER. No. De momento, no.

YO. ¿Tenía usted hijos?

PETER. No.

YO. ¿Alguna vez ha querido tenerlos?

PETER. No. Mi mujer, sí. Yo, no.

YO. ¿Por qué?

PETER. He visto lo que pasa cuando las personas creen que están preparadas para ser padres y no lo están. La gente es muy arrogante; dan por supuesto que cualquiera puede desempeñar ese papel. Tienen hijos a los veintitantos, o incluso más temprano, antes de madurar siquiera. Cualquier cosa que uno no consiga superar mediante una terapia intensiva y una introspección profunda, se la va a transmitir a sus hijos. Yo jamás daría por supuesto que soy lo bastante bueno para ser padre. Y dudo que mucha gente lo sea.

Aquí he hecho una pequeña pausa. No sé bien por qué, su respuesta me ha llegado muy adentro, y me he mostrado molesto.

YO. ¿Le gustan los niños?

PETER. Depende del niño. No se puede decir que a uno le desagra-

151

den los niños, así, en general. Algunos niños son personas excelentes; otros, no. Depende, sobre todo, de los padres.

YO. ¿Por qué cree usted que alguien podría haber asesinado a una niña aquí y haberla dejado en el depósito de agua?

PETER. No sé, no soy psicólogo forense. Pero acostumbran a ser los padres.

YO. ¿Piensa que lo hicieron sus padres?

PETER. Si el muerto es una mujer, suele ser el novio o el marido; si es un niño, suelen ser los padres.

YO. ¿Ha hablado mucho con los niños de los Yobari?

PETER. No.

YO. ¿Por qué?

PETER. No conozco a los Yobari. Y nadie me ha pedido que los trate.

YO. ¿Cree que podría ser consecuencia de una especie de eutanasia? ¿Lo de la niña del depósito? ¿Que, como el mundo se acababa, los padres decidieran acabar con su vida para ahorrarle el sufrimiento posterior?

PETER. (*Encogiéndose de hombros.*) Es una posibilidad, aunque el razonamiento es estúpido.

YO. ¿Por qué?

PETER. Vamos a necesitar todos los niños que podamos concebir para que la especie no se extinga.

Ha habido una pausa en la conversación mientras yo comprobaba mis anotaciones por ver si había preparado más preguntas. Entonces Peter nos ha preguntado con retintín si ya habíamos acabado, así que Tania y yo hemos salido de la habitación. La entrevista había concluido.

—¡Qué tío más raro! —ha dicho riendo—. ¿Tú crees en serio que haya podido trabajar en salud mental?

—No, la verdad —he dicho, riendo también.

Cuando he vuelto a mi habitación me he encontrado a Nathan esperándome en la puerta. Había escrito una breve historia de por qué vino a trabajar al hotel. Está asombrosamente bien escrita y es aún más rara de lo que yo recordaba. La incluyo a continuación.

Nathan

Os quiero a todos más que a mi vida.
Tengo que irme. No me busquéis.
Ojalá pudiera explicároslo mejor.

HAROLD *(papá)*

Era mi padrastro, en realidad. Pero esa fue la nota. Mamá la encontró la víspera de Navidad por la mañana, hace diez años. No se lo comentó a ninguna de mis hermanas. Eran demasiado pequeñas para entenderlo. No sé por qué, con trece años, me consideró lo bastante adulto para digerirlo.

Tuve un mal presentimiento en cuanto me desperté. Me pareció que, si me levantaba, iba a pasar algo horrible, así que me quedé remoloneando en la cama y no bajé hasta que fueron casi las dos de la tarde.

En el salón, la tele estaba encendida y mis dos hermanas la veían sentadas en el suelo.

Mamá se encontraba a la mesa del comedor. Tenía la nota justo delante, pero al principio no la vi. Detecté antes su expresión: la mirada perdida a miles de kilómetros en el futuro. Ahora que lo pienso, igual hasta se sintió aliviada.

—¿Te encuentras bien? —le pregunté.

—¿Tu padre te comentó algo anoche? —me dijo ella, girando la nota del revés para que no pudiera leerla—. Os oí charlar, pero no quise meterme. Me pareció que era bueno que volvierais a hablar.

153

—No, nada importante. Solo me preguntó por las clases y cosas por el estilo.

—¿Algo en particular?

—No —mentí.

—¿Y lo encontraste normal?

Me obligué a sonreír, convenciéndome de que era una pregunta lógica.

—Todo lo normal que puede estar papá.

Mamá había estado llorando. Pude verle el rastro de las lágrimas en las mejillas. Curiosamente, la hacían parecer más joven. Pero no le pregunté por nada de eso, porque quería que aquella conversación terminara cuanto antes.

Parpadeando mucho de repente, apartó la nota con dos dedos.

—Se ha vuelto a marchar.

Sin leerla, supe que esa vez no iba a volver. Lo había sabido nada más despertarme. Lo cierto es que lo había sabido desde la noche anterior. Sabía que algo había ido mal, y de pronto todo cuadraba. Se había marchado. No iba a volver. Genial. «Que le den por culo», pensó mi yo de trece años.

—A la soleada Suiza, como la última vez, ¿no? —dije.

—¿A Suiza? —replicó ella, extrañada.

—Eh... —Había olvidado que, en teoría, yo no sabía todo eso—. No sé. Supongo que ahí es donde van todos los tíos que tienen una crisis de mediana edad. O a Las Vegas.

—Ah.

Cada vez que se tragaba una de mis mentiras, le perdía un poco más el respeto. Miento muy bien, pero eso no me hacía sentir compasión, y menos aún por mi madre. Es penoso no saber ni siquiera cuándo te está mintiendo tu propio hijo.

Por cierto, esta historia es cierta.

Las luces del árbol de Navidad del salón producían destellos de rojo y azul en el suelo.

Cogí la nota.

—Volverá —le dije, y di media vuelta para subir a mi cuarto.

Una vez allí, reproduje mentalmente el ataque de nervios que papá había sufrido en mi presencia la noche anterior.

La crisis de papá había llegado poco después que la de mamá. Mi madre, cristiana de toda la vida, había dejado de ir a la iglesia y, luego, de rezar al enterarse de que Dios no iba a sacar de la quiebra la empresa de papá. Con todos los puntos que había ganado con sus limosnas a la iglesia local y las horas transcurridas sentada en sillas incómodas oyendo a unos tíos parlotear, para ella lo más lógico era que Él la compensara en los momentos difíciles, porque nunca antes le había pedido nada a Dios directamente. No se le ocurrió que Él pudiera tener mejores cosas que hacer que cerrar tratos con la clase media alta australiana.

Así que mi madre decidió que ya no había Él.

La noche anterior a la nota, yo estaba sentado a la mesa del comedor terminando un trabajo de clase. Las gemelas habían ido a un recital de clarinete. Mamá andaba en la cocina y papá se estaba volviendo loco. Entró en el salón como un fantasma y se sentó a mi lado con aquella extraña sonrisa llorosa tan suya.

—*¿Puedo hablar contigo?*

—*No sé, ¿puedes?* —*Silencio*—. *Sí, claro* —*añadí*—. *¿Qué pasa?*

—*¿Podrías... dejar eso un momento?* —*Solté el bolígrafo y roté exactamente noventa grados en la silla*—. *Hay algo que quería contarte* —*me dijo, poniendo las manos en la mesa y retirándolas de inmediato.*

Me alegré de que no estuviéramos emparentados de verdad, solo por matrimonio. Harold parecía una figura de cera a medio derretir. Aunque de joven hubiera tenido un rostro anguloso, le había salido papada enseguida. Sus ojos, antes azules, se habían vuelto pálidos, como si fueran el agua del grifo turbia.

—*Cuando me fui de casa aquella semana...*

—*Mes* —*lo corregí.*

—*No fue un mes.*

—*Sí fue un mes. Yo estaba aquí, ¿recuerdas?*

Se puso algo nervioso.

—Vale, un mes. Quiero que sepas dónde estuve, lo que me pasó.

Enarqué las cejas, pero no lo animé a seguir.

—Fui a Suiza, a un hotel, el Sixième... —«Vale, ya está», pensé—. No sé por qué, elegí un sitio cualquiera. Necesitaba marcharme lejos y pensar. Estuve allí un par de días, no emborrachándome ni nada de eso. Apenas salí de mi habitación. Pero, al cabo de unas noches, pasó algo.

Me encogí un poco, temiéndome lo peor.

«¿Se estará muriendo?», me dije.

Costaba no pensar algo así con aquella expresión que tenía, a medio camino entre el éxtasis y el dolor.

A lo mejor, mamá y él se iban a divorciar...

¿Se habría liado con otra?

Era demasiado aburrido para tener una aventura.

—He encontrado a Dios —me dijo, tras pensárselo mucho. Procuré no mostrar ninguna emoción. Me quedé impávido, completamente imperturbable—. He encontrado a Dios porque una noche, tumbado en la cama sin poder dormir, sentí un dolor horrible. Angustioso, hijo, ni te lo imaginas. Pensé que me estaba dando un infarto, no podía ni moverme para coger el teléfono y me convencí de que iba a morir, entonces miré hacia abajo... —Tomó aire—. Vi que algo me salía del pecho. Esa cosa, ese demonio con una pinza larga a cada lado del cuerpo, salió de mí. El dolor..., el dolor era... insufrible. —Se me puso la carne de gallina. Me tapé la boca mientras él me contaba todo aquello con grandes aspavientos—. Y cuando estuvo fuera, vi que era como un esqueleto o un lagarto, algo intermedio. Reptó por la habitación hasta el rincón y me miró desde allí. Ese... esa cosa... tenía unos dientes enormes. Me gruñó y desapareció.

No sé bien lo que me esperaba de él, pero no semejante grado de locura. Siempre había tenido delante a un hombre que había empezado todas las puñeteras discusiones de mi vida con un «y tú, ¿qué pruebas tienes para respaldar eso?». Era ateo, y de los convencidos. De esa clase que les decían a sus hijos que se descompondrían en polvo y tierra, y que no existía Dios, ni el conejito de Pascua ni Papá Noel.

—Y entonces fue cuando supe que Dios existe —dijo mi padre, Harold Adler, el ateo—. Tiene que existir. Me inundó una paz inmensa. Fue como... una revelación. Todas las preocupaciones y las dudas, y la pena y el mal, todo se desvaneció con aquel demonio. No sé expresarlo mejor. Fue paz. Fue una revelación.

El silencio había durado demasiado. Yo no tenía ni puta idea de qué hacer o decir. No creía en Dios; papá se había asegurado de que así fuera.

—Una revelación —repetí, porque tenía trece años y quería, sobre todo, que aquel chiflado egoísta me dijera qué decir.

—Para mí era importante contártelo —me dijo, inclinando la cabeza.

—Lo entiendo —dije, asintiendo para demostrarlo—. Has encontrado a Dios. Estupendo.

—¿Te parece bien?

Lo odiaba más de lo que lo había odiado antes, o hasta entonces. Lo odiaba incluso más de lo que odiaba a mamá. Los dos me habían traicionado, pero aquel disparate era mucho más inesperado viniendo de él.

Aquel era el tío que estaba enamorado de las matemáticas, de las fórmulas, de la ciencia, y no podía follarse a una veinteañera ni comprarse un cochecito o irse de juerga como hacían todos. No. Papá tenía que encontrar a Dios. Al puñetero Dios. De todas las rebeliones que podía haber elegido, tuvo que elegir la más ofensiva.

«Serás capullo», pensé, porque aquella era la segunda palabrota más gorda que me sabía y me habría sentido fatal si le hubiera dedicado la primera, aunque fuera mentalmente.

—¿No quieres hacerme ninguna pregunta...?

Por primera vez en la vida me dieron ganas de darle un puñetazo. Yo no era violento. Jamás había hecho nada así. Me enfadaba, sí, pero nunca había sentido la necesidad de agredir físicamente a nadie.

—No —mentí.

Debí haberle preguntado si ya les había contado todo aquello a mis hermanas. Tenían ocho años. A lo mejor se lo tragaban. Debí haberle preguntado si se le había ocurrido pensar que aquello no eran más que unos putos terrores nocturnos, o haberle recordado todas las veces en que se había negado a entretenernos a mis hermanas y a mí hablándonos de pesadillas o de monstruos por la noche porque no existían, o si se había planteado cómo se sentirían sus hijos al oír aquella historia después de haber crecido con un padre que era el más recalcitrante de los racionalistas, pues nos había desmontado todas las fantasías infantiles que habíamos tenido y se había empeñado en destriparnos cuanto habíamos creído mágico. Debí haberle preguntado cómo había conseguido humillarnos a todos aún más, decepcionarnos aún más. Debí haberle preguntado si no se le había ocurrido que suicidarse podía ser un puñetero regalo para la familia en aquel puto momento.

Pero no le dije nada de eso.

Tenía las mejillas encendidas. Cogí el boli.

—No, me ha quedado claro.

Por lo menos tuvo la decencia de mostrarse destrozado y, en cierto modo, eso compensó el que no pudiera darle un puñetazo.

—Ah, bueno, pues... Me alegro de que hayamos podido hablar.

Alcé la vista y le dije con la mirada: «No lo hemos hecho».

Papá se levantó incómodo de la silla y se dispuso a marcharse. Antes de cruzar la puerta del salón se detuvo un momento y dijo:

—Te quiero de verdad, ¿sabes?

Opté por asentir con la cabeza, confiando en poder transmitirle de esa forma el desdén que me inspiraba la mierda de padre que había sido.

En cuanto Harold salió de la habitación, me llevé el trabajo a mi cuarto, alarmado ante la posibilidad de volver a ver a mi padre o a mi madre esa noche. Ambos habían perdido claramente el norte con una diferencia de unos meses. No recuerdo haberlos odiado más en ningún otro momento.

Esa resultó ser la última vez que vi a mi padrastro.

Me subí la nota a mi habitación y mamá no me lo impidió.

«No me busquéis».

No sé por qué tardé casi diez años en llevarme mis cosas. No sé lo que terminó empujándome a empezar a hacer los preparativos para venir a trabajar aquí. Miraba las ofertas de empleo de vez en cuando. Algunas incluso las dejé pasar. Pero tardé diez años en decidirme.

Cuando me mudé, mamá me dejó claro que no pensaba que fuera a volver. La dejé llorando dos pérdidas en vez de una. Bueno, tres, si contamos a Dios.

Día 62

No sé qué pensar de la historia de Nathan. Me ha hecho darle vueltas a las razones por las que vinimos todos a este hotel. No me imagino encontrando a Dios en este sitio, como su padre. Por lo que veo, aquí brilla por su ausencia. Si Dios existiera y no fuera intervencionista, creo que ahora mismo estaría muy disgustado por el fracaso de su experimento.

Siempre existe la posibilidad de que Nathan me haya mentido solo para poder contarme una buena historia, pero no veo por qué iba a hacerlo. Me he preguntado, por un segundo, si las enfermedades mentales serían algo que pueda aprenderse, heredarse sin transmisión genética. De momento, voy a guardarme ese hilo de pensamiento para mí. No hay pruebas de que Nathan esté loco.

Después de una mañana tranquila, he pasado casi toda la tarde en la azotea con Dylan y Nathan, intentando retirar del todo la tapa del primer depósito de agua. Dylan, con una cuerda atada a la cintura a modo de arnés, mantenía el equilibrio en el extremo más alejado del depósito. Yo estaba en lo alto de la escalerilla, también con una cuerda atada a la cintura, sujeta con una lazada a un gancho que Dylan había soldado a la estructura.

No sabíamos si iba a aguantar. No había forma de probarlo.

Hoy no hacía viento, ni tampoco frío. El aire era denso y pesado, y yo sudaba por primera vez en semanas. Me he quitado el abrigo como he podido y he dejado que le cayera a Nathan en la cabeza.

—¡Gracias! —me ha gritado él.

He agarrado la sierra con ambas manos y la he movido sucesivamente a la izquierda, luego a la derecha y de nuevo a la izquierda.

—¿Estás bien? —me ha preguntado Dylan.

Aún me dolía la cara, pero no era un dolor que me incapacitase.

—¡Sí, más o menos!

El metal ha empezado a resbalar y se me ha caído la sierra. Me he agarrado tan fuerte a la tapa del depósito que se me han clavado en las manos los bordes dentados del trozo recién serrado. He pensado que el resto de la pieza se me iba a volcar encima y me iba a llevar por delante. O me partía en dos, si el arnés aguantaba, o terminaba estampándome contra el suelo de la azotea.

—J, ¿estás bien?

Casi no veía del dolor, pero he apretado los dientes.

—Sí.

—¿Me puedes ayudar a desplazarme a la izquierda? —ha añadido Dylan.

—¡Yo estoy bien, ¿eh?, aquí, esquivando lo que cae! —ha gritado Nathan.

—Pues coge las herramientas y apártate. Estamos a punto de tirarte un pedazo de hierro.

Nos hemos hecho la peseta el uno al otro.

Dylan se ha acuclillado en el pedazo de tapa que seguía sujeto a la torre principal y ha serrado lo que faltaba. El cuarto de círculo amenazaba con caerse dentro del depósito, pero entre Dylan y yo lo hemos deslizado hacia el borde, reteniéndolo ahí unos segundos y, después, lo hemos empujado para que cayese fuera.

Ha golpeado contra el suelo de la azotea con un estruendo metálico que daba dentera. Luego he mirado a Dylan. Habíamos terminado la primera de aquellas cuatro tareas colosales.

Para mi vergüenza, jamás me había sentido tan hombre, en el sentido primitivo de la palabra.

Hemos sonreído los dos y la cruda salida de ayer en busca de comida ha quedado un poco más lejos.

Nathan ha soltado un grito de alegría.

He empezado a bajar por la escalerilla y, mientras lo hacía, he notado que me caía algo frío en la nuca. Andaba mirándome los pies entre las rodillas, asegurándome de pisar bien los peldaños y, cuando he levantado la vista, un montón de gotas me han empañado las gafas.

—¡La hostia, pero si está lloviendo! —ha gritado Nathan—. ¡La hostia!

No me lo podía creer. He bajado deprisa el resto de la escalerilla y me he quedado plantado en la azotea con las manos extendidas y la cabeza hacia atrás, dejando que la lluvia helada me cayera en la cara. Nathan estaba haciendo lo mismo. Me he quitado las gafas y me las he guardado en el bolsillo.

Dylan había reptado por el borde del depósito hasta la escalerilla y ya estaba bajando.

Nos hemos quedado allí el tiempo que ha durado todo el chaparrón. Ha arreciado durante siete u ocho segundos, tanto que he tenido que taparme los ojos con el antebrazo. Luego ha aflojado y yo he empezado a temblar, pero estaba tan feliz que me ha dado igual.

—¡En la vida habría pensado que me iba a emocionar tanto esta mierda de tiempo! —ha exclamado Nathan.

—¡Ya! —he dicho yo, cogiendo mi abrigo y colgándomelo del brazo—. Ha sido genial. A lo mejor es un buen indicio...

—No creo que vaya a ocurrir muy a menudo —ha dicho Dylan, apesadumbrado—. Pero me alegro de que hayamos retirado la tapa del depósito.

—Tengo que asearme —he dicho yo.

—Te iba a pedir que me ayudaras a retirar eso —me ha dicho Dylan, señalando los pedazos de metal que estaban desperdigados por allí.

—Ya lo hago yo —se ha ofrecido Nathan—. Tú vete. Hoy ya has hecho bastante de tío rudo —ha añadido, golpeándose el pecho, muy serio.

He reído y he chocado el hombro con el suyo al pasar de largo.

Cuando he llegado a mi habitación, me la he encontrado sin cerrar.

Antes de describir con lo que me he topado, quiero dejar una cosa bien clara: no es posible que me haya olvidado de echar la llave. Ya nadie deja las puertas abiertas. En ocasiones, vuelvo a mi habitación dos y tres veces para asegurarme de que la he cerrado.

Como ya sabía que algo iba mal, he abierto un poco la puerta, me he puesto a un lado y he terminado de abrirla de una patada.

—¿Hay alguien ahí? —he querido saber, estremecido por pensar que pudieran estar a punto de dispararme a quemarropa a la entrada de mi habitación.

No ha habido respuesta ni actividad alguna dentro.

Me ha parecido que la habitación estaba exactamente igual que siempre, salvo porque alguien se había llevado las maletas de los Luffman. He dado una vuelta para ver si faltaba algo de valor: no me refiero al dinero, pues ya no sirve de nada, sino a la pasta de dientes, a la espuma de afeitar, a las cuchillas... Todo estaba allí. Todas mis pertenencias seguían allí.

Me he sentado en el borde de la cama y he mirado la moqueta y los surcos que las dos maletas demasiado pesadas habían dejado en ella. Los he seguido hasta el pasillo, pero fuera, el suelo ya era de baldosas. Ni rastro de los surcos.

No había vuelto a registrar el contenido, así que no tenía ni idea de qué podía haber perdido. Tal vez, algo crucial: pruebas sólidas que se nos hubieran escapado a Sophia y a mí la primera vez que hurgamos en ellas. No lo sabía.

Aunque, en realidad, sí.

Debía de haber perdido algo crucial porque, de lo contrario, no me las habrían robado.

De pronto, furioso, he vuelto a la azotea, mojado aún, temblando aún, con el abrigo colgando del brazo. Nathan y Dylan estaban en la escalera, sujetando entre los dos los pedazos de metal. Dylan había dicho que, a lo mejor, podía hacer algo con ellos.

—¿Te has dejado algo ahí arriba? —me ha preguntado Dylan al verme.

—Han entrado en mi habitación —he respondido, temblando de frío.

—¿Qué? —han dicho los dos a la vez.

—Las dos maletas ya no están. Me he encontrado la puerta abierta; yo he cerrado con llave al salir. No hay ninguna posibilidad de que sigan funcionando las cámaras de seguridad, ¿verdad?

Dylan ha negado con la cabeza.

Nathan me ha mirado perplejo y, muy despacio, han dejado el metal en el suelo.

—¿Te has encontrado la puerta abierta?

—He cerrado con llave cuando me he ido.

—Pero las llaves maestras las tengo yo —ha dicho Dylan—. Salvo el juego que te di a ti.

—¿Quién más las tiene?

—Nadie. Se las reclamé todas a los empleados a los dos o tres días de que empezara esto y luego te di unas a ti y te pedí que no lo comentaras con nadie para evitar que pasara algo así. No te habrán robado tu juego de llaves, ¿verdad? ¿No lo habrás perdido?

—No, está en el bolsillo de mi otro abrigo. Lo he comprobado.

—Me di cuenta de que lo veía todo un poco borroso porque me había quitado las gafas—. Las dos maletas han desaparecido. Alguien se las ha llevado.

—Perdona que te lo diga, J, pero me parece que se te ha olvidado echar la llave —me ha dicho Nathan con los brazos en jarras.

—¡De eso, nada!

—Entonces, ¿cómo han podido entrar? —me ha preguntado Dylan, sereno, como si yo fuera un crío.

—Nunca me olvido de echar la llave, Dylan. Jamás.

—Pues solo ha podido ser eso.

—Que no; ¡me juego la vida a que no!

—Pues... Si no han forzado la entrada, tío, no hay otra explicación —ha dicho Nathan extendiendo las palmas de las manos en ademán de resignación. No me creían—. Mira, cuando acabemos con esto, te ayudo a buscar tus cosas, si quieres.

—¿Puedo registrar las habitaciones? —le he preguntado a Dylan.

—Las estabas registrando de todos modos —me ha contestado, algo seco—. Tendrás que pedir permiso a la gente para entrar en las que estén ocupadas.

—Bueno, ¿qué objeción me van a poner, salvo que tengan las maletas?

Dylan se ha encogido de hombros.

Como no me apoyaban y me estaban tratando de forma condescendiente, he dado media vuelta y he bajado a mi habitación, temblando. Me he cambiado de camisa, me he puesto otro abrigo y he salido, asegurándome de echar la llave a mi puerta. He cerrado, he abierto, he vuelto a cerrar y he forzado el pomo a ver si cedía.

—No me la he dejado abierta —me he dicho en voz alta.

He subido a la habitación de Tomi, pero me ha parecido ausente, como si no quisiera hablar conmigo. He llamado con los nudillos. Ha abierto la puerta y me ha dicho:

—¿Te importa volver más tarde? Estoy ocupada.

—¿Has estado llorando?

Ha suspirado y me ha cerrado la puerta en las narices, así que he dado por sentado que esta noche ella dormiría en su propia habitación.

Tania estaba trabajando y no he querido molestarla.

Ninguna otra de las personas a las que he preguntado ha admitido que supiera algo de las maletas. Seguramente, lo mejor que podía hacer era seguir registrando las habitaciones una por una.

He vuelto a la mía, he cerrado con llave y me he echado una siesta.

A la hora de la cena, unos cuantos hemos terminado sentándonos juntos. Lauren Bret y su novia, Lex, me han parado para preguntarme por la situación de internet y si habíamos visto a alguien cuando habíamos ido a por comida. No las conozco bien a ninguna de las dos. Lo único que sé es que son francesas, que no estaban juntas antes del primer día pero ahora sí y que ambas tienen veintimuchos.

Lauren lleva el pelo largo y teñido de un rojo metálico, aunque ya se le ve un poco la raíz. Es muy alta, más alta que yo, pero tiene una cara redonda como de niña y siempre parece preocupada. Lex lleva el pelo más corto, rubio, y también se le ve un poco la raíz, y es femenina, muy menuda, la típica francesa, supongo. Su inglés no es tan bueno como el de Lauren. La verdad es que ninguna de las dos lo habla muy bien.

—¿Alguien te ha...? —me ha preguntado Lex, haciendo un ademán como de puñetazo y mirándome la cara con un gesto de dolor.

—Nos atacaron, pero, no, esto fue porque... eh, no llevaba puesto el cinturón.

Se han mirado las dos algo decepcionadas.

—¿Wifi? —ha dicho Lauren, volviendo boca arriba involuntariamente el móvil que tenía sobre la mesa.

Ha pronunciado wifi a la francesa y me ha hecho gracia.

—No sé si hay wifi, pero, en la tienda, los datos del móvil de Tomi funcionaban. Creo que cuanto más te acercas a la ciudad, más cobertura hay.

Lex ha dicho algo en francés y se han agarrado con fuerza las manos.

—A lo mejor aún podemos localizar a nuestros padres —ha traducido Lauren.

—Yo no iría sin coche.

Lex ha vuelto a decir algo en francés. Mientras hablaban, ha llegado Peter y se ha sentado a su lado, enfrente de mí. El holandés, Nicholas van Schaik, se ha puesto junto a Peter. Ninguno de ellos se llevaba especialmente bien con los demás, pero he supuesto que les agradaba no tener que hablar en inglés todo el tiempo.

El grupo estaba claramente dividido entre los que lo hablaban y los que no.

Tomi nos ha mirado, ha titubeado y se ha sentado a un lado, en otra mesa.

El ambiente se ha puesto tenso y Lex ha susurrado algo. He visto que Lauren y ella miraban a Tomi y luego, a mí.

—¿Qué? —he preguntado, intentando decidir si levantarme a por más café o más agua solo por retirarme de la mesa.

—Quiere saber a quién votaste —me ha dicho Lauren.

—¿Cómo dices?

—Que a quién votó usted —ha dicho Peter después de carraspear—. Hace tres años.

—Vaya, ¿ahora sí habla inglés? —le he espetado.

—Hablo inglés y francés. La chica quiere saber a quién votó usted en las últimas elecciones de su país.

—¿A quién...? ¿Qué?

—A tu presidente —ha dicho Lex, casi escupiéndome la palabra—. Ella lo votó —ha añadido, señalando acusadora a Tomi—. ¿Y tú?

—Eh... —He mirado de reojo a Tomi, que fingía ignorarnos, con la cabeza completamente agachada hacia el plato y los ojos tapados por el pelo—. Yo... no lo voté. Ni mi mujer tampoco.

Han asentido todos con la cabeza, como dándome el visto bueno.

He visto a Dylan terminando de pasar lista camino de la cocina para coger la comida del calientaplatos. He querido que se quedara en el comedor.

Lex ha dicho algo en francés. Parecía enfadada.

—¿Todo bien por aquí? —he preguntado.

—Es culpa suya —ha traducido Lauren, encogiéndose de hombros—. Eso es lo que ha dicho. Que el mundo se ha acabado por culpa de gente como ella.

—Eso no me parece justo —he dicho yo.

—¿Por qué? —me ha espetado Van Schaik, mirando alrededor—. ¿Y la sal?

—No se puede culpar a una persona de esto solo porque...

Lex ha dado un golpe con los cubiertos en la mesa y ha gritado algo que no he entendido, pero, a mi espalda, he oído levantarse a Tomi y me he levantado yo también, aunque solo fuera para interponerme entre las dos.

Peter nos ha mirado a Tomi y a mí, pero no ha mostrado interés alguno por la discusión.

—¡Venga ya, esto es una estupidez! —he dicho, mirando a las francesas.

—Si queréis, me voy —ha replicado Tomi, lanzándome una mirada asesina.

—¡Está disgustada, entiéndelo! —le ha soltado Lauren sin una pizca de compasión—. Lo hemos perdido todo por tu culpa, puta imbécil...

Ha debido de decir alguna palabrota en francés luego, porque no la he entendido.

—Genial. ¿Vosotros también tenéis algo que decir? —ha preguntado Tomi, cruzando los brazos y mirando a Van Schaik y a Peter con las cejas enarcadas.

Con cara de absoluto desprecio, el holandés ha escupido en el suelo.

—Es cierto.

—¡Que te den! —le ha gritado Tomi, luego ha cogido su plato y ha salido en dos zancadas del comedor.

—¿Y la sal? —ha vuelto a preguntar Van Schaik.

Lex se ha sentado. Le temblaba el labio y al poco se ha vuelto a levantar y se ha marchado. Lauren ha ido detrás de ella.

Todos nos miraban.

Como no quería quedarme solo con Van Schaik y Peter, que no había dicho nada y se negaba a levantar la vista de su comida, me he llevado mi plato al otro lado del comedor y me he sentado con Nathan y Tania a la mesa de siempre, junto a la ventana.

Tania llevaba el pelo recogido en unas trenzas largas con las que se había envuelto la cabeza.

—Me fastidia reconocerlo, pero la chica tiene razón —ha dicho, moviendo la ensalada de alubias por el plato.

No tenía ganas de discutir con ella. Ni siquiera sabía si quería hacerlo.

Día 62 (2)

No pensaba escribir sobre lo que ha pasado nada más abandonar el comedor, porque me cuesta hacerlo sin parecer egocéntrico, pero viene a cuento y, después de la discusión de la cena, creo que es importante que refleje con detalle el ambiente que se respira ahora mismo en el hotel. Los que fuimos a por comida estamos tensos y tristes, y yo he perdido un poco la confianza en el grupo tras el robo de las maletas. Ahora todos me parecen sospechosos. También he observado que los que no son estadounidenses nos están cogiendo manía. Nos culpan a Tomi y a mí de lo ocurrido. Cuando nos miran, ven a una persona que votó para que esto ocurriera y a otra que no hizo lo bastante por impedirlo.

A lo mejor no lo hice. Y sin «a lo mejor», también. Ninguno de nosotros hizo lo suficiente por impedirlo.

Van Schaik ha debido de seguirme hasta la escalera cuando he salido del comedor.

Me dolía la muela y también la nariz. No me apetecía hablar con nadie, así que, cuando me ha gritado: «¡Oiga!», le he espetado automáticamente: «¿Qué quiere?».

Cuando me ha dado alcance en las escaleras, me ha parecido que buscaba pelea. No ha sido difícil saber por qué. Ante una crisis, algunas personas se encierran en sí mismas y otras se ponen a despotricar. La verdad es que la brecha entre ambas reacciones desde una perspectiva de género resulta evidente. Van Schaik llevaba desde el primer día debatiéndose entre la rebeldía y la resignación, como Peter, aunque este lo estuviera a menor escala.

Siempre había agresividad borboteando bajo la superficie. Ninguno de nosotros podía impedir el fin del mundo, así que Van Schaik estaba dispuesto a enfrentarse a todos y a lo que fuera para mantener una falsa sensación de control y de poder.

Era agotador.

Mi respuesta no le ha sentado muy bien.

—Se cree mejor que nosotros, ¿verdad?

—No, Nicholas, no es así.

He continuado subiendo y él me ha seguido hasta mi planta.

—Cree que no vemos lo que está haciendo.

Me he vuelto, porque me resistía a que se acercase a mi habitación, y le he plantado cara.

—¿Qué? ¿Qué estoy haciendo?

—Manténgase alejado de Lauren y de Lex, de Sophia..., de todas ellas.

—¿Perdone? —le he dicho, extrañado.

—Perdone usted. Se le ve el plumero. Métase en sus asuntos.

—Mire, Nicholas, no sé qué piensa que he hecho...

—Deje de repetir mi nombre como si yo fuera un puto crío —me ha dicho desafiante—. Está con Tania, se está follando a esa Tomi. ¡Y ahora intenta liarse con todas las demás como si fuera el único hombre de por aquí!

Por fin he entendido adónde quería llegar. No debería haberlo hecho, pero me he reído. Quizá fuera por su acento holandés, pero nunca me había parecido una verdadera amenaza.

—¿En serio?

—¿Ahora se burla de mí? —ha dicho, dándome un empujón en el pecho, fuerte.

—Pero ¿qué dice?

—Somos los últimos habitantes del planeta y usted piensa que va a retener para sí a todas las mujeres.

—¿Retener a todas las mujeres? ¿Se ha vuelto loco?

No debería haberle hablado así, tendría que habérmelo tomado en serio, pero la idea de que le inquietara la sospecha de que yo pudiera montar una especie de harén me hacía demasiada gracia. Hasta me he olvidado del dolor de muela por un momento.

—¿Cómo cree que va a terminar todo esto? —me ha dicho con los brazos en jarras—. Somos los últimos habitantes del planeta.

—Eso no lo sabemos.

—¿Y qué pasará cuando haya que engendrar niños?, ¿eh?

De pronto he caído en la cuenta de la gravedad de lo que decía y he reculado.

—¿En serio es eso lo que le preocupa? ¿Piensa que vamos a tener que repoblar el planeta y que yo soy una amenaza para usted?

—Todos tenemos nuestras necesidades —me ha dicho, como si fuera algo completamente normal—. Ha dejado claro que todas las mujeres pueden acudir a usted.

—Ni siquiera se me ha pasado por la cabeza.

—Miente. Lo estoy vigilando, que lo sepa. Lo estoy vigilando.

—Me importa una mierda lo que haga, Nicholas, de verdad.

Entonces, me ha agarrado de la pechera de la camisa y me ha dado un puñetazo.

Aunque no tuviera la nariz rota, la sentía lo bastante tocada como para que ese golpe, más bien flojo, haya conseguido que me diera vueltas la cabeza. He levantado los puños para defenderme, pero en lugar de asestarme, otro puñetazo me ha estampado contra la pared mientras yo me, tambaleaba y terminaba retrocediendo hacia la escalera. Enseguida me he dado cuenta del error. Podía lograr que rodara escaleras abajo y fingir luego que había sido un accidente.

Me ha llevado a rastras del cuello de la camisa y yo lo he agarrado de la suya y de pronto nos hemos enzarzado en una pelea en toda regla. Hemos ido zigzagueando por el descansillo, yo intentando desesperadamente alejarnos de la escalera, hasta que le he puesto la zancadilla y hemos caído los dos al suelo. He quedado encima y no quería darle un puñetazo.

—¡No se mueva! —le he gritado.

—¡Eh, eh, tíos!, ¿qué coño pasa?

Al mirar hacia las escaleras de hormigón, he visto a Adam y a Nathan y he soltado un suspiro de alivio.

Me he levantado y me he sacudido la ropa, me he palpado la cara. Por suerte, no sangraba.

Van Schaik ha hecho lo mismo.

—Me siento como si hubiera interrumpido un rollo raro —ha dicho Nathan para romper la tensión.

—Solo ha sido un malentendido —he dicho, lanzando una mirada asesina al holandés, que ha gruñido algo y ha subido ceñudo las escaleras como si no hubiera pasado nada.

Nathan me ha mirado con curiosidad y yo he negado con la cabeza.

—Ni me preguntes.

—Es un gilipollas —ha dicho Adam—. Los gilipollas siempre van a ser eso: gilipollas, hazte a la idea.

—Yo también pensaba que era solo un... un gilipollas, como dices tú, pero tiene unas ideas muy raras. —He vuelto a apretarme la nariz—. A lo mejor, debería decirle a Dylan que lo tenga controlado.

—Dylan ya lo sabe, colega. Ni siquiera lo deja ir a cazar ciervos con ellos —me ha dicho Adam con las cejas enarcadas.

—¿Qué te estaba diciendo? —me ha preguntado Nathan cuando ambos llegaban al descansillo.

—Es demasiado raro.

—Bueno, pues ahora nos lo tienes que contar. —Nathan ha abierto de un empujón la puerta de salida—. Si quieres, tengo analgésicos en mi habitación.

—No, estoy bien, no me ha pegado muy fuerte.

Me han seguido los dos a mi habitación, donde me he sentado en la cama al lado de Nathan, y Adam se ha sentado en el suelo con las piernas cruzadas. No me ha hecho gracia que Nathan fumara en mi habitación, pero no se lo he censurado. Adam ha llenado un vaso de agua y yo me lo he pegado a la cara y, por una vez, he agradecido que siempre estuviera helada.

—¿Quién empezó? —me ha preguntado Nathan—. Supongo que no habrás sido tú, aunque, como suele decirse, los calladitos son siempre los que...

—Se le ha metido en la cabeza que al final vamos a tener que repoblar el planeta y que yo me estoy acostando con demasiadas mujeres, lo que es absurdo, porque solo me estoy acostando con una.

Se han mirado los dos.

—¿Repoblar el planeta? —ha repetido Adam.

—Sí, ha empezado a decir que somos los últimos habitantes de la Tierra.

—Qué chungo, colega —ha dicho, haciéndole una seña a Nathan para que le pasara el cigarrillo—. La hostia. Muy muy chungo.

Nathan se había quedado en silencio.

Lo he mirado.

—Sé que nadie lo quiere decir —ha soltado con un suspiro.

—¿El qué? —hemos preguntado Adam y yo a la vez.

—Bueno, ¿y si tiene razón?

—No tiene razón —he dicho yo, paseándome el vaso por la mejilla—. He recibido mensajes de mis alumnos. Aún hay gente por ahí.

—¿Y cuántos morirán por radiactividad? Probablemente casi todos nosotros. Entonces..., ¿y si tenemos que empezar a pensar en tener niños, en dar continuidad a la especie?

—¿Estás colocado, tío? —le ha dicho Adam.

—No, lo digo en serio. Sé que no queremos pensar en ello porque... Pero somos una especie que ha estado a punto de extinguirse. En algún momento tendremos que planteárnoslo.

No podía creer lo que estaba oyendo.

—Dudo que las mujeres del hotel vayan a querer traer niños a este mundo.

Nathan se ha encogido de hombros.

Adam me ha mirado.

Yo he mirado a Nathan.

—¿Qué? —le he soltado.

—¿Qué? —ha respondido.

—¿Qué has querido decir con esto? —le he preguntado, imitando su gesto de encogerse de hombros.

—Pues que... —Nathan se ha vuelto a encoger de hombros y ha pedido el cigarrillo de nuevo—. Nada. No lo sé. Solo es un gesto. —Me he empezado a sentir incómodo—. Lo único que digo —ha mostrado las palmas de las manos en ademán de franqueza— es si siempre vamos a hacer lo que queramos o, más bien, lo que debamos hacer...

—En serio, ¿qué es lo que insinúas exactamente? —le ha preguntado Adam.

—No insinúo nada. Nicholas es un capullo integral y lo único que quiere es echar un polvo. Y resulta tan evidente que dudo mucho que lo consiga. Pero todo eso del futuro del planeta es un problema real. Supongamos que la raza humana está a punto de extinguirse; ¿qué vamos a hacer si ninguna de las mujeres quiere tener bebés? ¡Solo es una pregunta! ¡Estoy planteando la pregunta en voz alta!

—Pues mejor guárdatela para ti, ¿vale? —le ha dicho Adam en voz baja—. Porque a mí me suena a violación.

—¡No! Joder, no he querido decir eso. Lo que quiero decir... —Le ha dado una calada al cigarrillo—. No sé lo que quiero decir. Que habría que pensar en el futuro.

Nos hemos callado todos.

Adam se ha quedado muy pensativo.

—¿Y qué pasa si alguna de las mujeres se queda embarazada y prefiere abortar? —ha comentado Adam.

—Eso no ha ocurrido —he dicho yo.

—Ya lo sé, lo he dicho hipotéticamente. La gente está manteniendo relaciones sexuales, ¿no? A ver, ¿y si Tomi se queda embarazada? —ha dicho, mirándome a mí.

—No se va a quedar —he respondido demasiado rápido, porque la sola idea me ha parecido aterradora—. Tiene píldoras para seis meses, no se le van a acabar hasta dentro de un tiempo. Además, tíos, ¿en serio estáis insinuando que estaría bien obligar a las mujeres a tener hijos no deseados? ¿Quién iba a querer traer un niño a este mundo?

Se han encogido de hombros los dos. A mí me horrorizaba la idea de que alguna de las mujeres llegara a enterarse de aquello: tres hombres encerrados en una habitación hablando de sus derechos reproductivos, como si hubieran dejado de ser personas, ahora que la civilización había desaparecido.

—Mia también tiene píldoras —ha dicho Adam entonces.

—¡Te estás follando a Mia! —ha exclamado Nathan, sorprendido.

—Solo de vez en cuando. Nunca quiere quedarse a dormir. Eso me gusta.

—Guau.

—¿Y tú?

—Lauren y yo nos emborrachamos una noche y nos enrollamos, antes de que se liara con Lex —ha dicho Nathan sin inmutarse—. Pero creo que fue, más que nada, porque íbamos ciegos. Me parece que Dylan y Sophia también se lo están haciendo. Siempre andan charlando a escondidas.

He dejado el vaso en el suelo.

—¿En serio?

—Sí. A ver, aun antes de todo esto ya estaban muy unidos. Este hotel era un nido de lascivia: todo el mundo se ha follado a todo el mundo en algún momento.

—Pero Sophia estaba casada —he dicho.

—¿Y...? —ha contestado Nathan, encogiéndose de hombros.

Me he levantado.

—Eso me recuerda que le he dicho que hablaría con ella. Tengo que irme.

—¿De qué?

—Quería contarme algo, le he prometido que hablaríamos después de la cena.

—¿Para tu diario? —me ha preguntado Adam, señalando mi escritorio.

—No es un diario. Es una crónica.

—Vale —ha dicho con una media sonrisa.

Se ha levantado y me ha dado una palmadita en el hombro.

—Tío, estás escribiendo tus memorias. Tranquilo, que nadie las va a leer.

Los he acompañado a la puerta y, cuando me despedía de ellos, he sentido un escalofrío. Al mirarlos —a Nathan, con su padre perdido, y a Adam, con el niño raro del rincón—, no he podido evitar la leve sospecha de que todos nosotros estábamos destinados a encontrarnos aquí. Sé que esto es solo el modo que tiene la mente de recuperar el control, de buscar sentido a un universo, en su mayoría, aleatorio y despiadado. Aun así, el hotel era un sitio peculiar. Los que seguíamos en él solo estábamos allí por accidente, por superstición o porque nos habíamos desviado de nuestro camino. Era como si el propio edificio nos hubiera atraído desde los rincones más remotos del mundo para reunirnos en él. Y cuando habíamos llegado, el mundo se había acabado.

No sé lo que pretendo insinuar. Se trata solo de una sensación que albergo.

Día 62 (3)

Después de que Nathan y Adam se marcharan, he entrevistado a Sophia, algo que hacía tiempo que deseaba hacer. Se ha empeñado en seguir trabajando mientras hablábamos, preparando comida en grandes cantidades con el objeto de congelarla para los próximos días. A mí me distraía tomar notas así, pero ella prefería seguir moviéndose, olvidarse de lo que estaba haciendo. Me ha advertido que la incomodaba hablar de cosas personales.

—Pero si no las contamos ahora, antes de morir, se perderán —ha dicho.

Me he sentado delante de la encimera de aluminio y he estado escribiendo debajo del calientaplatos mientras ella preparaba la comida sola. La cocina era enorme, pensada para un equipo grande. Se extendía a la espalda de Sophia en filas y filas de frigoríficos y armarios, cocinas y hornos.

Se había recogido el pelo y llevaba las mangas subidas hasta los codos. No me miraba mientras hablaba.

—Me preguntaste por qué me hice chef y he pensado que agradecerías que te contara toda la historia. —Ha sacado una bolsa de caramelos de debajo de la encimera, de los que van en envoltorios individuales, y me ha ofrecido—. No se lo digas a nadie.

—Yo he mirado nervioso alrededor, sonriendo en contra de mi voluntad, y he cogido uno, pero no se ha movido—. Coge más. No vas a volver a verlos.

He cogido un puñado y me los he guardado en el bolsillo. Luego me he metido uno en la boca mientras empezaba a tomar notas y me ha parecido lo más rico que había probado en semanas. La explosión de azúcar casi me ha mareado. A la vez, me ha recordado a mis hijas y, de repente, me he puesto tristísimo.

—Mis padres eran militares, así que viajábamos mucho. Yo tenía unos siete años cuando los destinaron a Kosovo por un tiempo. Es un sitio precioso, pero a veces resulta... ¿cómo se dice...? Violento.

—¿Volátil?

—Eso, volátil, creo. Inestable. No había paz. Una noche, una pandilla asaltó a mi padre cuando volvía a casa para robarle la cartera. Como era un hombre orgulloso, o estúpido, se negó a dársela.

—¿Cómo se llamaba tu padre?

—Samuel Abelli. El apellido es italiano, como sus padres. Por entonces tendría unos treinta y cinco años. A mí me tuvieron tarde, siete años después que a mi hermana.

He anotado el nombre y Sophia ha seguido con su relato. Estaba haciendo una sopa, con verduras en conserva, más que nada. Nos racionaba mucho la carne, algo que me dejaba con hambre casi todo el tiempo, pero que tenía sentido en invierno.

—Uno de los de la pandilla era un crío que no tendría más de dieciséis años, según mi padre. Llevaba una escopeta y los demás lo azuzaban diciendo: «Pégale un tiro, pégale un tiro». Mi padre echó a correr y tropezó con el bordillo. Cayó al suelo y el chaval le disparó en la pierna por detrás. Por aquí —me ha dicho, encorvándose para señalarse el muslo.

He vuelto a titubear y he levantado la vista.

—Espera. ¿Esta es la historia de cómo entraste en el mundo de la hostelería?

—Si me escuchas, sí.

He disimulado una sonrisa y, cuando la he vuelto a mirar a los ojos, he visto que había enarcado las cejas.

—Perdona, te escucho.

—No tendría que haberte dado los caramelos —me ha dicho—. Ahora vas a mostrarte sobreactuado.

Me he dado cuenta de que estaba bromeando conmigo, solo que no sonreía cuando lo hacía.

Riendo, me he acordado de los caramelos que llevaba en el bolsillo y me he comido otro. No me iban a sentar nada bien para el dolor de muelas. Lo he mordido para romper el recubrimiento y se me ha llenado la boca de un sabor amargo a manzana artificial.

—Mi padre corrió como un kilómetro; nos contó que lo había invadido una especie de instinto de supervivencia. Ni siquiera notaba el dolor de la pierna. Entró corriendo en un hotel, le pidió a la recepcionista que no lo delatara y se escondió. La chica no lo delató y el grupo pasó de largo. Luego volvió a casa en lugar de ir al hospital, porque... La verdad es que no sé por qué no fue al hospital. Igual porque era muy orgulloso, o porque le daba vergüenza. No lo sé.

—¿No llamó a la policía?

—En aquella época no servía de nada. Además, dudo que quisiera que detuviesen a unos críos y, en su mayoría, aquellos delincuentes lo eran. A lo mejor, por eso no fue al hospital, porque entonces sus compañeros militares habrían insistido en vengarse.

—¿Qué estaba pasando en Kosovo por entonces?

—Yo tenía siete años. No sabía nada de la situación de Kosovo.

He hecho una anotación para acordarme, más tarde, de averiguarlo: «Buscar Kosovo», y luego he caído en la cuenta de que no podría. No tenía diarios, ni biblioteca, ni medios. La era de la información instantánea había terminado. Me he quedado mirando «Buscar Kosovo» y lo he tachado despacio.

—¿Y qué pasó después?

—En unos días no pasó nada. Pero a mi padre se le infectó la pierna. No quería que mi madre supiera lo mal que la tenía, así que se pasaba casi todo el tiempo por ahí. Se la había vendado y se negaba a enseñársela a nadie, pero yo lo pillé un día en la cocina limpiándose la herida, intentando mirársela con un espejo. Al verme venir, perdió el equilibrio, pero no pudo esconder la pierna. Le pregunté qué le había pasado y me dijo que le habían disparado y que no conseguía sacarse la bala.

He empezado a ver el rumbo que tomaba el relato, así que he dejado de escribir y me he limitado a escuchar.

—Me ofrecí a echarle un vistazo —ha seguido contándome—. Me dijo que yo era demasiado pequeña, pero a mí no me importó. La sangre no me daba miedo. Cogí un cuchillo de cocina y le pregunté cómo era una bala, y él bebió un buen trago de algo, no recuerdo lo que era.

El siguiente caramelo era de grosella negra o algo así. Me ha recordado las excursiones a la playa. Me he alejado de su charla, pensando en el olor a verano y en el acto de estirar la toalla con la arena bajo los pies, y cuando he vuelto a prestar atención, Sophia acababa de decir «cuchillo de cocina».

—¿Te explicó cómo era una bala? —he dicho, repitiendo lo último que recordaba haber oído.

—Me dijo que era como una pelotita metálica y que la reconocería porque no formaba parte de su pierna.

—¿Y tenías siete años?

—Igual ocho, o incluso nueve, pero más no, seguro. Mi padre se tumbó boca abajo en la mesa, mordiendo un cinturón, y yo cogí un cuchillo de cocina y lo hundí en la herida en busca de la bala. Él hacía un ruido horrible, pero me dijo que siguiera a pesar de todo. No recuerdo que me perturbara la sangre. Sabía que era algo que mi padre necesitaba que hiciera.

Después de picar las verduras en una cazuela, ha añadido el caldo y algo que parecía trigo bulgur.

—¿Encontraste la bala? —le he preguntado.

—No, encontré un clavo.

—¿Cómo?

—Algunas de las personas que combatían en las calles habían dejado de usar perdigones y empezaron a atiborrar sus armas de clavos y metralla. A mi padre se le infectó la pierna porque llevaba un clavo dentro, no una bala. En cuanto se lo saqué, fue al hospital.

—¿Se puso bien?

—Tenía que haber ido antes. Se le curó, pero le dolió mucho el resto de su vida. Yo guardé el clavo. Aún lo tengo, arriba.

—¿Tu padre sigue vivo?

—¿Quieres decir si seguía vivo, antes de esto?

No había querido decirlo con esas palabras, pero he asentido.

—No, murió hace unos cuatro años.

La cocina ha empezado a oler a comida. El fuego estaba encendido. El olor era tan parecido al de otro tiempo, aun respirándose un aroma que no era a desinfectante, que me ha producido un brote de nostalgia del todo inesperado.

Se me han empañado los ojos.

—Es por el humo —me ha dicho Sophia cuando me ha mirado, pero no había humo—. Murió de un infarto —ha añadido—. Le hacía gracia que yo conservara el clavo. Sigo pensando que, de algún modo, esa es la razón por la que terminé trabajando entre fogones. Fue el primer sitio en el que me sentí adulta. Hice por mi padre algo que él solo no podía hacer —ha dicho suspirando—. Me alegro de que no viviera lo suficiente para conocer a mi exmarido, ni para ver nada de esto.

—¿Me dijiste que tu marido era el dueño del hotel?

—Prueba esto —me ha pedido—. Ven.

Me he levantado, he rodeado el calientaplatos y me he acercado a la cocina. Sophia me ha pasado una cuchara. Me ha sabido a otra vida.

—¿Más pimienta? —le he propuesto.

—Sí, creo que sí —ha contestado, asintiendo con la cabeza. Yo me he vuelto a sentar donde estaba—. Por eso empecé a trabajar aquí —me ha dicho.

—¿Y tu exmarido no estaba aquí cuando estalló la guerra?

Ha titubeado un poquito.

—No.

—Entonces, ¿se convirtió en tu exmarido antes o después del primer día?

—Eso no te hace falta saberlo, no seas curioso. —Me ha dado la espalda y se ha centrado en la sopa—. Creo que ya te he contado bastante por hoy.

—¿No me quieres contar algo de tu madre?

—No.

—Vale, muy bien. Gracias por hablar conmigo.

Me ha mirado muy seria.

—¿Has averiguado algo nuevo de la niña?

—Aún no. ¿Por qué?

—Por curiosidad. No acabo de entender por qué malgastas tanta energía en eso.

—No malgasto tanta energía en eso.

Se ha encogido de hombros.

—La gente te ve por ahí.

—Asesinaron a una niña en el hotel.

—Sabes que lo que antes considerábamos que estaba bien y mal ya no existe. Todo lo que ocurrió antes no tiene importancia ahora.

—Yo no creo eso —le he dicho, quizá con demasiada vehemencia.

—No va a venir nadie a hacernos cumplir la ley. Aunque encontraras al asesino, que no lo vas a encontrar, no va a venir nadie a llevárselo. ¿Qué harás entonces? ¿Te crees que ahora tú eres la ley?

La he mirado extrañado.

—No. Solo pienso que la vida humana tiene un valor. Que es algo más que... sobrevivir como sea.

—Eres el único que piensa así —me ha dicho sin mirarme.

—No lo creo.

Ha sonreído, pero me ha dado la impresión de que lo hacía más para sí que no a mí.

—No sé si me pareces tierno por pensar así o, sencillamente, ingenuo.

—¿Qué estabas haciendo tú ese día? —le he preguntado.

—Pensé en coger el coche y largarme, pero luego caí en la cuenta de que no tenía adónde ir.

—¿Viste algo raro?

—Raro... —No me ha quedado claro si se burlaba de la idea o no—. No. Me alegré cuando se fue casi todo el mundo y esto se quedó tranquilo.

—¿Te gustan los niños? —le he preguntado, y he dudado de la pregunta aun cuando se la estaba haciendo.

—No puedo tener niños —me ha contestado, como si le hubiera preguntado otra cosa completamente distinta.

No sé si me lo ha dicho solo para que me fuera, porque me ha incomodado. En cualquier caso, he cogido mis cosas y he subido a dar forma a mis apuntes. Me ha costado un rato olvidarme de la frialdad de su tono. He escrito enseguida: «¿Te crees que ahora tú eres la ley?», y me ha parecido casi tan hostil sobre el papel como cuando se lo he escuchado decir en persona. Me he preguntado qué repercusiones tendría que alguien pensara así.

He anotado otro comentario que me ha hecho, para que no se me olvidara, por si me servía más adelante: «Aunque encontraras al asesino, que no lo vas a encontrar, no va a venir nadie a llevárselo». Ese apunte lo he meditado mucho rato.

Aunque encontraras al asesino, que no lo vas a encontrar.

Día 63

La noche siguiente fui a ver a Tomi, pero no me abrió la puerta. A lo mejor había salido. En cualquier caso, no quería verme.

Volví a mi habitación a por el juego de llaves maestras y valoré la posibilidad de retomar el registro del hotel, pero el robo de las maletas me había minado la moral y, en esos momentos, no podía enfrentarme a un desagradable registro puerta por puerta.

Sin embargo, ahora que Sophia lo había mencionado, me interesaba el propietario. Quizá debía intentar averiguar algo más sobre él.

Probé con mi portátil todas las baterías que había cogido en el hipermercado y ninguna de ellas valía. Conecté el cargador portátil, pero no dio señales de vida, así que lo dejé encima de la cama. Aunque sabía que no podía conectarme a internet, estaba desesperado por ver fotos de mi familia.

Cuando iba a marcharme, llamaron a la puerta.

Era Tomi, acompañada por los hijos de los Yobari. La niña se llama Ryoko y tiene siete años. El niño, Akio y tiene seis. La verdad es que había estado evitando mirarlos siquiera. Cada vez que los veía o los oía hablar me entraban unas ganas terribles de llorar. Apenas entendían lo que estaba pasando. Me preguntaba si, cuando llegaran a la edad adulta, recordarían algo de cómo era nuestro mundo.

—¿Quieres salir a jugar con los críos? —me preguntó Tomi como si yo no hubiera estado intentando localizarla.

—¿Y sus padres?

—Querían estar a solas una noche y esas zorras francesas están ocupadas. No me importa, ya he cuidado de ellos otras veces.

—Madre mía, Tomi, que son niños, no digas: «zorras» —dije, procurando bajar la voz.

—Tranquilízate, no saben los que significa «zorras».

—«Zora» —repitió Ryoko, divertida.

No pude evitar reírme.

—Vale, voy a por mi abrigo.

Se me había ocurrido que a lo mejor Tomi podía contestar a alguna de mis preguntas sobre el dueño del hotel.

Mientras cerraba con llave la puerta de mi habitación, noté que una mano diminuta se me agarraba de tres dedos. Era Ryoko. Estuve a punto de zafarme de ella. Sentí como si me faltara el suelo bajo los pies. Me dio un brinco el corazón y se me llenaron los ojos de lágrimas.

Miré a Tomi, que me esperaba con Akio más cerca del acceso a la escalera. Sonrió.

Recomponiéndome, cogí de la manita a Ryoko y los cuatro salimos al jardín. Los niños no hablaban mucho inglés, pero, para mi sorpresa, Tomi hablaba algo de japonés. Ella y yo nos sentamos en la hierba, al borde del bosque, mientras Ryoko y Akio se perseguían.

—No sabía que te gustaran los niños —comenté.

—Me gustan más que los adultos —me contestó.

Observé que Ryoko tenía unos rasgos extraños. Su cara no era del todo simétrica, pero sabía bien por qué.

No conseguí relajarme hasta que los críos encontraron, al parecer, algo interesante en la tierra y empezaron a cavar un hoyo que los mantuvo quietos en un sitio concreto.

—Quería preguntarte... —empecé tímidamente—. Cuando investigabas para tu proyecto, el de la historia del hotel, me dijiste que no pudiste encontrar mucha información sobre los propietarios, ¿verdad?

—Existe muy poca información disponible. Cuando supe que el establecimiento había estado en manos de distintas empresas, indagué algo y descubrí que o no existían o habían quebrado. Una ausencia de pruebas documentales muy extraña, ¿sabes? Estaba obsesionada. Por eso emprendí el proyecto. —Mirada de reojo—. Tú lo entenderás.

Asentí con la cabeza. A veces, la imposibilidad de encontrar pruebas documentales era lo único que me movía cuando me alojaba en una habitación de hotel que era como todas las demás, fuera en el país que fuera, y empezaba el día con el mismo sobrecito de café soluble y el mismo hervidor en miniatura.

—¿Piensas alguna vez en todas las bibliotecas vacías? —me preguntó con una sonrisa expectante.

—¡Madre mía! No se me había ocurrido.

—¿Te lo imaginas? Casi valdría la pena volver a Estados Unidos solo por eso. La verdad es que la idea me pone.

Reí, luego recordé.

—¿Balach Braun?

—Baloche. Encontré unos artículos que decían que había adquirido el hotel. Fue un contrato importante, al parecer, por toda la mala prensa que hubo en los noventa; ya sabes, los asesinatos, las historias de fantasmas... Por lo visto, el tipo tenía una reputación lamentable.

—¿A qué te refieres?

—Tenía antecedentes penales, era un fiestero de cuidado que había heredado toda su fortuna y una pequeña celebridad en Europa. Por eso fue el único propietario del que encontré algo.

—¿Sabías que estaba casado con Sophia?

—¡No fastidies! —exclamó, agarrándome del brazo.

—¡Lo juro! —Su entusiasmo me emocionó—. Estaba casado, está casado, no lo sé con seguridad. No se lo he podido sonsacar.

—¿Por eso ella trabaja aquí?

Asentí con la cabeza.

—Eres bueno. Joder... A ver, ahora ya da un poco igual porque dudo que lo termine, pero... es interesante.

Miramos jugar a los niños un rato.

—No quiero ser voyerista —me dijo, eligiendo bien las palabras—. En realidad, soy socióloga, claro que soy voyerista. Pero dejaste abierto tu Facebook en mi móvil.

—Madre mía, Tomi...

—Tranquilo, no he leído tus mensajes. —Rio—. Solo quería decirte que tus niñas son muy monas. La pequeña se parece una barbaridad a ti; la mayor, no; es como su madre.

—No soy su padre biológico. Es hija de ella.

—¿De Nadia?

—Sí, de Nadia.

—Se parece a Tania.

No me quedó claro si lo decía con segundas o no, pero tampoco me pareció que quisiera ahondar en el tema.

—¿Cómo se llamaban? —preguntó.

Apreté los dientes.

—Se llaman Ruth y Marion. Marion es la pequeña.

—Perdona, no quería cotillear. —Una pausa—. No, claro que quería. Soy curiosa y tengo problemas de autocontrol. De falta de autocontrol...

—No pasa nada, solo que... —No supe qué decir.

—¿Cuesta?

Asentí y seguí mirando jugar a los niños un poco más.

—Siento lo del otro día —dije—. No sé por qué de repente te culpan a ti. La gente está empezando a padecer claustrofobia.

—No ha sido tan de repente; llevan haciendo comentarios de ese tipo desde el primer día. Y no solo ellas. Pero me da igual —dijo, encogiéndose de hombros—. ¿Qué van a hacer? No les tengo miedo.

Acaricié con la mano la hierba seca, que aún seguía ahí.

—No sé por qué sacan ese tema ahora. Ya está hecho. Ya votamos.

—¿No me vas a decir nada como «No es culpa tuya» o algo por el estilo?

—Bueno... —No estaba seguro de qué quería decir—. No se puede culpar a una sola persona. Fue un error colectivo.

—¿Insinúas que soy culpable parcialmente de esto? —preguntó, señalando vagamente alrededor.

Lo medité un instante.

—En parte, sí.

—Madre mía, no doy crédito.

—Pues entonces, ¿de quién crees que es la culpa?

—¡Mía, no!

—¡Yo no he dicho que lo fuera, he dicho que fue un error colectivo!

—Vamos, que, en tu opinión, todos los que votaron lo mismo que yo deseaban la guerra nuclear y el fin del mundo. Muy bien, muy lógico. Eres un gilipollas mojigato, por eso nadie ha querido votar lo mismo que tú.

—Muchos lo hicieron.

Guardó silencio.

Tuve la impresión de que había ganado la discusión, pero, al mismo tiempo, me parecía que igual estaba siendo injusto. Hablábamos de un mundo que había desaparecido. ¿Qué sentido tenía buscar culpables ahora?

Los niños gritaron y me dieron un susto de muerte, pero vi que también reían. Al parecer, Akio había encontrado un gusano y venía corriendo a enseñárnoslo mientras el bicho se le enroscaba en los dedos.

Tomi le dijo algo en japonés, a lo mejor que lo dejara donde estaba, y el niño se fue y lo depositó con cuidado en el suelo.

—Está bien saber que los bichos siguen vivos —dije. No contestó—. Lo siento, vale, no es culpa tuya.

—Me cuesta creer que todo el mundo sea tan simple que les baste mirarme y pensar que soy la razón por la que estamos todos aquí, joder. El mundo no se ha ido a la mierda porque yo lo votara. El mundo ya se había ido a la mierda tiempo atrás, ha sido cosa de años. Todos hemos visto cómo pasaba. —Arrancó un puñado de hierba y la esparció—. Hemos sido todos unos cobardes, ninguno de nosotros ha hecho lo que debía hacer, así que no sé por qué os confabuláis todos contra mí.

—Por hacer de abogados del diablo... —dije yo.

—Vete a tomar por culo, anda.

—Todo el mundo sabía lo estúpido y peligroso que era votar a un hombre así, ¡y todos esos meapilas...!

—No hemos sido nosotros los que hemos lanzado esos misiles nucleares, ¿verdad?

—¡Nadie sabe quién lanzó el primero! Y no vamos a crear ahora un comité de investigación...

—No lo entiendo —dijo, negando con la cabeza—. ¿Qué esperas de mí?

La miré fijamente un momento. Me sentía cruel. Vi que estaba desproporcionadamente enfadado con ella. Llevaba dentro una rabia de la que intentaba distraerme desde hacía días y que afloraba en cuanto hablaba con Tomi o la miraba. No había hecho más que empeorar desde que nos acostábamos. Sí la culpaba. Sí pensaba que era culpa suya. En cierto sentido, quería convencerme de que ella había planeado todo aquello de algún modo, que se había empeñado en votar a los que nos habían dejado como estábamos, que me había separado de mi mujer y de mis hijas, probablemente para siempre. Quería creer que su móvil había sido una perversa necesidad de acabar con el mundo. Así tenía a quien culpar.

—En serio, ¿qué esperas que diga?

Mi mejor yo no logró imponerse y dije:

—Que lo sientes estaría bien.

Se levantó.

—Vete a la mierda.

—¡Ya estamos en ella! —le grité mientras se iba, e hice una mueca.

Supe de inmediato que me había portado como un gilipollas, aunque, por orgullo, no fui tras ella. Los niños de los Yobari la vieron marcharse, pero su ausencia no pareció afectarlos. Siguieron jugando. Ryoko me gritó algo en japonés. No lo entendí, pero le dediqué la mayor de mis sonrisas y ella rio, al parecer satisfecha, y se escondió detrás de un árbol. A los niños no les hacía falta entender todo cuanto les decías. Sabían si estabas a gusto con ellos o no. Cada vez que uno de los hijos de los Yobari me miraba, yo sonreía hasta congestionarme. Se los veía tan felices... Son felices porque no tienen ni idea. Me da envidia que ni siquiera sepan lo que han perdido. Y me entristece mucho que nunca vayan a conocer el mundo tal como fue.

A veces pienso en lo que estaría haciendo yo en mi vida anterior en un momento concreto del día, y hoy probablemente estaría en la universidad, sentado en mi despacho, esperando a que los alumnos vinieran a hablarme de sus trabajos. Estaría leyendo, aunque ahora sea casi imposible encontrar libros en inglés. Tendría la música puesta, a pesar de que la última vez que oí una canción fue cuando Tania me dejó escuchar una. No puedo ir a ningún sitio a comprarme un sándwich. A veces me pongo triste si pienso demasiado rato en cómo sabía la pizza. Estos niños no saben lo que han perdido.

Ryoko vino y se sentó a mi lado.

—Hola —le dije—, ¿qué llevas ahí?

No llevaba nada. Alargó la manita, me la puso en el hombro y me dio unas palmaditas como si yo fuera otro crío. Se señaló y dijo algo. Por el tono, debió de ser un «No es para tanto», y luego me sonrió. Después se levantó y volvió con Akio.

Alguien más se sentó a mi lado y me sobresalté, pero solo era Tania.

—Perdona, he visto que teníais un momento especial y no he querido interrumpir.

Suspiré.

—Los niños son tan inocentes... Ya sabes. Me da mucha pena —dije.

—Lo sé. A mí me dan mucha envidia.

—Y a mí. Dios, me siento como un idiota.

—Tranquilo, que no se lo voy a decir a nadie.

—¡Oye! —exclamé, acordándome de los caramelos que llevaba en el bolsillo—. ¿Quieres uno? Sophia me ha dado unos cuantos, tiene un alijo secreto.

—Increíble. —Cogió uno y les hizo una seña a los niños—. Aunque probablemente tendrías que compartirlos también con estos dos.

—Así era como tenía pensado llevármelos dentro. No hablo japonés.

—Buena idea —dijo, moviendo el caramelo por la boca—. He visto que ha habido cierta tensión.

Empezaba a ponerse el sol, pero no hacía demasiado frío. El roce de unas hojas con otras resultaba hipnótico.

—Sí, igual podía haberlo gestionado mejor.

—Thomas y tú estáis juntos, ¿no?

—¿«Thomas»?

—Perdona, Tomi. No me cae bien. La llamo «Thomas».

Reí.

—¡Qué mala!

—Pero ¿estáis juntos?

No respondí lo bastante rápido, ni tampoco lo negué lo bastante rápido, me limité a decir:

—Es...

—Tranquilo, lo saben todos.

—¿«Tranquilo, lo saben todos»? Gracias, eso me consuela. —Me puse colorado, me lo noté—. Ni siquiera nos llevamos bien, es solo que... No sé.

No sé por qué sentí la necesidad imperiosa de explicarme.

—No hace falta que te justifiques. Todos necesitamos desfogarnos y ella es guapa, supongo, si te gustan así. Igual, hasta es maja cuando mantiene la boca cerrada. ¿Cómo lo haces?, ¿la amordazas?

Volví a reír, no pude evitarlo.

Soltó una media sonrisa de satisfacción.

—Perdona, ahora sí estoy siendo mala.

—Me parece que me he pasado mucho con ella —reconocí—. Pretendía disculparme y, cuando he querido darme cuenta, le estaba echando la culpa de la guerra nuclear. No me siento orgulloso, la verdad.

—¿Crees que es culpa suya?

Me lo pensé.

—No. Siendo razonable, no. Pero cuando la tengo delante y hablamos del tema, no me puedo contener.

—O sea, que sí piensas que es culpa suya.

—No, no lo creo. Eso sería un disparate, pensar que ha sido culpa de una sola persona. ¿Tú lo crees?

—No. Pero siempre viene bien tener a quien echarle la culpa.

—¿Eso es lo que hago?, ¿desquitarme?

—Yo creo, en mi opinión médica —dijo, poniendo los ojos en blanco como si «médica» fuera una exageración— que lo estás pasando mal.

La miré extrañado.

—No tengo la certeza de que Nadia y las niñas no hayan sobrevivido.

—No me refiero a que lo estés pasando mal por alguien en concreto, aunque la incertidumbre te vaya a pasar factura psicológicamente; me refiero a que llevas mal la pérdida de tu vida, del mundo entero. Nos está pasando a todos, y nadie se lo está planteando.

Pensé en las fases del duelo —negación, ira, negociación, depresión, aceptación— y, de pronto, mis reacciones irracionales no me lo parecieron tanto. Vi más claro que me había portado fatal con Tomi, quien, a su manera, también debía de estar sufriendo.

—Paso muchísimo tiempo deseando que mi vida volviera a ser como era, poder estar en casa con... con mi pareja, viendo la tele —dijo Tania—. ¿Sabes lo que echo de menos de verdad?

—¿Qué?

—La pizza.

Solté una carcajada casi histérica. Los niños de los Yobari me miraron y rieron también, como si hubiera contado un chiste.

—¡Madre mía! —dije, casi sin aliento—. ¡Yo igual! Estaba pensando en ello hace un momento.

—Parece algo tan insignificante, pero... —Se tapó la boca con una mano e inspiró hondo para tranquilizarse—. Nunca me ha parecido algo tan especial. De vez en cuando pedíamos una, y ahora ya no podemos. No podremos hacerlo nunca más. ¿Voy a volver a comer siquiera algo que me guste alguna vez? Como una hamburguesa o algo por el estilo. Dios, incluso brócoli.

Alargué el brazo y le puse una mano en la espalda, pero ella se zafó.

—Perdona.

Tania se frotó los ojos, sin mirarme.

—Ya los vigilo yo. Ve a ver si ella está bien.

—Prefiero asegurarme de que tú estés bien —le dije.

No me contestó. Arranqué otro par de puñados de hierba y dejé que la brisa se los llevara.

Ryoko vino a mí y empezó a hablarme, rascándose la cara como si le picase.

—¿Qué te pasa? —le pregunté, confiando en que supiera explicármelo de otro modo.

Me cogió la mano, se la llevó a la cara y se sacó el ojo derecho.

Me impresionó tanto vérmelo de pronto en la palma de la mano que empecé a hiperventilar.

El ojo de color pardo claro que me miraba era de cristal. Levanté la vista al rostro de Ryoko y ella parpadeó expectante, con una cuenca rosada vacía en el lado derecho y un ojo izquierdo radiante de felicidad.

—Eeeh... —Busqué las palabras, pero no encontré ninguna.

Tania cogió el ojo de mi mano y sonrió.

—Tiene retinoblastoma. De vez en cuando hay que limpiarle el ojo. Eso es lo que intenta decirte.

—Ah, vale —asentí, aún impresionado.

—Ya se lo limpio yo. Tú ve dentro.

Ryoko nos miró y yo me sentí fatal por haberme asustado. Le acaricié la mejilla mientras ella se mostraba desconcertada.

—Perdona que no haya reaccionado bien —le dije—. Tienes unos ojos preciosos.

Ryoko dijo algo que sonó feliz, al mismo tiempo que se frotaba debajo de la cuenca. Creo que conseguí que me entendiera.

Tania rio por lo bajo.

Día 63 (2)

Las alfombras del vestíbulo estaban sucias, cubiertas de manchas marrones cada vez más oscuras, más fuertes. Tendría que buscar a un par de personas que me ayudaran a limpiarlas. No sé bien por qué, me angustia y me deprime ver que se acumula la suciedad.

Oí que alguien me chistaba y, levantando la vista de mis pies, traté de averiguar de dónde procedía el sonido. No había nadie en recepción ni tampoco en el comedor o en la escalera. Empezaba a hacerse de noche y suponía que todo el mundo estaría en su habitación.

—¡Chist! ¡J!

El susurro venía del bar. Se veía a dos figuras al fondo, detrás de la propia barra.

Me acerqué a la puerta y forcé la vista.

—¿Tomi?

—¡Chist! Ven.

Crucé la estancia.

—¿Qué hacéis? —Eran Tomi. Y Mia—. ¿Qué hacéis? —volví a preguntar, confundido por los susurros y las señas que me hacía Tomi y por lo incómoda que parecía Mia.

—Cuéntaselo —dijo Tomi, con la mano en la cadera—. Cuéntale de qué nos acabamos de enterar.

—Más bien, de qué me acabo yo de enterar.

—¿Qué pasa?

—Pues nada —dijo Tomi en voz baja, nerviosa—, que he venido aquí a estar un rato sola después de que me culparas del fin del mundo, ¿recuerdas?

—Yo...

—Y he oído a Dylan y a Sophia hablando en la cocina. Me ha parecido algo secreto, así que me he quedado junto a la puerta, pero, como no entendía nada, he agarrado a Mia, que he visto que se iba a dar un paseo, y ella me lo ha traducido.

—¿El qué te ha traducido?

—No quiero formar parte de esto —dijo Mia, agazapada junto a las estanterías.

—Demasiado tarde. ¡Cuéntale ahora mismo lo que has oído! —le dijo Tomi con vehemencia, y al ver que Mia no decía nada, se volvió hacia mí—. Mia ha oído a Dylan y a Sophia hablar de un incidente, algo de lo que no quieren que te enteres.

—¿Aún están ahí? —pregunté, señalando incrédulo la puerta de la cocina.

—¿Qué? No, claro que no. Se han marchado, y cuando han salido nos hemos tirado al suelo para que no nos vieran.

—¿Me puedo ir ya? —pidió Mia—. Lo que te he contado se lo puedes decir tú.

—¡Vale, vete! Pero espera... —le dijo Tomi, y la agarró del brazo, dirigiéndole una mirada amenazadora durante un buen rato—. Como le cuentes esto a alguien, vamos a tener un problema.

—¿A quién se lo voy a contar? Joder, estás loca —le espetó la otra y, zafándose de ella, se marchó.

Tomi se apoyó en la barra.

—Pues le ha dicho...

—¿Podemos no hacer esto aquí a oscuras como si fuera una novela de Philip Marlowe?

Subimos a su habitación y me sirvió una copa. Debía de tener montones de botellas por ahí escondidas. Para mi sorpresa, también tenía una tableta de chocolate negro de repostería, que abrió dándole un tirón al envoltorio y se metió en la boca, engullendo de golpe las dos primeras filas.

—No me tengas envidia —dijo con la boca llena—: El chocolate negro está asqueroso.

—¿De dónde lo has sacado?

Tuvo que tragar primero.

—Hay montones de cosas en los frigoríficos. Comida para parar un tren. He sobornado a Nathan. ¿Quieres un poco?

—¿Con qué lo has sobornado?

Rio con picardía.

—¿Quieres un poco o no?

—Bueno, no te voy a decir que no.

Produce una sensación extraña degustar un chocolate que sabes que está horrible siendo consciente a la vez de que posiblemente sea el mejor y el único chocolate que vuelvas a probar. Aun así, nos comimos la tableta entera entre los dos.

—Mia me ha dicho que estaban hablando de que te ibas a enterar de algo. Sophia estaba preocupada y Dylan le ha dicho que se tranquilizara. Han mencionado que debían tener controlada la situación o ver cómo andaban las cosas, no me acuerdo bien de la expresión que ha utilizado.

Lo sabía. Lo había sabido desde el principio. Sus reacciones siempre me parecieron extrañas.

—¿Han dicho algo de las maletas? —le pregunté.

—No. A ver, yo no lo puedo saber, pero Mia me lo habría mencionado.

—Así que las maletas siguen en algún lugar del hotel.

—Y tú todavía tienes las llaves maestras —añadió ella con una sonrisa traviesa—. Ahora mismo resultaría muy sospechoso que te las confiscara.

—¿Empezamos a buscar? —le dije, entusiasmado.

—Se está haciendo de noche y no quiero ir por ahí a ciegas. Menos aún con todas las cosas chungas que se cuentan de este sitio.

—Vale, ¿por la mañana, entonces?

—¿Qué te hace pensar que voy a seguir siendo tu aliada y espiando a la gente por ti? —preguntó, quitándose las botas y subiendo los pies a la cama—. Eres un capullo. Solo te he contado esto porque era lo que tenía que hacer para que averigües quién asesinó a la niña. Pero no soy tu Scully. Ya te puedes ir.

Aún tenía el vaso en la mano y lo dejé despacio en el tocador. No había bebido.

—Mira, siento lo que te dije.

—Seguro que sí, pero de todos modos te puedes marchar —me dijo de nuevo.

Observé que, al lado de mi vaso, había un cactus.

—¿De dónde lo has sacado?

Miró hacia donde yo señalaba.

—Ah, no es nada.

—No lo tenías aquí antes. No recuerdo haberlo visto.

—¿Puedes irte, por favor?

—¿Lo cogiste en la tienda?

—Sí —contestó suspirando—, lo cogí en la tienda después de que mantuviéramos aquella discusión tan estúpida sobre los adornos, pero te lo puedes quedar.

Se había puesto colorada y se estaba mordiendo las uñas.

Me sentí fatal, tan arrepentido que casi me fastidiaba.

—No es culpa tuya —le dije.

—¡Eso ya lo sé!

—No, quiero decir que yo no creo que sea culpa tuya.

—Márchate, por favor.

—No. —Me senté en el borde de la cama y vi que se ponía a la defensiva—. Lo que te dije estuvo fuera de lugar.

—Ya.

—Quiero que sepas que no lo pienso. Lo dije porque estaba enfadado, supongo. Pero no contigo, sino en general... ¡Con todo! ¡Estoy enfadado con todo!, ¿de acuerdo?

Frunció un poco el ceño y se frotó los ojos.

—Me da igual por qué lo dijeras. No soy nada tuyo como para que te desahogues conmigo.

—Lo sé.

—Entonces, ¿por qué sigues aquí? Te he dicho que te fueras como cinco veces. Llévate el puto cactus si quieres.

—No he venido por el puto cactus.

—Pues tampoco has venido por mí; has venido para sentirte mejor y ahora te preocupa no volver a echar un polvo nunca más. Estoy harta de que me trates como a una mierda. ¡Si tienes problemas, arréglalos con otra!

Se estiró y me empujó de la cama; me empujó físicamente.

No tenía ni idea de qué más decir. Justo en ese instante caí en la cuenta de que antes tenía una amiga y de que, posiblemente, había causado un daño irreparable a nuestra amistad sin ningún motivo.

Volvió a cruzar los brazos, mirando al suelo, con el semblante imperturbable y los ojos vidriosos.

Yo estaba a punto de pedirle perdón otra vez, pero decidí no hacerlo.

—Muchas gracias por tu ayuda —le dije en cambio—. Te lo agradezco de corazón, espero que lo sepas.

No me contestó, claro, y tampoco esperaba que lo hiciera. Incómodo y tristísimo, supuse que ya había dicho bastante y me fui de una vez.

El sol se estaba ocultando muy deprisa y el pasillo se hallaba tan oscuro que en una hora o así ya no podría encontrar el camino de vuelta a mi habitación sin una vela o, al menos, una cerilla. Cuando me dirigía hacia la escalera me crucé con Tania, que acompañaba a los hijos de los Yobari a la habitación de sus padres. Akio me gritó algo y yo lo saludé con la mano. Ryoko y él me devolvieron el saludo.

Tania no me dijo nada.

No puedo dejar de pensar en el cactus. Cada vez que me viene a la cabeza siento una opresión en el pecho. Me doy cuenta ahora de que quizá mi idea de utilidad fuera algo limitada. Lo único que nos queda como especie, lo único verdaderamente importante que podría animarnos a levantarnos cada mañana, son los pequeños detalles de bondad humana que mantengamos unos con otros y, en mi empeño por ser útil, valioso, por que las cosas sigan funcionando, casi me he olvidado de ser amable. A lo mejor tampoco fuera tan amable antes. Nadia, sé que tú, desde luego, no lo creías. A lo mejor nos olvidamos de ser amables hace tiempo. A lo mejor ese era nuestro problema. ¿Qué pretendemos conseguir sin tener en cuenta eso?

Día 63 (3)

Quité el portátil de la cama para echarme una siesta y lo abrí por curiosidad. Para mi sorpresa, se encendió. El cargador portátil había funcionado. Por costumbre, lo primero que hice fue intentar conectarme al wifi, pero falló por enésima vez. Aunque tenía la torre de cedés en el escritorio, antes repasé todas mis fotos. Una vez leí un estudio que aseguraba que, después de una ruptura, una pérdida, una separación, ver el rostro de la persona amada tenía un efecto similar en el cerebro al de la cocaína. Así fue. Repasé absolutamente todas las fotos que tenía y aún me quedé con ganas de una nueva, una que no hubiera visto ya. Me preocupaba no recordarlas desde todos los ángulos. En ninguna de esas fotos se veía lo mucho que se parecía la risa de Ruth a la de Nadia. Nadia se ríe como una cría; yo solía burlarme de ella por eso. A Marion le encanta cantar. Pero no hay risas ni cantos en esos archivos.

Al mirar las fotos, no me pareció muy acertado el comentario de Tomi. Salvo porque ambas eran negras, no veía muchas semejanzas entre Tania y Nadia.

Oí pasos arriba, en dirección a las escaleras.

Sin pensarlo, me levanté y fui a echar el pestillo de la puerta.

Había cientos de fotos de mis hijas, cientos de Nadia, unas cuantas de mis padres: antiguas de mi madre, más recientes de mi padre y su mujer. Había fotografías con mis alumnos, imágenes de vacaciones en países y ciudades que ya no existen. Roma... Me pregunto qué habrá sido de Roma. Escocia fue una de las primeras en caer. Conocía a gente en la Universidad de Edimburgo que probablemente hubiera muerto a estas alturas por la radiactividad.

Me dieron ganas de imprimir esas fotos, al menos una de Nadia, pero no había impresoras. Así que, una vez más, solo podía disfrutar de ellas por un tiempo limitado.

Puse una foto de los cuatro —Nadia, Ruth, Marion y yo— como fondo de escritorio y empecé a revisar las horas y horas de grabación de las cámaras de seguridad. Me gustó hacerlo. Fue como trabajar en serio. En mi especialidad hay que revisarlo todo, no solo lo que te parece importante. Era en las notas al pie, en los márgenes, en algo garabateado a mano y añadido como idea tardía donde, a veces, se encontraba algo crucial.

Pasé horas viendo a desconocidos entrar y salir de los ascensores. Vi a Nathan servir a decenas de personas al otro lado de la barra, y a Mia y a Sasha saliendo del edificio decenas de veces a fumarse un cigarrillo. Vi a los Luffman llegar al vestíbulo principal para registrarse, y detuve la grabación.

Sus padres eran normales. No sé qué esperaba, pero me parecieron la típica familia blanca europea. A Harriet la encontré más menuda de lo que recordaba, aunque tampoco demasiado. Tenía el pelo rubio y muchas pecas. Dejé que avanzara la grabación y vi que, justo antes de que abandonaran el mostrador de recepción, la recepcionista les entregó un papel junto con las llaves.

Pausa.

No recordaba que a mí me hubieran dado nada con la llave.

Amplié la imagen para intentar averiguar de qué se trataba. No era la carta del servicio de habitaciones; esas sabía qué aspecto tenían. Tampoco era un folleto turístico; de esos aún quedaban por ahí. Era un folio doblado por el medio.

Reproducción.

El señor Luffman cogió el papel y toda la familia se dirigió a los ascensores.

Por suerte, el cedé que contenía las imágenes de los ascensores estaba marcado como ASCENSOR.

Los seguí por el hotel, avanzando la grabación hasta la misma fecha y hora. El señor Luffman no miró el papel, lo llevó en la mano derecha hasta que bajaron del ascensor.

¿Me había perdido algo? Era bastante insignificante. Un papel podía haberlo tirado en cualquier parte. ¿O lo había metido en alguna de las maletas? Tenía que comprobarlo.

Con energía renovada, me puse el abrigo y volví a la 377.

El hotel se hallaba tranquilo. Siempre lo estaba, salvo que hubiera algún motivo para que nos moviéramos, como el desayuno. Aunque ninguno de nosotros estuviera en su habitación, en un hotel tan grande es fácil andar por ahí sin tropezarse con nadie.

La 377 estaba vacía, tal como yo la había dejado.

No había nada en el armario y, al abrir el tocador, me acordé de que no había registrado el resto de la habitación. Pensaba que sí, pero era un falso recuerdo. Sophia me había interrumpido, habíamos registrado las maletas y luego yo me había ido.

Aún había ropa en los cajones: un par de camisas, camisetas, un sujetador, varios pares de calcetines y unos vaqueros de hombre. Registré los bolsillos de los vaqueros y encontré un papel doblado en cuatro partes.

Oí pasos fuera. Alguien salía de su habitación. Me acerqué despacio a la puerta y la encajé, sin llegar a cerrarla del todo. Sujeté fuerte el papel en la mano hasta que los pasos se alejaron, luego lo desdoblé.

Lo único que llevaba escrito era un número de teléfono.

Le di la vuelta. Nada. Solo el número de teléfono.

Me dio lo mismo. Era genial. ¡Tenía un teléfono!

Volví a guardar la ropa en los cajones y registré las mesillas de noche. Encontré una Biblia, no en inglés; folletos del servicio de habitaciones; el hotel y los atractivos turísticos de la zona. Y nada más.

¡Pero tenía un número de teléfono!

Regresé a mi habitación con el papel, eché el cerrojo y contuve las ganas de dar saltos de alegría. Saqué mi propia colección de folletos y revisé los números del directorio del hotel. Estaba claro que era un teléfono del hotel, pero no de los que se ponían a disposición de los clientes. Levanté el auricular del fijo de mi habitación, recordé que los fijos tampoco funcionaban y colgué.

Me guardé el papelito en el bolsillo y me dirigí de nuevo a la puerta con la intención de bajar a los despachos de recepción. En alguna parte habría algún directorio telefónico del personal al que pudiera acceder sin tener que pedírselo a ningún empleado...

Pero algo me lo impidió.

Descorrí el cerrojo, y cuando fui a abrir la puerta algo me lo impidió. Al agarrar el pomo me asaltó un repentino pavor, la sensación de que alguien me esperaba al otro lado. No recuerdo si oí algo en concreto, tal vez escuchara pasos, pero los oía en la planta de arriba a todas horas. A lo mejor oí una respiración, un arrastrar de pies por las baldosas del pasillo, pero supe que había alguien al otro lado de la puerta.

Incapaz de mover la mano, incliné la cabeza hacia delante por ver si escuchaba algo.

Nada. Creo. Escuchaba con tanta atención que no estaba seguro de si no estaría generando yo mismo una especie de ruido blanco. A lo mejor era el viento. A lo mejor era el propio latido de mi corazón, el zumbido de mi propia sangre.

Pensé en gritar algo, pero no lo hice.

Quienquiera que fuera, ya debía de saber que yo estaba allí.

Traté de tranquilizarme, porque solo había una veintena de personas en el edificio y yo las conocía a todas.

Con la otra mano corrí despacio el cerrojo, muy lentamente. Luego retrocedí un par de pasos y esperé.

No pasó nada, pero no pude quitarme de encima la impresión de que había alguien allí fuera esperándome. Recordé lo que había dicho Peter: «A veces tengo la sensación de que podría haber más gente de la que creemos en el hotel».

Día 64

Me quedé en mi cuarto el resto de esa tarde y no paré de despertarme por la noche, creyendo oír que forzaban la puerta. Hubo un momento en que grité: «¿Quién anda ahí?». No contestó nadie, claro. Pensé que, a lo mejor, la soledad me estaba trastornando. Pero cuando me he despertado por tercera vez, alguien aporreaba la puerta.

No sabiendo si soñaba o estaba despierto, casi delirando de miedo, he gritado:

—¿Quién es? ¡Largo!

—¿Jon? Jon, ¡abre la puta puerta!

Parecía Nathan, pero no estaba seguro.

He buscado a tientas velas y cerillas, desorientado. He abierto la puerta con un cuchillo en una mano y una vela en la otra, y he visto que, en efecto, era él. Llevaba una linterna y lo primero que he pensado ha sido que debía de ser algo urgente si estaba gastando pilas.

—¡Adam se ha metido una sobredosis, joder! —ha dicho, agarrándome de la pechera de la camisa como si fuera a sacarme a la fuerza de mi habitación.

—Mierda. —Sin parar un instante, ni siquiera a cerrar con llave la puerta, he salido corriendo con él hacia la escalera—. ¿Con qué?

—No sé. ¿Heroína? Lo que se pincha en el brazo, ¡no tengo ni puñetera idea! ¡Tampoco sabía que tuviera heroína!

Hemos bajado corriendo un tramo de escaleras y entonces he caído en la cuenta:

—¿Y Tania? ¿Por qué no has ido a por ella?

—Lo he intentado, ¡pero no está en su habitación!

—¿Qué?

—¡Yo qué sé, no está! —ha exclamado, haciendo aspavientos con los brazos e iluminándolo todo sin querer con la linterna.

—¿No te habrás equivocado de número?

—Sé en qué habitación está, capullo, ¡no está ahí, joder!

—Mierda.

—Hay que entrar en su consulta.

Nathan se ha agarrado la cabeza con ambas manos, como si se le amontonaran los pensamientos y le faltara espacio, y luego ha salido disparado hacia la consulta, que estaba cerrada.

Yo he dejado la vela en el suelo y he intentado abrirla. He probado a empujarla con el hombro izquierdo como si eso fuera a servir de algo. No se ha movido y yo me he hecho daño.

—¡¿Acaso te propones echar la puerta abajo?! —ha exclamado.

—¿Se te ocurre algo mejor?

—Ay, Dios, se va a morir —ha dicho, blanco como el papel—. Se va a morir.

—Espera... —He intentado pensar.

—¡No hay tiempo, J!

—¡Espera! ¡Ve a buscar a Tomi!

—¿Por qué?

—Tiene una pistola, ¡podemos reventar la cerradura!

—¿Tiene una pistola?

—¡Tú ve!

Ha hecho lo que le pedía. Y, de nuevo, he tratado de forzar la puerta. Yo no pertenezco a esa clase de hombres dotados en echar puertas abajo, pero lo he intentado otra vez. No ha servido de mucho. De hecho, me he fastidiado el pie al asestarle tres o cuatro patadas, pero ha sido en balde. Parecía tan fácil en las películas... A lo mejor lo fuera para otros hombres.

Al poco, ha vuelto con Tomi, que me ha soltado de improviso:

—¿Le has dicho que tengo una pistola?

—Tomi, es que... ¡No me ha quedado otra!

—Joder —ha dicho, luego ha apuntado a la cerradura y la ha reventado de un solo disparo.

Nathan y yo nos hemos tapado los oídos, pero el tiro me ha retumbado en la cabeza un buen rato. He notado cómo resonaba por el pasillo. Hemos entrado en la consulta y creo que los tres nos hemos dado cuenta a la vez de que no teníamos ni idea de qué hacer en un caso de sobredosis de heroína. He cogido la vela del suelo, pero apenas veía nada con esa luz tan tenue.

—Nath, ¿qué necesitamos?

—He visto *Pulp Fiction*... ¡Adrenalina!

—De eso no vamos a tener, ¿a que no?

—Narcan —ha dicho Tomi en voz baja.

—¿Qué?

—Que lo que necesitáis es Narcan... El genérico se llama naloxona.

—¿Qué es?, ¿como adrenalina?

—Hay pulverizador nasal y solución inyectable —me ha espetado—. ¡Lo venden en las tiendas, joder!

Lo hemos buscado. Como Nathan llevaba la linterna, lo ha encontrado él. He cogido una jeringuilla sin abrir y los tres hemos subido corriendo. No es que Adam fuera mi mejor amigo, pero me había proporcionado algunos momentos que, durante un tiempo, habían hecho más soportable esta pesadilla de soledad.

Además, si moría otro de nosotros ahora, la esperanza iba a desaparecer con él. No solo nuestras reservas personales de esperanza, que fluctuaban, sino el concepto mismo en sí. No podíamos permitirnos rendirnos de ese modo, no ahora que nos llamábamos por el nombre de pila, trabajábamos en equipo y nos dábamos calor unos a otros. No podíamos dejar que se nos fuera Adam.

Eso era lo que estaba pensando.

—Aún había latido, pero muy débil, tío —ha dicho Nathan mientras corríamos hacia la puerta de Adam.

Todo estaba silencioso como una tumba. Me ha sorprendido que no despertáramos a nadie con el disparo. A lo mejor lo hemos hecho, pero les ha dado miedo salir de sus habitaciones a ver qué pasaba. A mí me habría dado.

—¿Seguro que era heroína? —ha preguntado Tomi.

—Parecía heroína.

Hemos entrado corriendo en la 414 y allí estaba Adam, echando espumarajos por la boca. Lo habían colocado en posición de recuperación. Con eso, posiblemente, Nathan le había salvado la vida. De lo contrario, podría haber muerto ahogado en su propio vómito antes de que llegáramos.

Nathan ha cerrado la puerta de golpe y enseguida me ha endosado el Narcan.

He intentado devolverle la jeringuilla.

—¡Yo no puedo! —le he gritado.

—¡Por favor, yo no quiero! ¡No puedo! —me ha dicho, casi llorando.

No iba a poder obligarlo.

En la vida le había puesto una inyección a nadie. He mirado a Tomi, pero ella ha negado con la cabeza.

—No soporto las agujas...

—¡Madre mía! —Con manos temblorosas, he abierto el paquete de la jeringuilla—. ¡No me puedo creer que me estéis haciendo esto, joder!

—Yo no puedo —seguía diciendo él—. Lo siento, no puedo.

Tomi le ha arrebatado la linterna a Nathan, le ha pasado la pistola en su lugar y le ha mirado los brazos a Adam. Los tatuajes de rosas y sirenas, que le cubrían el brazo entero, no nos dejaban distinguir las venas. No tenía ni idea de dónde debía pinchar.

—¿Cómo lo ves? —me ha preguntado Tomi, con los ojos muy abiertos.

He meneado la cabeza, me costaba procesar la pregunta. Yo

era todo lo contrario de un médico. De mi trabajo no dependía que nadie viviera o muriera. Era historiador: mi trabajo iba de palabras y de libros y de personas que habían muerto hacía tiempo, no de alguien que se me estaba muriendo delante de las narices.

Tania no podía haber elegido peor noche para ausentarse sin avisar.

—Jon, ¿cómo lo ves? ¿Lo puedes hacer?

La voz de Tomi me ha sacado de mi ensimismamiento.

—Lo voy a intentar —he dicho.

Nathan se había pegado a la pared y sostenía la pistola de Tomi, pegada al pecho, como si fuera un peluche. He cogido el Narcan. Ella me ha ayudado a buscarle la vena a Adam mientras yo clavaba la aguja en el recipiente y extraía el líquido con ella.

Las venas de Adam apenas reaccionaban al torniquete que le habíamos hecho en el bíceps con el cinturón, ni a las fuertes palmadas que Tomi le estaba dando en la cara interna del antebrazo. Él seguía gorgoteando y llenándose la barba de espumarajos, pero al menos eso significaba que todavía respiraba. Algo es algo.

Mi pulso era casi firme. Mi respiración, no.

—¡Dale un golpecito! —me ha apremiado Tomi.

—¿Qué?

—No sé, comprueba que no haya aire dentro, suelta un poco de líquido. ¡Es lo que hacen en la tele!

He hecho lo que me decía. No tengo ni idea de si ha servido de algo.

No veía nada en aquellos brazos. No me atrevía a pincharle en la misma vena en la que lo había hecho él. La tenía destrozada. Iba a terminar clavándole la aguja en la carne.

—¡Dios! —Tomi le ha buscado el pulso y ha meneado la cabeza—. No sé si es mi propio pulso el que noto. Si sigue vivo, no va a aguantar mucho.

—¡Ayúdame a volverlo!

Lo hemos puesto boca arriba, como si fuera un peso muerto.

Lo he empujado contra el colchón y me he subido a horcajadas encima de él. Se me ha metido una gota de sudor en el ojo y me ha escocido. He parpadeado para quitármela, con el cuerpo helado de la conmoción.

—Podría matarlo —he dicho.

—Jon, se va a morir igual si no lo haces —me ha dicho Tomi, agarrándome del brazo.

—¡No sé dónde pincharle! ¿En el dorso de la mano?

—No veo nada con los tatuajes —ha dicho ella, ceñuda—. Ábrele la boca.

—¿Qué?

—Lo vi una vez en la tele. Cuando no encuentras una vena en los brazos ni en las manos, se pincha debajo de la lengua; ahí siempre se ven unas venas enormes.

Ha dejado la linterna en la cama, ha cogido a Adam por la frente con ambas manos y le ha echado la cabeza hacia atrás. Con una mueca, convencido de que me iba a desmayar, abrumado por el latido de mi propio corazón, he tirado de la mandíbula inferior todo lo que he podido y he reprimido las ganas de vomitar. He intentado apartarle la lengua a un lado, pero, asombrosamente, se me resistía y he tenido que meterle dos dedos más en la boca para poder clavarle la aguja en la abultada vena de color azul verdoso que había debajo. Lo he hecho casi sin pensar. No he titubeado. Le he clavado la jeringuilla y, mientras la vaciaba, se ha formado un pequeño charco de sangre debajo de mis dedos.

—¡Dios, no recuerdo si he medido la dosis! —he dicho, sentándome, derrotado, sobre las rodillas de Adam.

He oído llorar a Nathan por lo bajo. Se había escurrido por la pared hasta sentarse en el suelo.

Tomi le ha soltado la cabeza a Adam y me ha sorprendido ver cómo un par de lágrimas le caían por los ojos. Se ha sentado en el suelo, inspirando hondo.

Nos hemos mirado.

No venía ninguna ambulancia. No había ningún médico. No

podíamos llamar a emergencias. Nosotros éramos lo único que tenía.

Cuando llevaba sentado unos veinte segundos, he notado que Adam se orinaba encima.

—Ay, mierda. —Me he vuelto y he intentado levantarme—. ¡Mierda!

Adam se ha sacudido de pronto, se ha incorporado como un resorte y, de un grito, me ha soltado un espumarajo con sangre en la cara.

Tomi y Nathan gritaban.

Creo que yo también.

Me he bajado de la cama de un brinco.

Tomi se ha levantado del suelo enseguida y ha agarrado a Adam por el pecho, sujetándole bien los brazos para que no hiciera el molinillo.

Mientras los dos forcejeaban, yo estaba tumbado en el suelo, con la visión en blanco, por la conmoción. La moqueta olía a podrido. Me he sentado como he podido y he metido la cabeza entre las rodillas, jadeando.

En la cama, Adam ha soltado un gruñido, se ha puesto de lado y ha cerrado los ojos, temblando. Aún tenía la piel algo grisácea, pero, desde luego, estaba vivo. Mucho más vivo que cuando hemos llegado. Lo bastante para haberse incorporado de pronto y darnos a los tres un susto de muerte.

He palpado en torno a mí en busca de la jeringuilla, preocupado por si habría aterrizado encima de ella, pero se me había caído por los pies de la cama y estaba en el suelo, vacía.

—¿Estás bien? —me ha preguntado Tomi, acuclillándose y agarrándome del hombro.

—Sí, creo. No, no estoy seguro. ¿Él está bien?

—Bueno, está vivo.

Al mirar alrededor hemos visto su alijo de droga y sus cachivaches para usarla desperdigados por la habitación. No habíamos vuelto desde que nos habíamos colocado los tres. De haberlo hecho, habríamos visto que se encontraba más desordenada de lo habitual. No era la habitación de una persona feliz.

—¿Estás bien? —ha preguntado Tomi, esta vez a Nathan—. Tranquilo. Se va a recuperar, creo.

—Sí, es que... Es que he pensado que se moría —ha dicho él. y ha intentado ponerse de pie, pero luego se lo ha pensado mejor y ha vuelto a sentarse en el suelo, con la espalda pegada a la puerta.

—Lo has hecho muy bien —me ha dicho Tomi, soltando el suspiro que había estado conteniendo y masajeándome a mí los hombros.

—No, tú lo has hecho bien —le he contestado—. ¿Un pinchazo sublingual? A mí jamás se me hubiera ocurrido.

—Sí, ha sido muy inteligente —ha terciado Nathan.

Me he encogido de hombros y he visto que, sin darme cuenta, le había cogido la mano. Se la he soltado enseguida y le he dicho:

—Será mejor que no le dejemos ninguna droga por aquí. La próxima vez igual no llegamos a tiempo.

Nathan se ha levantado.

—Sí, dame la linterna, voy a echar un vistazo por aquí.

Me he limpiado un poco la sangre de las mejillas y me he dado cuenta de que estaba empapado en sudor, que me caían unas gotas inmensas por la cara.

—¿Dónde está Tania? —ha preguntado Tomi.

—No tengo la menor idea. Nathan me ha dicho que no estaba en su habitación.

—¿Cómo puede no estar en su habitación por la noche? —Ha hecho una pausa y ha añadido—: Acabas de salvar una vida. ¿Cuántos pueden decir eso?

—Probablemente, no muchos. Aunque supongo que eso cambiará cuanto más tiempo estemos aquí.

Nathan ha encontrado una cajetilla de tabaco y me ha ofrecido un cigarrillo.

Lo he rechazado y me he puesto de pie.

—No, gracias, necesito agua.

He mirado al hombre que respiraba con dificultad en la cama. La jeringuilla aún estaba en el suelo. La he cogido mientras Tomi lo tapaba con una manta. No era consciente de nuestra presencia, pero respiraba. De repente, he vuelto a pensar que podía haberlo matado, administrándole otra sobredosis o metiéndole sin querer una burbuja de aire en las venas. Pero no puedo pensar así. Tarde o temprano ocurrirán accidentes. No vamos a estar siempre ahí para impedir los suicidios, no siempre vamos a poder devolverles la vida por los pelos. No podemos permitirnos cargar con el peso de tanta culpa.

—Creo que lo tengo casi todo —ha dicho Nathan, cruzándose una bolsa en bandolera por el pecho—. ¿Cómo sabías que era Narcan?

Tomi ha hecho una mueca.

—En mi primer año de universidad, una amiga dejó los estudios y... La pobre lo estaba pasando mal, así que investigué un poco por si acaso.

—¿Sabías que se iba a incorporar y a gritar así?

—No, no sabía que lo hicieran de verdad, en la vida real.

—Me ha dado un susto de muerte —ha dicho, fumando con vehemencia.

—¡Que te ha dado un susto de muerte! ¡A ti solo! —he reído—. ¿Creéis que deberíamos quedarnos con él unas horas?

—Me parece que deberíamos llevarnos las cuchillas también. —Nathan ha vuelto a pasearse nervioso de un lado a otro, recogiendo cosas del suelo y hurgando en los cajones—. De momento, no se las podemos dejar.

—¿Eso no es pasarse un poco? —ha preguntado Tomi.

—Le acabamos de salvar la vida —he dicho yo, señalando a Adam—. Lo mínimo que podemos hacer es asegurarnos de que siga lo bastante vivo para enterarse.

—Ya, ¿y se os ha ocurrido que puede que cuando despierte no nos lo agradezca?

Ni Nathan ni yo hemos dicho nada al respecto.

Día 64 (2)

Nathan se ha ofrecido a pasar el resto de la noche con Adam, así que Tomi y yo nos hemos ido a la cama, cada uno a su habitación. No nos hemos dicho otra cosa que buenas noches. He dormido unas tres horas y me he despertado cuando empezaba a amanecer. En lugar de volverme a dormir, me he vestido y he ido directamente a registrar el hotel.

Las maletas seguían por ahí y me he propuesto dedicar el día entero a encontrarlas.

Antes he hecho dos visitas, la primera de ellas a Tania. He llamado suavemente a la puerta y me he preguntado si Nathan, llevado por el pánico, se equivocaría de habitación. Pero no ha salido nadie a abrir. He llamado una vez más y me he ido, satisfecho de comprobar que, en efecto, no estaba ahí, aunque también algo preocupado.

Luego me he pasado por la habitación de Adam y me he encontrado a Nathan aún despierto, sentado en el suelo, junto a la cama. Adam seguía con vida. Según Nathan, se había despertado, había comido un poco de chocolate y se había vuelto a dormir.

He continuado mi periplo por el hotel. Hacía semanas que no me levantaba tan temprano. Las plantas bajas apenas si tenían luz y daba la impresión de que hubiera una bruma grisácea suspendida en el aire en el interior del hotel. Para mi sorpresa, he oído risas de niños procedentes del vestíbulo y, al salir de la escalera, me he tropezado con la señora Yobari y sus hijos.

—Buenos días —me ha dicho, y ha mirado a Ryoko y a Akio, como instándolos a saludar.

Akio ha hecho una mueca y ha dicho:

—Hola.

—¡Hola! —ha gritado Ryoko más fuerte.

—Hola —he contestado yo, deteniéndome delante de ellos—. No sabía... Perdone, no sabía que sus hijos hablaran inglés.

—No mucho —me ha dicho la señora Yobari, quitándose y volviéndose a poner un pañuelo de color verde oliva—. No les estábamos enseñando inglés, pero ahora lo van a necesitar. Tienen buena edad para aprender. Yo aprendí tarde y el mío no es muy bueno.

—Su inglés es excelente —la he tranquilizado.

Ha recibido el elogio encogiéndose de hombros. Nunca me había parado a hablar con ella, pero es una mujer muy menuda y ágil de cuarenta y tantos años. Sus modales son refinados y todos sus movimientos, deliberados y precisos, como si antes hubiera practicado yoga o algún tipo de danza. Cuando habla, su tono y su cadencia me recuerdan a los de un psicólogo, quizá por lo serena que es su voz.

—¿Siempre bajan tan temprano?

—Así ellos juegan. Yo medito, me estiro. También les enseño. Enseñaré a Gen también, cuando tenga edad.

—¿Le han cambiado el nombre a la pequeña? —No sé por qué, me sorprendió.

—Ella no se va a acordar de su nombre anterior y a nosotros nos cuesta pronunciar los nombres franceses, como Chloë.

Se ha hecho el silencio, pero he decidido no preguntarle más al respecto. A fin de cuentas, desde que su madre se había suicidado, la niña era de ellos. Tenían derecho a llamarla como quisieran.

—Yo nunca he sabido conciliar la meditación con los niños —le he dicho.

—¿Tenía hijos?

—Tengo dos niñas. De seis y doce, algo mayores que los suyos.

Me ha preguntado en pasado y yo, no sé si porque el agotamiento me estaba pasando factura o por el palo que me suponía la pérdida de mis hijas, no he sido capaz de decir nada más.

—Los voy a llevar arriba a dormir antes del desayuno —ha dicho la señora Yobari, recolocándose el pañuelo—. ¿Quiere que le haga compañía?

—Voy a estar registrando algunas habitaciones. Ando buscando... Pues sí, me vendría bien un poco de compañía.

Ella ha asentido con la cabeza como si no le supusiera ninguna molestia y se ha llevado a los niños arriba.

—¡'Dios! —me ha gritado Ryoko desde la escalera.

—¡Adiós! —la ha corregido Akio.

Me he despedido de ellos y he esperado a que la señora Yobari volviera a bajar.

—Perdone —le he dicho cuando lo ha hecho—, creo que nunca le he preguntado su nombre.

En lugar de ponerse abrigos gruesos como los demás, vestía varios pañuelos uno encima de otro, mallas negras y sandalias con los dedos al descubierto. Llevaba el pelo hacia atrás y muy bien recogido. De todos nosotros, era la que mejor mantenía una apariencia de normalidad.

—Me llamo Yuka —me ha dicho, inspeccionando el vestíbulo—. Hay que limpiar este lugar.

—¡Gracias!

—No es civilizado.

—Sí, no puedo con ello. Lo estaba pensando ayer.

—Habría que hacerlo. Pero primero me ha dicho que andaba buscando algo...

—Sí, eso es.

—¿Qué busca?

—Me han robado dos maletas de mi habitación.

—Eso es terrible. ¿Sabe quién se las ha llevado?

—Tengo una idea, pero no tengo pruebas, claro.

No sabía bien por dónde empezar a buscar más información

sobre el esquivo propietario del hotel, ni cómo asociar el número de teléfono que había encontrado en la habitación de los Luffman con alguien del hotel, así que he vuelto a los despachos de recepción. He pensado que, a lo mejor, podría encontrar también los expedientes disciplinarios de los empleados, cualquier cosa que detallara un historial de robos u otra conducta delictiva.

Yuka ha abierto un par de cajones del escritorio al fondo de la estancia, luego me ha preguntado:

—Pero ¿por qué busca esas maletas? No me lo está contando todo.

Me he sentado en una silla giratoria a ojear una pila de impresos rellenados en francés sin tener ni idea de lo que eran ni de lo que decían. Era prácticamente imposible que Yuka Yobari tuviera algo que ver con la muerte de la niña. Y la verdad es que ya me daba igual. Estaba harto.

Así que le he hablado de mi investigación sobre el cadáver que habíamos encontrado en el depósito de agua y ella me ha escuchado sin apenas inmutarse.

—Entonces —ha dicho despacio—, no busca solo unas maletas. En realidad, buscamos al asesino de esa pobre niña.

—Sí. En las maletas había pruebas, estoy seguro. Pero no son solo las maletas. También tengo esto —he dicho, enseñándole el papel con el número de teléfono—. Si pudiera ayudarme a encontrar este número en el directorio telefónico del personal, me vendría de maravilla ahora mismo.

—Muy bien. Vamos a encontrarlo.

Con renovada determinación, ha cerrado los cajones en los que estaba hurgando y ha pasado al despacho de al lado.

La he seguido.

—Hay pocas personas a las que les importe, ¿sabe?

Las oficinas olían a humedad, pero estaban más o menos como el primer día. No había allí mucho que pudiera saquearse en nombre de la supervivencia. He observado que en un corcho que colgaba en la pared del fondo había algunas postales, como si algún compañero que se hubiera ido de vacaciones las hubiese enviado de recuerdo. Había una de Hawái. Debajo, una foto de alguien en un parque acuático con su familia.

—Piensan que tenemos otras cosas de que preocuparnos.

—Ha encontrado las llaves de los archivadores y ha empezado a abrirlos—. Piensan que ya no tenemos que actuar como humanos. Pues sí.

—Estoy de acuerdo. Si encuentra algo del propietario, guárdelo. Me interesa el dueño del hotel.

—¿Sabe cómo se llama?

—Baloche Braun, según Tomi. Estuvo casado con Sophia, ya sabe, la chef. O seguían casados cuando ocurrió todo, no estoy seguro.

—¿Cree que tuvo algo que ver con lo de la niña?

—No lo sé. Tengo la impresión de que podría estar relacionado, pero solo por cómo se comportan Sophia y Dylan. Perdone, no le puedo contar más.

—¿Es esto lo que busca? —me ha dicho, pasándome un archivador verde.

Dentro había varias fundas transparentes con listados manuscritos de teléfonos relativos a distintos jefes de departamento del hotel: de tecnología, seguridad, cocina, limpieza... He puesto el papel con el número encima y he repasado el listado.

—¡Aquí está! —he exclamado—. *Suite royale.*

—¿Había una *suite* real en este hotel? —ha preguntado, cruzando los brazos—. De haberlo sabido me habría mudado allí.

—No la vi en el libro de registro. Los Luffman no se alojaban en la *suite* real, de modo que ¿quién lo hizo?

Me he levantado con dificultad de la silla y he vuelto al vestíbulo a por el libro de reservas.

Yuka y yo lo hemos mirado a conciencia.

No había rastro de ninguna *suite* real entre las reservas oficiales. Solo había una nota adhesiva amarilla pegada a la página por encima de las fechas en cuestión. En ella ponía: *Suite royale*, y el período concreto de ocupación: ocho días.

—¿El dueño del que hablaba? —me ha preguntado Yuka.

—¿Qué otra persona podría reservar habitación sin dejar en el registro más que una nota adhesiva con unas fechas? —Me he frotado los ojos—. Pero ¿por qué les darían a los Luffman el número de contacto de Baloche Braun? ¿Y por qué no figura la *suite* real en el libro de registro como todas las demás habitaciones?

Ha sonreído.

—Lo averiguará. Voy a ver si encuentro algo más por aquí.

Yuka parecía más motivada para continuar la búsqueda que yo. En hora y media habíamos registrado todos los despachos de arriba abajo; entonces me ha propuesto que hiciéramos un breve descanso para salir a dar un paseo antes de visitar la zona de personal y registrar habitación por habitación. Me daba la impresión de que me recibirían mejor si Yuka iba conmigo. Nadie se iba a sentir amenazado por ella.

Hemos dado un paseo tranquilo por la carretera del bosque y he descubierto que la bruma que me había parecido ver antes se había transformado en niebla de verdad. El aire era muy húmedo. Solo veíamos a unos metros de nosotros. No soplaba el viento. Los árboles estaban más quietos que nunca.

—¿Cómo es que sus hijos están tan contentos? —le he preguntado—. Si mis hijas estuvieran aquí, no sé si yo habría sabido fingir delante de ellas que todo va bien. Pero los suyos parecen contentísimos.

—Sus hijas son mayores, por lo que me ha dicho. Cuando se hacen mayores te empiezan a ver como a un ser humano. Ya no se les puede mentir. Cuando son pequeños, es fácil. No se enteran. Están habituados al cambio. No tienen apego a nada, aparte de a nosotros.

—¿Tienen hijos mayores?

—Tanto Haru, mi marido, como yo estamos casados en segundas nupcias. Los dos tenemos otros hijos. —No me ha dado más explicaciones.

—Es cierto lo que dice —he respondido, pasando la mano por las hojas húmedas, casi marchitas, aunque aún no del todo—. Mi mujer y yo no estábamos muy bien e intentábamos ocultárselo a las niñas, pero a veces Ruth, la mayor, me miraba como si me odiara y yo sabía que ella sabía que le estábamos mintiendo. Dudo que hayan sobrevivido.

Era la primera vez que lo decía en voz alta.

—¿Estaban en una gran ciudad?

—Sí, no sé si ha sido objeto de algún ataque, pero... Cuando fuimos a por comida me conecté a internet. No tenía mensajes. Si alguna de las tres hubiera sobrevivido, se habrían puesto en contacto conmigo de algún modo, y ya ha pasado demasiado tiempo. —Me he quitado las gafas para pellizcarme el puente de la nariz—. ¿Cómo consigue seguir siendo tan optimista?

Se ha encogido de hombros como si tal cosa.

—Nos criamos de forma muy distinta a los americanos. Mis padres crecieron durante la ocupación. Después de la Segunda Guerra Mundial, Tokio estaba en ruinas. No quedaba nada. A veces, solo se podía comprar la comida de estraperlo y había soldados por todas partes. Mis padres eran niños, vieron a personas morir en la calle, muertas a tiros por los chinos por robar arroz. Nuestra historia nos enseña que hemos levantado una civilización de la nada otras veces. Así que creemos que volveremos a hacerlo.

Me ha costado un rato contestar, pero sus palabras me han hecho sonreír.

—Nunca antes se me hubiera ocurrido pensar que en mi país a todos nos inculcan la idea de que descendemos de vaqueros rudos y autosuficientes.

—Los vaqueros no construyeron nada —me ha dicho.

Me he reído, porque tenía razón, y ella me ha mirado como a un niño perdido.

Se ha detenido y ha dado media vuelta con determinación.

—Volvamos adentro y hagamos justicia a esa pobre niña.

Hemos rodeado el hotel y nos hemos acercado a la entrada exterior de la zona de personal.

—Necesito que el inglés de mis hijos mejore —me ha dicho Yuka—. Tienen que crecer sabiendo comunicarse en su idioma. Si quisiera encargarse de Ryoko y Akio, se lo agradecería mucho.

—Sí, me encantaría.

—Es una pena que no haya otros niños. Necesitan amigos. Les gustaba hablar con otros niños.

He ido a abrir la puerta de servicio, cerrada con llave, cuando se ha abierto desde dentro y nos hemos dado de bruces con Tania.

—Ah, no esperaba veros aquí —ha dicho, como si fuera nuestra presencia lo sorprendente.

—¿Dónde estabas? —le he espetado, quizá demasiado bruscamente—. ¡Anoche te estuvimos buscando!

—Uno de los... Sasha se ha puesto malo esta noche y Mia ha querido que me quedara con él. Ya está bien, pero... ¿Qué ha pasado?

—¡Adam se metió una sobredosis! Casi se muere. Tuvimos que entrar a la fuerza en tu consulta e inyectarle Narcan.

—¡Madre mía!, ¿y por qué no vinisteis a buscarme?

—Hay como mil habitaciones en el hotel. ¿Qué íbamos a hacer?, ¿ir de puerta en puerta mientras se moría?

Me ha lanzado una mirada asesina y ha suspirado, como si eso fuera culpa mía de algún modo y el que Adam se hubiera metido una sobredosis formara parte de un complot urdido para causarle molestias a ella. He observado que no llevaba encima su instrumental médico, pero no he dicho nada.

—Ahora pasaré a verlo —ha dicho—. Lo siento. No se me ocurrió pensar que pudiéramos tener dos emergencias médicas en la misma noche.

Luego ha cruzado por entre los dos, se ha subido la cremallera de la cazadora y se ha marchado en dirección a la entrada principal.

—¡Eh! —la he llamado—. Te puedo ayudar a arreglar la cerradura de tu puerta. ¡Tuvimos que reventarla!

—¡Ya me encargo yo!

Me he pasado las llaves maestras de una mano a otra y Yuka me ha dicho:

—¿Por qué ha salido por la puerta de servicio?

Día 64 (3)

Yuka y yo hemos buscado la *suite* real durante casi toda la mañana, hemos parado para desayunar y luego hemos seguido hasta
media tarde, cuando he tenido ocasión de hacerle unas preguntas.
Poco después, ella se ha ido a cuidar de sus hijos.

No hemos encontrado ninguna habitación que nos haya parecido una *suite* real, pero no ha importado. Ya tenía la pista que necesitaba. Resultaba inexplicable, casi imposible de seguir, pero era algo.
También hemos registrado las habitaciones de los empleados
en busca de las maletas, pero no había ni rastro de ellas. Sasha se
ha mostrado algo hostil ante la idea de que registráramos la suya,
así que solo hemos podido entrar, buscarlas en los sitios más ob-
vios y salir enseguida.

La idea de repetir el proceso con todas las habitaciones del hotel me daba muchísima pereza, pero sabía que no podía dete-
nerme. La conversación escuchada entre Dylan y Sophia me ha
bastado para saber que voy por el buen camino o, al menos, bien
encaminado.

En el comedor, Sophia nos ha dejado dos tazas de agua caliente y Yuka y yo hemos compartido una bolsita de té verde mientras
otros iban y venían con sus raciones de comida. No creo que Yuka
lo hiciera, pero pudo haber visto algo el primer día, por eso la he
interrogado de todas formas.

—¿Cómo vinieron a parar a este hotel?

—Teníamos una reserva en la ciudad, pero estaba duplicada y
nos la cancelaron. Nos abonaron el traslado.

—Entonces, ¿no iban a alojarse aquí?

—No.

He hecho una pausa y se ha intensificado esa extraña sensación que había ido asentándose cada vez más en mi pecho: la de que una fuerza mayor, invisible, nos hubiera traído a todos aquí.

—¿A qué se dedicaba antes?

—Era gestora de proyectos de American Express. Así conocí a Haru.

—¿En Japón?

—No. —Me ha mirado extrañada—. En Fráncfort.

—Ah, vale, perdone. —He anotado algo para disimular la metedura de pata—. Entonces, ¿sus hijos son bilingües?

—Sí, también hablan alemán.

—¿Recuerda algo de lo ocurrido el día en que empezó todo?

Ha enmudecido, ha mecido la bolsita de té en la taza exactamente tres veces y luego la ha sacado y la ha dejado en el platillo.

—Hicimos las maletas y bajamos a recepción, donde esperábamos instrucciones. Acuérdese de que nos pidieron que esperáramos.

—Sí, lo recuerdo. Creo.

—A veces pienso que el recuerdo que tengo de lo ocurrido no es del todo fiel.

—Sé a lo que se refiere.

Se ha calentado las manos con la taza.

—Después decidimos que era más seguro no marcharnos. No podíamos sacar a los niños de aquí: no había vuelos, ni coches, ni forma de llegar a casa. Ni siquiera sabemos si Fráncfort sigue en pie. Así que nos quedamos.

Me he recostado en el asiento y he bebido un sorbo de mi té. Me ocultaba algo. Se lo notaba en la cara.

—¿Eso es todo lo que recuerda?

—No es fácil recordar un día así.

En eso tenía razón.

He repasado lo que llevaba anotado de momento.

—¿Recuerda haber visto a Dylan o a Sophia en algún momento?

—No.

—¿Y a Nathan, Mia o Sasha?

—Recuerdo haber visto a Mia y a Sasha agarrados de la mano en el bar, viendo la televisión de allí —ha dicho, señalando al bar—. No recuerdo haber visto a Nathan.

He escrito para mí una notita a modo de recordatorio para interrogar a Nathan como es debido, y a Sasha y a Mia, por si alguno de los dos accediera a hablar conmigo.

—¿Recuerda alguna otra cosa sospechosa? —le he preguntado—. ¿Algo raro?

—Aparte de las bombas, no. —Ha mirado a otro lado y se ha terminado el té—. Nada raro.

Después de comer, cuando me he aburrido de registrar las habitaciones, en su mayoría vacías, de la segunda planta del hotel, he decidido pasar a ver a Adam. No habíamos hablado desde anoche y, en realidad, más que hablar nos habíamos gritado. Sabía que Nathan había pasado mucho tiempo con él, pero no quería que se sintiera solo, ni que pensara que la sobredosis suponía algo de lo que debía avergonzarse.

La tentación de evitarlo había sido bastante fuerte, pero creo que eso era problema mío más que otra cosa. El intento de suicidio representaba un grito de socorro, la manifestación de un sufrimiento extremo, y ninguno de nosotros quería enfrentarse al desconsuelo de los demás cuando apenas podíamos gestionar el propio.

También se me ocurría que intentar suicidarse podía haber sido una forma de expresar remordimiento, pero me incomodaba especular sobre las razones por las que Adam pudiera sentirlo, si es que lo sentía. No habría sido justo por mi parte proyectar en él un móvil como ese.

Le he sisado más caramelos a Sophia y he llamado a la habitación de Adam.

Ha abierto él mismo y yo le he tendido la mano enseguida, y me he sentido como una niña exploradora.

—He pensado que te podían apetecer.

Adam ha sonreído satisfecho, los ha cogido y se ha metido dentro, haciéndome una seña con la cabeza para que lo siguiera. La habitación estaba más limpia, he observado. O, por lo menos, lo había amontonado todo en los rincones. No me había fijado antes en que tuviera una guitarra eléctrica.

—¿Sabes tocar? —me ha preguntado cuando ha visto adónde miraba.

—Un poco —le he contestado, preocupado por que me pidiera que lo demostrase, pero no lo ha hecho.

—No tengo nada guardado, por cierto —me ha dicho, sentándose en la cama y colgándose la guitarra sobre el regazo para apoyarse en ella—. Nath se lo ha llevado todo. Ahora me está racionando la hierba, el muy capullo.

—No he venido por eso, solo quería saber cómo estás —he dicho, y me he sentado en el borde de la cama.

—Sigo aquí, ¿no? —ha contestado, encogiéndose de hombros.

Se me ha ocurrido que, a lo mejor, me contó todas aquellas historias personales porque ya tenía pensado quitarse la vida.

Me he sorprendido escudriñando los rincones de su habitación, pensando en la güija y en aquel niño.

—Deja de buscarlo —me ha espetado—. Me da repelús.

—¡Perdona! —me he disculpado, porque no me había dado cuenta de que fuera tan obvio.

—No voy a volver a intentarlo, si es eso lo que has venido a preguntarme.

—He venido, más que nada, a comprobar que seguías estando bien.

—Me siento un poco hecho polvo. No elegí el mejor momento, la verdad. Sabía que Nath terminaría viniendo a por algo de costo.

—¿Te dolió?

Entonces me ha mirado a los ojos, visiblemente sorprendido de que le hiciera la pregunta.

—No —me ha contestado, casi con tristeza, y ha seguido afinando la guitarra—. No me dolió nada. Fue como quedarme dormido. Despertarme, eso sí me ha dolido.

—Lo siento. No sabíamos qué más hacer.

—No lo sientas, colega —ha dicho, frotándose las ojeras—. En serio, no has hecho nada malo. Tendría que ser un capullo desagradecido para cabrearme contigo por eso. Me has salvado la vida. Y Tomi también, pero aún no la he visto. ¿Qué os pasa?

Ha dejado la guitarra a un lado y se ha inclinado hacia mí para coger otro caramelo.

—Creo que la disgusté —he dicho.

—Mierda, ¿qué le dijiste?

—De forma indirecta, le eché la culpa de la guerra nuclear.

Se ha mordido el labio.

—Sí, podría ser. Por eso se cabrearía seguro.

Aunque estoy deseando volver a hablar con Tomi, no he intentado abordarla y ella a mí tampoco. Incluso ha preferido comer en su habitación. Si alguna vez decide volver a hablarme, tendrá que ser cuando ella lo vea claro.

—Sí, no es que crea solo que la disgusté, sé que lo hice —he dicho, apoyándome en el cabecero de la cama.

—¡La hostia! —me ha interrumpido Adam—. Estos caramelos están de puta madre. ¿De dónde los has sacado?

—Lo sé, me los ha dado Sophia.

—Qué pilla.

—Los privilegios de ser útil de verdad, supongo. Ella, de hecho, nos da de comer todos los días.

—Qué fuerte que algunas personas sigan trabajando como si nada...

—Normal.

Ha vuelto a coger la guitarra, como si le diera seguridad.

—¿Por qué le echaste la culpa a Tomi de la guerra nuclear?

—Porque... coincide ideológicamente con las personas que la provocaron.

—¡Qué palabras tan largas! Igual querías estar cabreado con ella si usas palabras como «ideológicamente».

—Es que coincide.

—Dudo que Tomi quisiera una guerra nuclear, colega, así te lo digo. No sé nada de política, pero me cuesta creer que alguien tuviera escrito en su agenda «guerra nuclear el martes».

Su tono me ha reventado.

—¡Pero si todos los demás lo veíamos venir!

—No, de eso nada.

—Es cierto, no nos lo esperábamos —he concedido.

—Seguramente tendrás que pedirle perdón si quieres volver a echar un polvo con ella.

—Ya se lo he pedido. Me parece que voy a necesitar un poco más que eso. —He vuelto a mirar al rincón y enseguida he desviado la vista hacia otro sitio—. Tania tiene la teoría de que todos estamos sufriendo, como pasando por una especie de duelo.

—Supongo que tiene su lógica, si piensas que ha muerto casi todo el mundo.

—Se refiere a la sociedad. Lloramos la pérdida de nuestra antigua forma de vida.

—Nath dice que yo debería hablar con ella, de mis problemas y eso. Pero es médico, no psicóloga. No me parece justo. Bastante tiene ya.

—Todos deberíamos ir a terapia.

Ha asentido con la cabeza.

—Tío, me voy a dar una ducha. Luego te veo.

—Ah, sí, claro. —Me he levantado para irme. He titubeado—. ¿Cómo estás tan seguro de que no vas a volver a intentarlo? —le he preguntado sin saber si me estaría pasando.

Me ha mirado ceñudo, ha tocado unos acordes y se le ha roto una cuerda.

—¡Joder!

Mientras intentaba arreglarla, no he sabido qué decir, pero al final me ha contestado.

—En teoría, debí de estar muerto un rato. Como ya te he dicho, fue como quedarme dormido. No sentí nada, no vi nada.

—¿Sí...?

—Ya está. Que no vi nada. Debí de estar muerto, sí, un minuto o así, y no había nada. Solo oscuridad. No me parecía que pasara el tiempo, no me sentía yo, solo estaba sentado a oscuras. Simplemente, no era nada. No había nada. —Le he visto en el rostro un destello de absoluta desolación, pero se ha recuperado toqueteando la cuerda—. Me acojonó. No lo voy a volver a intentar.

Ojalá no se lo hubiera preguntado. Esperaba una respuesta esperanzadora.

—No sé, pensaba que por fin podría hablar con ese capullo del rincón —ha dicho, señalando la esquina más próxima a la ventana, donde había una funda de guitarra apoyada en la pared—. Siempre he tenido la sensación de que estaba esperando a que yo muriera, esperando nada más, y pensaba que por fin me contaría qué coño había pasado.

Era la primera vez que me hablaba del niño como si fuera un ente real. No he sabido qué decir.

Adam ha reído para sí.

—Pero no, no estaba ahí.

—A lo mejor no estáis yendo al mismo sitio —he sugerido.

—No creo que yo vaya a ningún sitio. —Se ha levantado y ha cogido una toalla grande—. Desde que estoy aquí, he intentado quitarme la vida dos veces, ¿sabes? Lo intenté la víspera del día en que se acabó el mundo y me desperté como si hubiera cerrado los ojos para dormirme —ha dicho, meneando la cabeza irritado mientras se colgaba la toalla del cuello—. Igual ya estoy muerto, colega. Igual esto es el otro lado y por eso no puedo morir.

Hace una media hora, justo antes de dejar de escribir para ir a acostarme, han llamado a mi puerta.

—¿Quién es? —he gritado, petrificado de miedo en mi asiento.

—Yuka.

Nunca la había visto ni oído tan tarde. Me he levantado y he abierto la puerta, y lo primero que he notado ha sido que se había soltado el pelo. Lo tenía más largo de lo que yo pensaba y de repente me ha parecido mucho más joven. Estaba preciosa.

—Ocurrió algo ese día —me ha dicho—. Solo que no quería decírselo.

—¿Quiere pasar? —le he preguntado, porque no tenía claro si Haru sabía dónde estaba.

Ha negado con la cabeza y se ha quedado a uno o dos pasos de mi puerta.

He esperado a que hablara.

—Perdí a Ryoko —ha dicho con un suspiro, agachando la mirada.

—¿Qué?

—No fue durante mucho tiempo, unos veinte minutos. Estábamos abajo, esperando noticias. Había muchísima gente. De pronto se puso muy pesada y no paraba de llorar. Le grité y le dije que se sentara en el suelo y se estuviera calladita. Cuando volví a mirar, había desaparecido.

Me ha dado la impresión de que estaba a punto de echarse a llorar.

—¿Por qué no me lo ha contado antes? —le he preguntado.

—Me daba vergüenza. ¿Alguna vez ha perdido a sus hijas?

Sí, y cada vez que me acordaba me cambiaba la cara y se me cortaba el cuerpo. Cuando Marion tenía cuatro años, la perdí en el súper. Tuvieron que llamarme por megafonía para que fuera a recogerla porque, por suerte, se había topado con un guardia de seguridad y no con otra persona. Me recuerdo a mí mismo corriendo de un pasillo a otro, conteniendo las ganas de vomitar, imaginando un millar de pesadillas distintas mientras las manos y el corazón se me helaban de pánico.

He asentido con la cabeza.

—Entonces, sabe lo que se siente —ha dicho, tras exhalar—. Me asustó más que las bombas. Busqué por todas partes. Al cabo de un rato volví a nuestra habitación y me la encontré frente a la puerta. Intentaba abrirla. Lloraba, muy asustada, pero estaba bien.

—¿Sabe qué le ocurrió?

—No le ocurrió nada. Salió corriendo después de que yo le gritara y se perdió.

—¿Qué la asustó?

—Tiene siete años. Se perdió. Todo el mundo andaba perdido ese día —ha dicho, mirando hacia la escalera—. Debería irme.

Y al verla de perfil, con el pelo cayéndole hacia delante por los hombros de ese modo, he recordado algo.

—Yo la vi —he dicho.

—¿Cómo?

—Me tropecé con usted ese día.

Había recuperado la memoria, a todo color. Yo iba corriendo hacia la escalera para llegar a mi habitación y me choqué con una mujer que le gritaba a alguien, pero no era a mí. Choqué con una mujer, casi la tiré al suelo, y ahora veía que era Yuka, con el pelo suelto de las horquillas cayéndole por la cara y por encima de los hombros, y ella apenas reparó en mi presencia. Debía de estar llamando a Ryoko.

—Venía de las escaleras y llamaba a Ryoko a gritos. Me tropecé con usted.

Me miró frunciendo los ojos.

—Me... me parece que me acuerdo.

Recuerdo que el día en que perdí a Marion, cuando me la encontré con el guardia de seguridad, no parecía asustada. Ni siquiera era consciente de que se había perdido. Fui yo el que lloró. La cogí en brazos y lloré en el súper y ella me miró perpleja.

Me he apoyado en el marco de la puerta.

—¿Se encuentra bien? —me ha preguntado Yuka.

—Solía llamar a Marion Beeps. A mi hija, la llamaba Beep-bop, pero sobre todo Beeps a secas.

Y entonces he empezado a llorar otra vez, y ha sido Yuka la que me ha abrazado.

Días 64/65

O anoche muy tarde o esta mañana muy temprano (cuesta saber la hora antes de que amanezca) he bajado al bar porque no podía dormir. Me sentía a la vez vacío y pesado, como si no pudiera levantar las extremidades, pero también como si estuviera hueco por dentro. Ya no quedaban emociones en mi interior. Estaba consumido. El abrazo de Yuka, tan menuda, me ha parecido eterno, pero ha sido como si ella fuera la única cosa que me mantenía erguido. Puede que ella también estuviera llorando, o quizá yo lo haya imaginado para sentirme mejor.

Luego me he disculpado y ella se ha ido.

Cuando he bajado al vestíbulo he visto que no era el único que no podía dormir.

Nathan se había bajado parte de su alijo de alcohol y estaba intentando hacerse discretamente un cóctel, sin zumos ni refrescos. Se había rodeado a sí mismo en semicírculo con velas y parecía que estuviera ejecutando un ritual satánico con su coctelera.

Llevaba los auriculares de botón con el volumen tan alto que yo oía el chasquido y el ritmo de su música en medio del silencio de la noche.

—Mierda —ha dicho al verme.

—Si me haces otro a mí, haré como que no he visto nada —le he espetado, sentándome en uno de los sillones individuales.

—Si vas a hacer como que no has visto nada... —Nathan ha valorado mi propuesta, se ha encogido de hombros y ha puesto otro vaso de tubo en la barra—, supongo que te puedo confiar mi receta secreta.

—Receta ¿de qué?

—Para emborracharte muy rápido.

—Me alegro de que haya alguien más aquí abajo —he dicho yo, apoyando los pies sobre una de las mesas de centro—. Me espeluzna la oscuridad.

—Tienes que hacer algún trueque para conseguir más velas, tío.

—No tengo nada con lo que hacer un trueque, tío.

—Vende tu cuerpo, tío. —Ha añadido algo de una botella sin etiqueta y me ha guiñado el ojo—. Algo harás bien si Tomi se ha liado contigo.

He soltado un bufido.

—Para empezar, Tomi no me habla y, además, me dejó claro que yo no era su primera opción.

—Vaya, me ofendes. ¿Dónde estaba yo en la lista?

Ha servido las copas y ha venido a sentarse enfrente de mí, y las velas han iluminado las botellas de colores que había detrás de la barra, como si fuera Navidad.

He bebido un sorbito de la bebida, que era excelente.

—¿Qué lleva? —le he preguntado.

—Whisky escocés barato y tequila, una pizca de tabasco y uno de los últimos zumos de tomate, porque nadie quería beberse nunca esa mierda.

Me he reído porque me he imaginado a Nadia burlándose de mí.

—Oye, he oído que en este hotel hay una *suite* real, ¿es eso cierto? —le he preguntado.

Me ha mirado raro y me ha dicho:

—No hay. Tío, si hubiera una *suite* real aquí, ¿no crees que ya nos la habríamos echado a suertes a estas alturas?

—Claro. Sí, desde luego.

—A ver, llevo aquí unos seis meses, ¿qué sé yo? Pero no lo he oído decir jamás.

Lo he mirado por encima del vaso, pero no me ha parecido que mintiera.

—¿Tú recuerdas algo de aquel día? —le he dicho, procurando que pareciera que solo le estaba dando conversación. Me he sorprendido de pronto incapaz de apartar la mirada del espejo del bar, en el que veía reflejado el vestíbulo oscuro a mi espalda—. A mí se me ha olvidado casi todo, ¿sabes? Tengo unas lagunas enormes, como si hubiera perdido el conocimiento.

—Sí, te entiendo.

—¿Cuánto recuerdas tú?

Ha paseado el trago por la boca, como un catador profesional de whisky.

—No mucho. Me dormí y llegué tarde a mi turno. Cuando bajé, todo el mundo estaba... Bueno, era una locura, de eso te acordarás. Luego ya no recuerdo lo que hice. Lo tengo todo borroso.

—Yo estuve ciego un rato. Perdí la vista.

—¡No jodas! —Me ha mirado extrañado—. Me tranquiliza. Yo pensé que estaba alucinando.

—Alucinando, ¿con qué? ¿Con todo el rollo nuclear?

—No, eso ya sabía que era verdad. Es que... —Se ha bebido de un trago el resto de la copa—. Por un segundo, me pareció ver a mi padre. —Me ha dejado helado y, de pronto, he sentido un escalofrío. De repente, las velas de la barra ya no parecían luces de Navidad. Nathan ha meneado la cabeza—. Por entre la multitud que había en recepción, me pareció verlo. Pero hace ya diez años, ¿sabes? Sería el padre de otro...

—Sí...

—¿Qué ha sido eso? —ha dicho, incorporándose y mirando por encima de mi hombro.

Mientras lo hacía, he oído pasos.

Me he vuelto en mi asiento, agarrando tan fuerte el vaso que no sé cómo no lo he reventado.

—Has oído eso, ¿verdad? —me ha susurrado.

—Sí.

236

—¿Quién anda ahí? —ha gritado.

En el vestíbulo ha aparecido de pronto Sasha, desorientado, vestido solo con unos calzoncillos bóxer. Estaba claro que iba sonámbulo y se dirigía hacia las luces. No ha reaccionado al grito de Nathan.

Nathan ha soltado la respiración que estaba conteniendo y se ha levantado.

—Dios, eres tú, el puto fantasma del hotel. Vamos a llevarte a tu habitación.

He apurado la copa con la esperanza de que me calmara los nervios desatados y he avisado de que también yo tenía que intentar dormir un poco. Seré un paranoico, pero no he podido evitar observar que era la segunda vez que Sasha me seguía sonámbulo. Le he mirado atentamente la cara —la boca abierta, los ojos entornados y protegidos por sus largas pestañas—, pero no había expresión en ella, ningún indicio de consciencia. Nada que pudiera indicar que fingía.

Nathan se había acercado a él y le había enlazado el brazo suavemente con el suyo.

—Vamos, tío, que no tenemos toda la noche. Vamos a tu habitación para que no sigas dando sustos de muerte a nadie. Eso sería cojonudo.

No se comportaba como si me hubiera contado nada trascendental.

A lo mejor, no lo había hecho. Ese día el pánico nos había vuelto inútiles y de poco fiar a todos nosotros.

Pero tenía un mal presentimiento.

—¡Espera! —les he gritado de repente.

—No grites, que no se les puede asustar —me ha susurrado Nathan nervioso.

—Espera un momento.

He corrido hacia ellos, sosteniendo con una mano mi velita, y he mirado fijamente a Sasha a la cara.

Sus ojos no me observaban.

—¿Qué haces? —me ha preguntado Nathan con los ojos en blanco.

He chasqueado los dedos un par de veces delante de los ojos de Sasha y, luego, un par de veces más, sosteniendo la vela en alto cerca de él, iluminándole el contorno en busca de la más mínima indicación de que no estuviera dormido.

Pero no ha reaccionado, así que me he apartado.

—Nada. Perdona, no es nada.

Nathan me ha mirado con una cara de preocupación que me ha hecho dudar de mí mismo. Luego se ha llevado a Sasha por la puerta de personal y yo he apagado todas las velas de la barra y me he sentido abochornado por segunda vez en esa noche.

No sé si estoy siendo pesimista, pero, ahora mismo, no tengo la sensación de que mi investigación avance mucho. Hablar con la gente no me está ayudando tanto como yo pensaba, porque los recuerdos de todos se hallan tan fragmentados que, en realidad, no me puedo fiar de ninguno de ellos. Aparte de los recuerdos súbitos, de los sueños que apenas puedo retener en cuanto me despierto, ni siquiera sé cuánto puedo fiarme de mi propia memoria.

Día 66

Nos hemos enterado de lo ocurrido primero por Dylan. Como es lógico, la mujer afectada ha acudido a él, luego, él nos ha citado a todos en el bar. Se me ha hecho raro ver a todo el grupo reunido en un mismo sitio; me ha quedado claro qué pocos quedamos y qué vulnerables somos. Yo estaba cansado. No he sido capaz de dormir nada. Dylan se ha quedado junto a la barra mientras nos instalábamos, sentados en el suelo o apoyados en las paredes. Algunos se han traído sillas del comedor. Mia estaba de pie, al lado de Dylan, y parecía alterada.

Me he puesto junto a Tania.

—¿Sabes de qué va esto?

—No. ¿Comida?

—Puede.

Ha entrado Tomi y se ha colocado a mi otro lado, pero no me ha dicho nada.

Cuando estábamos todos, Dylan ha subido la voz para dirigirse a nosotros.

—Esta mañana ha ocurrido algo. Nicholas van Schaik ha intentado violar a una mujer del hotel. Por suerte, ella ha conseguido zafarse del agresor, que ahora está encerrado bajo llave en una de las habitaciones de arriba hasta que decidamos qué hacer con él. Me ha parecido conveniente comunicároslo a todos para evitar rumores. Yo creo que deberíamos tomar una decisión en grupo, más que encomendar esa tarea a una o dos personas. Así que... hay que hablarlo.

Nadie parecía querer tomar la palabra; entonces, Tomi ha preguntado:

—¿Ha sido Mia? ¿Estás bien?

Mia ha sonreído.

—Estoy bien. Siempre llevo un cuchillo encima y...

—Habría que obligarlo a que se vaya, ¿no? —ha propuesto Yuka.

—Si lo obligamos a que se vaya —ha replicado Dylan—, sería como un exilio, que en el fondo es una pena de muerte. Además, podría volver y causar más problemas. No podemos asumir que vaya a marcharse de buena gana.

—Entonces, qué, ¿vamos a dejar que se quede y malgaste recursos? —ha protestado Tomi.

—Sigue siendo un ser humano —ha replicado Sasha desde algún sitio donde yo no lo veía.

—Ha intentado violar a una mujer —le ha espetado Tomi—. ¡A tu propia hermana!

Silencio.

Dylan ha vuelto a tomar el mando de la reunión.

—Vamos a hacer esto más fácil. Necesitamos una especie de juicio, un tribunal. Los que no tengáis ningún interés en participar, levantad la mano.

La hemos levantado casi todos.

—Espera —ha dicho Tomi—, no será un proceso democrático si la gente puede optar por mantenerse al margen. Igual hay que votar.

—Tampoco sería muy democrático obligar a la gente a tomar decisiones que no quiere tomar —he dicho yo en voz baja.

—¿Cómo dices, Jon? —Dylan ha estirado el cuello hacia donde yo estaba.

—He dicho que tampoco sería muy democrático obligar a nadie a participar.

Tomi ha soltado un bufido despectivo.

—No habrá una representación justa si no votamos todos.

—¿Y qué tal algo intermedio? —ha propuesto Tania—. Votamos todos, pero podemos abstenernos.

—Me gusta la idea —ha dicho Dylan—. ¿Os parece bien? El silencio era casi absoluto, pero la gente ha asentido con la cabeza.

Adam ha levantado la mano.

—No sé si a alguien le va a parecer bien esto, pero ¿por qué no dejamos que sea Mia quien decida? Ha sido a ella a quien ha atacado ese tío. ¿No deberíamos preguntarle qué quiere hacer con él? Todos hemos mirado a Mia, que ha desplazado el peso de su cuerpo de una cadera a la otra y se ha encogido de hombros.

—No sé.

Lex ha dicho algo rápido y furioso que no he entendido y Lauren ha traducido.

—Dice que por qué. Que, si es un peligro para todas las mujeres, ella no quiere que otra mujer decida si está a salvo o no.

—¡Lo secundo! —ha dicho Tomi.

—Sí, yo también —ha terciado Tania.

—Vale, genial. —A Adam no ha parecido perturbarlo mucho—. Yo solo preguntaba.

—Pues decidamos todos —ha sentenciado Dylan—. Lo sometemos a votación. Antes, sin embargo, debemos hablar de las opciones disponibles. Me duele decir esto, pero una de ellas va a tener que ser la ejecución.

Me ha admirado que tuviera agallas para decirlo. Nadie más se ha atrevido, aunque la posibilidad flotara en el ambiente desde que empezamos a hablar. En cuanto hemos sabido que se había cometido un delito, el primer pensamiento ha sido «¿lo matamos?», porque con la escasez de recursos cada vez mayor, era lo más práctico.

—Si decidimos matarlo —ha dicho Rob desde delante—, ¿quién lo haría?

—Yo —ha contestado Tomi sin dudarlo—. Siguiente pregunta.

La he mirado de reojo. Ella me ha mirado como diciendo: «Sí, ¿qué pasa?».

En ese preciso instante no he sabido si la admiraba o no. Me ha alegrado, en cierto modo, que nos librara a todos tan rápido de esa responsabilidad. No sé si yo me hubiera ofrecido voluntario para algo así.

También Dylan parecía aliviado. A fin de cuentas, habríamos sido o él o yo. No se me ocurre nadie más que se hubiera ofrecido a hacerlo.

—Vale, entonces las opciones son o matarlo o encarcelarlo. ¿Añadimos el exilio como tercera posibilidad?

—No —ha dicho Haru Yobari—. Tienes razón: terminaría volviendo.

—Opino lo mismo —ha dicho Tania.

—Levantad la mano los que creáis que debería haber una opción para el exilio —ha dicho Dylan. Asombrosamente, no la ha levantado nadie—. ¿Falta algo? —ha añadido.

Peter ha levantado la mano.

—Entonces, ¿damos por sentado que ha cometido el delito? ¿Sin juicio, como habías propuesto?

Mia le ha lanzado una mirada asesina.

—No damos por sentado nada. ¡Ha intentado violarme!

Peter se ha encogido de hombros.

—¿Lo ha visto alguien más?

Nadie.

Se me ha revuelto el estómago. El ambiente se ha cargado de tensión. He notado a Tomi tirante y agarrotada a mi lado, y Tania se ha vuelto a mirarlo con desdén. La brecha de género ha quedado muy patente.

—Será una puta broma, ¿no? —ha dicho Tomi—. ¿Tiene que demostrar que ese tío ha intentado violarla?

—Solo digo que es una situación peligrosa que una mujer pueda acusar a cualquiera y luego los demás decidamos si lo matamos o no.

—No me lo puedo creer —le ha espetado Tomi, negando con la cabeza.

—Le he clavado el cuchillo en el tobillo —ha dicho Mia—. ¿Qué más prueba quieres?

—Entonces, solo tenemos pruebas de que tú lo has atacado —ha replicado Peter—. Perdona, pero yo te veo perfectamente. No tienes aspecto de que nadie haya intentado forzarte. ¿Qué dice él?

—Ha confesado —lo ha interrumpido Dylan—. Cuando lo he encerrado, no paraba de decir: «Me ha apuñalado». La estaba llamando de todo, diciendo que ella se lo había buscado. No me ha cabido ninguna duda de que Mia había frustrado el intento.

—Eso no es una confesión —ha dicho Peter, doblándose.

—¿Insinúas que miento? —ha preguntado Mia con los brazos cruzados.

—Cualquiera puede mentir solo porque alguien no le caiga bien —ha replicado.

La sensación de repulsión se ha propagado por toda la estancia. Hasta Yuka, por lo general impasible, ha meneado la cabeza. He pensado que Tomi iba a explotar. Me he vuelto a mirarla de reojo y le he visto la cara de asco.

—¡Basta ya! —Dylan ha dado un paso al frente—. No vamos a faltarles al respeto a las mujeres dando por supuesto que mentirían sobre algo tan importante. Estamos por encima de eso. Si se descubre que alguien puede ser un peligro para el grupo, habrá que abordar el asunto, salvo que haya pruebas concluyentes en contra. ¡Pruebas concluyentes! ¿Lo habéis entendido todos?

—¡Gracias! —ha soltado Tomi.

—Eso va por todos los presentes —ha seguido Dylan—. No disponemos de tiempo ni de recursos para organizar un juicio. No voy a malgastar días escuchando lo que diga él y lo que diga ella. Así que, a menos que haya un testigo dispuesto a declarar otra cosa, vamos a creer a la víctima. No vamos a pensar que nadie miente por razones estúpidas. Somos un grupo pequeño y debemos tratarnos con respeto. ¿Alguien más tiene alguna objeción que hacer?

Todos han mostrado su conformidad asintiendo con la cabeza.

—Bueno, está bien saber quién piensa que las mujeres andamos buscando una excusa para mentir sobre una violación —ha dicho Tomi, mirando furiosa a Peter.

—La gente miente —ha dicho Peter—. Por muchas razones.

—¡Vuelve a decir que mentimos otra puta vez! —lo ha amenazado ella, acercándosele, y él ha mirado a otro lado.

—Vamos, Tomi —he dicho yo, alargando la mano para cogerla del brazo.

—Decidido, entonces: salvo que alguien tenga algún otro inconveniente ético que exponer, creo que deberíamos votar —ha dicho Dylan, mirando a los presentes—. Hablad ahora. Nadie os va a mandar callar si exponéis vuestros argumentos con respeto hacia los demás. Pensadlo bien.

Tomi ha vuelto a mi lado, aún furibunda, y le he soltado el brazo.

He mirado a Tania, pero ella ha apartado la mirada enseguida.

He pensado en comentar algo sobre el pragmatismo, en decir que los votos que salieran a favor del encarcelamiento iban a ser demasiado imperfectos para ser tomados en serio, porque, para el interés común, malgastar recursos con un delincuente iba a ser un acto de autolesión colectiva, pero me he arrepentido antes de decir nada. Si descartábamos alguna alternativa, nos convertíamos en una sociedad, aunque pequeña, que castigaba cualquier delito con la muerte. Aunque fuera necesario, no tenía claro que quisiera que nos convirtiéramos en eso.

En otra vida habría estado en contra de la pena de muerte.

Así que me he quedado calladito como todos los demás.

—Bien, pues adelante —ha proseguido Dylan—. ¿Votamos a mano alzada o alguien prefiere que el voto sea secreto? —Nadie ha pedido el voto secreto—. En ese caso, ¿quiénes, de entre los presentes, queréis que se castigue a Nicholas van Schaik con prisión indefinida por intento de violación?

Peter ha levantado la mano. También otros, como Rob, Sophia y, sorprendentemente, Sasha.

—¿Quiénes queréis que se lo castigue con la muerte?

Han levantado la mano todas las mujeres que quedaban. También Dylan y Adam. Yo he pensado en abstenerme, pero al final no me ha parecido buena idea y he creído que era mejor mostrar solidaridad con las mujeres, aunque prefiriera no comprometerme en ningún sentido.

He levantado la mano.

Por primera vez en la vida he votado a favor de la pena de muerte.

No he podido calcular cuántos se habían abstenido.

—Y los demás os abstenéis —ha dicho Dylan con rotundidad—. Así que está decidido. Tomi, ¿aún quieres ser tú la persona que ejecute la sentencia?

—Por supuesto —ha contestado.

—Muy bien. Pues gracias a todos. ¿Alguien desea decir alguna cosa más?

Supongo que igual he subestimado hasta qué punto la gente evita el conflicto, incluso en situaciones de crisis, pero esperaba que más personas protestaran por el resultado. No lo ha hecho nadie. El debate y la votación nos han llevado solo veinte minutos. No sé si eso es bueno o malo. A lo mejor, como somos tan pocos, es más fácil tomar decisiones así. A fin de cuentas, la democracia directa solo funciona en grupos pequeños, y aquí estamos.

Se me ha pasado por la cabeza que me habría encantado poder contarles esto a mis compañeros del departamento de ciencias políticas. Todos habíamos escrito ensayos sobre la democracia en nuestros respectivos ámbitos de estudio y ahora yo lo estaba presenciando en la práctica: el análisis del caso definitivo.

El grupo ha empezado a dispersarse y yo he mirado a mi derecha y he visto que Tania ya no estaba.

—Ha sido rápido —ha dicho Tomi.

—Conozco a algunos politólogos que habrían pagado un buen dinero por presenciar esto —he contestado en voz baja, por si sonaba insensible.

Ella ha sonreído.

—Yo también lo he pensado.

Dylan y Mia se nos han acercado.

—¿Lo hacemos ya? —ha preguntado Dylan.

He mirado a Tomi a la cara, pero la he visto inmutable.

—Sí, mejor —ha contestado ella.

—¿Estás bien? —le he preguntado.

—¿Por cargarme a un violador en potencia? No me va a quitar el sueño.

No he sabido distinguir si se trataba de una fanfarronada o si, de verdad, le daba igual.

—Gracias —ha dicho Mia—. Y gracias por, bueno, por hacer todo esto.

—No conviene que a la gente le dé miedo informar de ningún delito —ha dicho Dylan sin alterarse—. Es importante.

—Dadme una voz si necesitáis ayuda —ha dicho Adam, parándose en la puerta al salir del bar.

Los que nos hemos quedado allí nos hemos mirado sin saber cómo proceder. No disponíamos de un protocolo para ejecutar a un hombre, pero estábamos a punto de crear uno. Me he sorprendido pensando, casi a modo de mantra, que mi voto, en última instancia, no había tenido peso. Aun habiendo votado a favor, algo que no habría hecho en circunstancias normales, mi voto no había resultado decisivo.

Incluso ahora, no sé si mi necesidad de creerlo estaba indicándonos, en realidad, que habíamos tomado la decisión equivocada.

Día 66 (2)

Después de que subieran Tomi y Dylan, me he sentado en el bar a solas un rato para decidir si los acompañaría o no a la ejecución. No me apetecía nada ver cómo mataban a un hombre, con independencia de lo que hubiera hecho, pero me ha parecido que era mi obligación registrar esas cosas. Tomi se había adjudicado para sí el papel de verdugo, de modo que hacía falta un relato imparcial de los hechos.

Nadia, si alguna vez lees esto, sé que te decepcionará la postura que he adoptado. Quiero que sepas que no me ha parecido normal sentenciar a muerte a un hombre. No es que la vida humana ya no valga nada porque se haya extinguido de golpe casi toda nuestra especie; en todo caso, vale aún más si cabe, por eso cualquier cosa que la ponga en peligro debe tomarse con mayor seriedad. Claro que ese argumento no se sostiene. Si la vida humana es tan valiosa que debemos neutralizar cualquier amenaza existencial para el grupo, entonces esa misma lógica podría haberse aplicado antes.

A lo mejor no estoy tan en contra de la pena de muerte como creía. A lo mejor, ejecutar a Van Schaik ha sido un acto de humanidad. No lo sé.

Esto no es un libro de filosofía, no me corresponde a mí decidir en un sentido u otro, pero era más fácil discutir estas cosas tiempo atrás, cuando la mayoría de las ideas abstractas sobre la vida y la muerte no me habían afectado.

Me he levantado y he esperado en el vestíbulo hasta que han

vuelto Tomi y Dylan con un rifle de caza, y Nicholas van Schaik entre los dos. Al verlo, he sentido náuseas; no físicas, más bien como un dolor en el alma.

Van Schaik estaba pálido y temblaba. Apenas podía caminar por el corte profundo en la pantorrilla con el que Mia se lo había quitado de encima. He observado que le habían dejado ponerse un abrigo para dar el paseo, aunque no fuera a volver.

Me entristece reconocer que, salvo por nuestro encontronazo en la escalera, nunca había hablado con el holandés. Solía sentarse junto a Peter y, a veces, con Lauren y Lex. La brecha entre los angloparlantes y los no angloparlantes se ponía de manifiesto nuevamente.

—Por favor —ha dicho, y lo ha hecho mirándome. Obviamente, ya había apelado a Tomi y a Dylan y ahora me suplicaba a mí. No he sabido qué decir, así que he mirado a otro lado—. ¡No, por favor! ¡Por favor! ¡No quiero morir!

Ha dicho algo más, esta vez en holandés. Probablemente, lo mismo.

—No hace falta que vengas —me ha dicho Tomi.

—Siento que debería hacerlo.

—¡Esperad!

Nos hemos vuelto y se nos ha acercado Peter, con las manos en los bolsillos y el abrigo negro puesto.

—¿Quieres despedirte? —ha preguntado Dylan.

Tomi ha puesto los ojos en blanco.

Peter ha mirado a Dylan y luego a mí.

—Debería hacerlo yo —ha contestado con su voz ronca. Van Schaik ha dicho algo en holandés o en alemán, pero Peter lo ha interrumpido—. Debería hacerlo yo —ha repetido, en inglés—. Lo conozco. Debería hacerlo yo.

Dylan se ha vuelto.

—¿Quieres hacerlo tú?

—He dicho que «debería». No se debe matar a un hombre de forma impersonal.

Yo no me fiaba mucho de él, pero Dylan sí, y le ha entregado el rifle. A lo mejor lo ha visto como un gesto de buena voluntad, o una concesión, después del acalorado debate en el bar.

—Tomi, ¿te parece bien? —le ha preguntado.

Ella se ha encogido de hombros.

—Me da igual, mientras no falle el tiro.

Así que, en cuanto Peter se ha hecho cargo de la ejecución, hemos salido todos del hotel y nos hemos adentrado un poco en el bosque, aunque seguramente no lo bastante para que los que se habían quedado dentro no oyeran el disparo.

Van Schaik ha empezado a llorar con desconsuelo. Al menos, eso no lo oirían.

Me he preguntado qué sentiría Peter. Me costaba desentrañar las expresiones de su rostro, aunque lo llevara justo al lado.

Dylan y Tomi iban un poco más adelantados, con Van Schaik entre los dos, y los he oído charlar.

—Ahora que estamos todos aquí fuera —le ha dicho Dylan—, vamos a tener que hablar de tu pistola.

—¿Por qué?

—Parece que dispones de munición ilimitada.

Un breve silencio.

—Tengo algunas balas de repuesto —ha dicho Tomi.

—No, no es verdad. Y conozco mi pistola. No puede ser que tengas secuestrado al resto del hotel.

—No tengo secuestrado a nadie —ha replicado ella.

—Tomi, no puedes ser la única de nosotros que vaya armada —le ha dicho entonces Dylan, bajando la voz.

—Si ese mierda hubiera tenido un rifle cargado, habría encañonado a Mia para retenerla —le ha contestado ella, señalando hacia Van Schaik.

—¿Confías en mí?

Ella ha titubeado.

—¿Y eso qué tendrá que ver?

—Si yo tuviera un arma cargada, ¿crees que la usaría para cometer un delito?

—No, claro que no. Pero no conozco a todo el mundo.

—No hablo de todo el mundo, hablo de mí. Parece que me han asignado el papel de líder o, por lo menos, de organizador. ¿Confías en que yo, alguien que ha tomado decisiones difíciles por todo el grupo, tenga un arma operativa?

Me ha admirado la forma en que ha abordado el asunto. Podía haber arremetido contra ella, haberla amenazado, pero mantenía la calma. Me ha hecho dudar de lo que creía saber de él. ¿Cómo iba a tener nada que ver con la niña muerta? He recordado el día que estábamos en la azotea y su cara de espanto mientras bajaba por la escalerilla con el cadáver de la niña en brazos. Si hubiera sabido que el cadáver estaba allí, ¿por qué iba a dejarnos subir a la azotea? ¿Por qué iba a proponer él mismo todos los proyectos relacionados con los depósitos de agua? No tenía sentido. Es más, había salvado a una mujer del hotel de las garras de Victor Roux, había luchado con uñas y dientes, literalmente, por la vida de aquella mujer, tal como lo había hecho por la nuestra. No tenía pruebas fehacientes de que nada de lo que me hubiera contado fuese cierto, pero, aun así, algo no cuadraba.

Quiero fiarme de él. Esa es la cuestión. Me empeño en fiarme de él porque sin esa confianza estamos muy perdidos.

—¿Tú? —ha dicho Tomi—. ¿Te refieres solo a ti?

—Sí, solo yo.

Ella ha asentido despacio.

—Vale. Puedes coger toda la munición que quieras.

—¿Me devuelves mi pistola?

—Me lo pensaré. Quiero llevar algo encima.

Me ha sorprendido que Peter no pareciera interesado en su conversación, aunque también él lo estuviera oyendo todo.

—¿Qué ha querido decir con que no se debe matar a un hombre de forma impersonal? —le he preguntado.

—Lo que he dicho exactamente.

—Pero ¿por qué?

Me ha mirado como si yo fuera un crío.

—¿Preferiría que lo ejecutara alguien a quien le dé igual o alguien a quien no?

—Lo segundo, supongo.

—Entonces, ya sabe a qué me refiero.

Se ha oído el graznido de un ave, a lo lejos, y los dos hemos mirado al cielo. Hacía semanas que no oía ni veía ningún animal salvaje. La idea de distinguir de nuevo un ave volando en libertad me ha emocionado tanto que he tardado unos segundos en darme cuenta de que me había agarrado del brazo de Peter. Y me he sorprendido sonriendo. Sonriendo de verdad, sin forzarlo ni hacerlo de mala gana.

No hemos vuelto a oír al pájaro.

«Maldita sea —he dicho para mis adentros—. Venga ya, ¿dónde te has metido?»

El bosque se ha vuelto más frondoso, aunque casi todos los árboles se estaban muriendo por falta de lluvia y de sol. He tocado un tronco y estaba seco, deshaciéndose de fuera adentro. Me he preguntado si los insectos serían realmente los únicos que sobrevivieran a aquello. Me he preguntado hasta qué punto estábamos consiguiendo evitar la peor parte de la radiactividad. Ni siquiera sabía con certeza cómo actuaba la radiación.

—Aquí —ha dicho Dylan, deteniéndose de pronto en cuanto hemos llegado a otro claro.

—¡Por favor! —ha vuelto a probar Van Schaik.

—Esto va a ser mucho más fácil si dejas de hacer eso —le ha dicho Dylan, cogiéndolo por los hombros mientras el hombre lloriqueaba y lo miraba a los ojos—. Te vamos a ejecutar igual. Será rápido. Cuanto más lo retrases, más vas a sufrir. No nos lo pongas difícil. Ten un poco de orgullo y tu muerte será digna.

Tomi y yo nos hemos mirado. Incluso ella parecía un poco incómoda.

—Nick...

Al ver que el discurso de Dylan no reducía las convulsiones del holandés, Peter se ha llevado a Van Schaik a un aparte y lo ha llamado al orden en alemán.

Me ha impresionado que fuera capaz de hablar con él, rifle en mano y todo.

—¿Qué le está diciendo? —le he preguntado a Dylan.

—No hablo alemán.

Aunque temblando, Van Schaik ha asentido con la cabeza y Peter lo ha ayudado a alejarse diez pasos. Se ha quedado al borde del claro, descansando el peso del cuerpo en la pierna sana. Nos ha mirado unos segundos, luego se ha vuelto de espaldas.

Yo habría hecho lo mismo. Si tuviera que morir, preferiría hacerlo mirando a los árboles antes que a mis verdugos.

Peter se ha reunido con nosotros y nos ha mirado con desdén. Después ha girado sobre los talones y se ha subido el rifle a la altura de la mejilla.

Lo he visto hacer la cuenta atrás mental: cinco, cuatro, tres, dos...

Entonces, Van Schaik se ha apoyado en la pierna mala y ha echado a correr.

—¡Cogedlo! —ha gritado Tomi, al mismo tiempo que el tiro lo derribaba.

Todos nos hemos estremecido y nos hemos tapado los oídos mientras Van Schaik se desplomaba sin vida sobre la hojarasca.

Peter ha vuelto con nosotros y me ha tirado el rifle a los brazos. Se ha llevado la mano al bolsillo, ha sacado la cajetilla de tabaco y se ha encendido un cigarrillo.

—Pues claro que iba a salir corriendo —ha dicho.

Y se ha ido.

Tomi se ha acercado al holandés y se ha acuclillado junto al cadáver.

—Le ha dado en la cabeza —ha dicho por encima del hombro.

Se ha hecho un largo silencio mientras veíamos a Tomi quitarle con dificultad el grueso abrigo y probárselo para ver si le valía.

—¿Lo enterramos? —ha preguntado Dylan.

—Yo no pienso cavarle una tumba a ningún violador —le ha espetado ella, luego nos ha mirado y se ha ido detrás de Peter.

—¿Lo enterramos? —me ha preguntado esta vez a mí.

—No estaría bien dejarlo aquí tirado.

—¿Eres supersticioso, Jon?

—No. —Me lo he pensado—. Un poco.

—Tú aún puedes recitar pasajes de la Biblia. Que yo sepa, nadie más de aquí puede hacerlo.

—Son cosas que no se olvidan.

—¿Fuiste a un colegio católico?

He mirado el cadáver del holandés y me ha extrañado que no me asqueara demasiado. Ahora que todo había pasado, su muerte ya no me parecía tan polémica. Me resultaba más fácil pensar que, desde luego, habíamos hecho lo correcto. La disposición para asumirlo me asustó. Me he preguntado si sería capaz de hacer lo mismo si algún día llegaba a averiguar quién había asesinado a Harriet Luffman. Sería la única decisión sensata, la única justicia posible, pero ¿podría hacerlo?

—¿Jon?

—¿Eh? Ah, no, fui a un colegio cristiano, pero no era católico. Estuve en el seminario hasta casi los diecinueve, más que nada porque era lo que querían mis padres. Luego abandoné la formación religiosa y entré en la universidad.

—Eres un tío interesante. Mi instinto me dice que deberíamos enterrarlo. —Ha suspirado, mirando a Van Schaik.

—El mío también.

—Aunque la verdad es que no me apetece hacerlo ahora.

—Podemos volver luego. Yo te ayudo. A lo mejor se nos añaden Rob, Adam o algún otro. Antes me ha parecido oír un pájaro —he dicho de pronto, señalando en dirección a los árboles—. Hacía mucho que no oía uno.

—Vaya, no nos vendrían mal más pájaros. Podríamos cazarlos.

No era eso en lo que estaba pensando precisamente. La idea de cazar la escasa fauna que quedaba para comérnosla me entristecía un poco, pero no he dicho nada. Dylan parecía algo meditabundo, eso sí, y cuando volvíamos al hotel se ha vuelto hacia mí, ceñudo.

—¿Puedo confesarte algo?

—No llegué a ordenarme —he dicho riendo—. No puedo salvar tu alma.

—Muy gracioso. No, es que... Por un momento, lo he envidiado, ¿sabes?

—¿A quién?

—A Van Schaik. Un tiro limpio en la cabeza y se acabó. Ya no tiene que preocuparse por la comida, ni por el grupo o las peleas, ni por seguir vivo, ni por camelarse a una rubia respondona para conseguir balas. Ni siquiera nos ha mirado. Ha debido de ser como apagar una luz. —No he sabido qué decir—. Tranquilo, no estoy pensando en quitarme de en medio —ha añadido—. Solo he pensado que igual se ha ido a un sitio mejor y, por un instante, me ha dado envidia.

—¿Crees en el cielo?

—No estoy seguro.

—Esa respuesta es muy sensata.

—Tú debiste de creer en algún momento, ¿qué pasó? ¿Perdiste la fe? ¿Ahora eres ateo?

—No soy ateo. Más bien, agnóstico. Me di cuenta de que nunca lo iba a saber y preferí centrar mis esfuerzos en esta vida.

—Vamos, que querías echar un polvo, ¿no?

—Uy, no te imaginas cómo.

Nos hemos reído los dos.

—Si hay algo que baste para volver a un joven contra Dios es eso —ha dicho.

Me ha mirado un momento, como si quisiera preguntarme algo más, igual algo sobre mi relación con Tomi o de mi investigación, pero se lo ha pensado mejor y ha seguido andando.

—¿Dónde está la *suite* real? —le he preguntado yo a bocajarro.

Ha dudado un segundo y he visto que le fallaban los pies, como si la pregunta le hubiera afectado el ritmo de avance.

—No hay. Existen habitaciones mejores, más grandes, pero no hay *suite* real. ¿Por qué?

—Por nada. Mi habitación se me hace pequeña. Estaba pensando en mudarme.

—Bien.

Cuando hemos llegado al hotel, la gente estaba empezando a bajar a comer. Un par de personas nos ha saludado y mirado con el semblante serio, conscientes de lo que acabábamos de hacer. Tomi se había ido, arriba, he supuesto, y Dylan me ha dejado para ir a por balas.

Rob me ha visto en el vestíbulo y se ha acercado a mí, ofreciéndome un cigarrillo.

—Me estáis convirtiendo en adicto —le he dicho, pero he aceptado el encendedor.

—¿Cómo ha ido?

—Me ha parecido oír un pájaro —he contestado.

Se le ha iluminado la cara.

—¿De qué tipo?

—No sé, lo siento. No he conseguido verlo, pero me ha sonado a pájaro. No los distingo.

—Vale, ¿te ha sonado a cuuu, a cooo o a grrr?

He sonreído.

—Más bien a piii.

Nuestra risa ha atraído algunas miradas. Entonces he caído en la cuenta de que podía parecer de mal gusto. Acabábamos de ejecutar a uno de los nuestros. Aún ignoraba cómo podría terminar afectándonos.

Día 66 (3)

Llevo una jornada de retraso. Primero voy a terminar de escribir lo que ocurrió el día de la ejecución de Nicholas van Schaik.

Todo pasó muy rápido después de comer, cuando Dylan, Adam y yo volvimos al claro del bosque con unas palas para enterrar al holandés. Rob también vino, pero se separó del grupo en cuanto llegamos al bosque para ir en busca del pájaro del que le había hablado. Tenía una media sonrisa en el rostro y sujetaba la cámara con ambas manos mientras escudriñaba las ramas más altas de los árboles. No lo vi marcharse.

Al acercarnos al sitio donde habíamos dejado el cadáver, agucé el oído por ver si detectaba algún canto de ave, algún sonido animal, pero esa vez no escuché nada. El viento había soplado con mucha fuerza en las últimas dos horas y el murmullo de las hojas marchitas era tremendo.

—Fue aquí —dijo Dylan.

Miramos alrededor, pero no vimos nada. Ningún cadáver.

—Todos los claros parecen iguales —terció Adam.

—No, no, seguro que era este —dije, convencido—. Era aquí, ¿verdad? —añadí, señalando con la mano un montón de hojas, y Dylan asintió con la cabeza.

—Sí, Tomi y yo estábamos ahí, junto a ese árbol; Peter, aquí; Van Schaik, allí.

—Pues... —Adam se apoyó en la pala, extrañado—. Os estaréis liando...

—No nos estamos liando. —Miré a Dylan—. Seguro que no.

—Estaba aquí —dijo—. ¡Mirad! Sangre.

Y, en efecto, había sangre, justo donde lo habíamos dejado.

—Entonces, ¿se ha ido? ¿Cómo? —Adam empezó a dar botes en el sitio, castañeteando los dientes por el viento—. ¿Cuántas veces le ha disparado Tomi? ¿Se ha ido reptando?

—Le ha disparado Peter, en la cabeza. —Dylan apartó las hojas con el pie, buscando un rastro de sangre—. Créeme, no ha ido reptando a ninguna parte.

—Estaba muerto —dije, luego añadí menos convencido—: Estaba muerto, ¿verdad?

—Estaba muerto. Peter dispara bien. Lo hemos visto todos.

—Pues ¿qué ha pasado? —preguntó Adam.

De pronto me dieron unas ganas inmensas de volver corriendo al hotel. Se me debió de notar en la cara porque Dylan alargó el brazo, me agarró del hombro y me dijo en voz baja y firme:

—Eh, tranquilo. Aún hay animales vivos en estos bosques. Cualquiera de ellos podría haberse llevado el cadáver a rastras.

Adam no parecía muy convencido.

—¿Qué? ¿Lobos? ¿Osos? ¿Qué animal se llevaría un cuerpo humano entero?

—¿Otra persona? —dije yo, mareado—. Aquí no hay lobos. Nunca los he oído.

—Podría haberlos —contestó Dylan con un suspiro—. La radiactividad podría haberlos empujado hacia el norte. Aunque casi nunca hemos tenido osos. Tuvimos uno en dos mil trece, pero le pegamos un tiro.

—Vamos, que no hay ningún animal en este bosque que pueda haberse llevado un cadáver —insistí yo.

—No. Es improbable.

—¡La hostia! —dijo Adam, llevándose una mano a la nuca y con los ojos como platos—. ¡Joder! ¡Joder!

—Mantened la calma. Vamos a volver al hotel —propuso Dylan, casi en un susurro—. Nos aseguramos de que todas las entradas estén bien cerradas y lo hablamos.

—¡Venga ya, el hotel es tan inmenso que, a estas alturas, se podría haber escondido alguien allí sin que nos hubiéramos enterado siquiera!

—¡No me jodas, Adam! —Tiré la pala al suelo—. ¡Vete a la mierda!

—¡Es solo una idea!

—Lo sé, perdona, es que... ¿Tenías que decir eso? ¡Por favor!

—Cálmate, tío —me dijo Dylan, zarandeándome—. Vamos a tranquilizarnos, volvemos al hotel y allí decidimos qué hacer. Tenemos armas, así que podemos registrar el edificio de arriba abajo, en formación militar. Pero que no cunda el pánico.

Su fortaleza de ánimo me admiró. No había vuelto a estar tan asustado desde el primer día. Estaba incluso más asustado que en el hipermercado, viendo cómo disparaban a mis compañeros. Pero ahora el miedo era distinto. Se trataba de un miedo a algo que aún no habíamos visto, el peor de los escenarios, ese que solo habíamos imaginado en nuestra mente.

Estábamos todos muy serios. Cogimos las palas y salimos del claro. Miré atrás una vez, por si nos habíamos equivocado, pero era evidente que el cadáver había desaparecido. Entonces caí en la cuenta...

—No nos podemos ir —dije.

—¿Por qué no? —replicó Adam.

—Rob anda por ahí, buscando pájaros. No podemos dejarlo aquí si...

No quise decir las palabras en voz alta.

—¿Vas armado? —le preguntó Adam a Dylan.

—No, no he traído nada.

—Entonces, no nos podemos quedar aquí buscándolo.

—Tíos —dije, desesperado—. Venga ya, es Rob. ¡Él no lo sabe, no está advertido!

—No le seremos de ninguna utilidad si vamos por ahí desarmados y nos tienden una emboscada —dijo Dylan, inspirando hondo—. Sé que suena fatal, pero podemos volver cuando estemos preparados. Ahora mismo, no me apetece quedarme aquí. No sé vosotros, tíos, pero yo quiero volver y armarme.

Eché un vistazo al bosque y, no sé por qué, cometí la estupidez de gritar:

—¡Rob!

Adam me dio un empujón en el pecho.

—¡Cállate, joder! ¿Qué haces?

—¡Si está cerca, vendrá!

—¡No, imbécil, acabas de alertar a quien esté escuchando de que uno de nosotros anda por ahí solo!

Miré el espacio que había entre Dylan y Adam y me flojearon las piernas de miedo.

—Ah... No..., no se me ha ocurrido.

—¡Vamos! —Dylan encabezó el grupo, arrastrándome del brazo otra vez—. Salgamos de una vez de aquí, ya discutiremos esto dentro.

No volví a decir nada más. Seguí mirando a mi espalda, hacia el bosque, con la esperanza de ver a Rob, pero no respondió a mi llamada y tampoco vi a nadie. Desbordado por el remordimiento, me senté en el bar en cuanto volvimos al hotel. Dylan y Adam se fueron arriba, a reunirse con Tomi para hablar de las armas y del registro del edificio. Apoyé la pala en el brazo del sillón y, al cabo de un rato, Sophia pasó por allí y me preguntó si me encontraba bien.

—No habrás visto por casualidad volver a Rob, ¿verdad? —le pregunté—. ¿Antes que nosotros?

Negó con la cabeza.

—No, pero no he estado aquí todo el tiempo. ¿Has mirado en su habitación?

—Sí, tienes razón.

Pero tampoco estaba en su cuarto. Dylan lo había comprobado. Por primera vez desde hacía un tiempo, empecé a rezar. Recé para que no lo hubieran matado por mi culpa.

Cerramos con llave cada una de las entradas y empezamos a

hablar de organizar pequeños grupos para registrar las habitaciones del hotel. Todo el mundo podía cerrarse por dentro, así que a nadie le preocupaba demasiado que lo sorprendieran en su habitación. Era el resto de lugares lo que, de pronto, nos parecía la selva.

Dylan nos anunció a todos en el bar, donde habíamos vuelto a reunirnos, que un par de grupos pequeños iba a registrar el hotel planta por planta, habitación por habitación, porque podría haberse colado alguien de fuera. No mencionó que el cadáver hubiera desaparecido.

Todo el mundo parecía cansado, estresado ya por cómo había empezado el día.

—¿Por qué pensáis que se ha colado alguien? —preguntó Haru.

—Aún no estamos seguros —contestó Dylan, manteniendo de forma admirable la compostura—. Unos cuantos hemos observado cierta actividad sospechosa en el bosque esta mañana. Hace tiempo que no registramos el hotel. Merece la pena hacerlo de forma periódica, por seguridad.

Por lo visto, eso satisfizo al señor Yobari.

No tanto a Peter, que levantó la mano.

—¿Qué ha sido eso tan sospechoso?

—No quiero entrar en detalles ahora.

—Me gustaría saberlo.

Dylan lo miró furioso.

—No quiero entrar en detalles ahora porque podría no ser nada y no quiero generar alarma. ¿Tú sí?

Nadie más dijo nada, así que Peter terminó negando con la cabeza.

Volví a mirar por todo el bar, pero no vi a Rob. Aún no había vuelto y llevaba desaparecido dos horas. Me encontré con los ojos de Adam porque él estaba haciendo lo mismo.

Rob era el más amable y bondadoso de entre todos nosotros. Confiaba en que estuviera bien, porque de lo contrario íbamos a sentir mucho su desaparición.

—Ya que estamos reunidos, ¿podríamos hablar de otra cosa? —preguntó Lauren desde el fondo del bar, cogida de la mano de Lex—. ¿Podríamos hablar de las raciones?

Unas cuantas personas asintieron con la cabeza, entre ellas, Mia y Sophia.

—¿Qué problema hay? —preguntó Dylan.

—Hemos observado que las raciones son más pequeñas. Dijiste que estábamos bien abastecidos. ¿Por qué tenemos que empezar a morirnos de hambre ahora?

—Estoy de acuerdo —dijo Sophia—. No veo razón alguna para hacerlo. Pasamos hambre casi todo el tiempo.

—Se nos va a echar encima el invierno y, cuando eso ocurra, no queremos encontrarnos de pronto con unas cuantas latas para cada uno —intervino Adam.

—Pero, hasta entonces, tenemos tiempo de sobra para buscar más comida. No entiendo por qué tiene que cundir el pánico ¿cómo se dice...?

—¿Prematuramente? —dije yo.

—Sí, no entiendo por qué tiene que cundir el pánico prematuramente.

Nunca había oído a Sophia hablar en público.

Dylan lo meditó un momento.

—Las próximas excursiones en busca de comida tendrán que ir más lejos, a las ciudades. Serán más peligrosas y no podemos... No podemos garantizar que vayamos a volver con vida de ellas. En la última, nos topamos con personas, de este hotel, y nos atacaron, y tuvimos que matarlos en defensa propia. Hay que tener presente que puede que no seamos siempre nosotros los vencedores.

—No nos habíais contado que había muerto gente —dijo Yuka.

—Os lo digo ahora. Por eso decidí que lo más sensato era reducir las raciones, pero, si os parece mal, ¿por qué no lo votamos? —Se encogió de hombros—. No quiero que nos muramos de hambre. Pero tampoco quiero poner en mayor peligro del necesario a los hombres y las mujeres que se ofrecen voluntarios para ir a por comida. No quiero someterlos a esa presión. —Silencio—. Bueno, ¿queréis votarlo? —dijo.

Muchas personas nos miraron a Mia, a Adam, a Tomi y a mí. Me quedó claro que intentaban decidir si por el peligro que corrían nuestras vidas les merecía la pena pasar un poco más de hambre todos los días. Nadie había preguntado aún dónde se encontraba Rob. Confié en que pudiéramos terminar la reunión sin que surgiera la pregunta.

—¿Cuántas veces habría que ir a por más comida si no reducimos las raciones? —preguntó Sophia.

—No estoy seguro. Yo diría que al menos cuatro en los próximos dos meses, siempre que las incursiones sean tan fructíferas como la primera.

Adam se quedó perplejo.

Tampoco yo lo sabía.

Tomi me miró desde el otro lado del bar.

—Sé que nadie quiere hacerlo —añadió Dylan—, pero vamos a tener que aumentar las raciones durante el invierno, no lo olvidéis. No sabemos cuánto más frío va a hacer. A lo mejor, no podemos ni salir. Hay que tener comida de sobra.

—Votemos, pues —dijo Sophia, asintiendo con la cabeza—. Lo justo es votar.

—De acuerdo. Pero con una condición. —Dylan cruzó los brazos—. Para que sea más justo. Los que voten a favor de un aumento de las raciones tendrán que darme sus nombres para poder hacer turnos justos durante las próximas incursiones.

—No puedes obligar a nadie a ir —masculló Sasha, oculto a mi vista detrás de su hermana gemela.

—No es justo poner en peligro solo a cinco o seis valientes. Si estáis dispuestos a votar por que se arriesguen aún más, tenéis que estar dispuestos a compartir ese riesgo —dijo Dylan, manteniéndose firme, con la cabeza muy alta.

—¡Es injusto de todas formas! —exclamó Adam—. Ya tendríamos que estar haciendo turnos. Si os creéis que voy a seguir jugándome el pellejo por gente que se queda aquí escondida pidiendo más comida, os van a dar por culo, colegas.

—Estoy contigo, Adam —dijo Tomi—. Lo secundo.

—¿Y los que tenemos hijos? —preguntó Yuka.

—¿Qué pasa?, ¿acaso te crees que por haber procreado tienes más derecho que nosotros a vivir? —le soltó Tomi—. ¡Siéntate!

—Pero ¿quién va a cuidar de nuestros hijos si nos pasa algo?

—El grupo, obviamente —contestó Dylan—. No somos monstruos.

—No me parece aceptable —replicó Yuka.

—¿Y que muramos nosotros sí? —le dijo Tomi con las cejas narcadas—. Somos prescindibles porque no somos padres, ¿no se trata de eso? —Silencio—. ¿No se trata de eso?

—No pretendo desviarme del tema —intervine antes de que la cosa empeorara—, pero creo que la propuesta de Dylan es justa. No puede depender siempre de las mismas personas. Resulta peligroso y agotador.

—Tú dijiste que Tania no tenía que ir —señaló Sophia.

—Yo me ofrecí a ir, no lo olvides —dijo Tania, recostándose en la pared, pero sin alterarse.

—Igual si alguna otra hubiera estudiado medicina en vez de tener hijos, ahora sería más valiosa —murmuró Tomi.

—De modo que hay personas que son más valiosas que otras —dijo Peter.

—No me vengas con mierdas mojigatas ahora —replicó Tomi—. Ser madre no te hace valiosa. ¡Ser capaz de salvar vidas, sí! Yo tengo muy buena puntería y os he traído comida extra, capullos desagradecidos, ¡así que lo siento, pero soy más valiosa que alguien a quien en cierta ocasión se le olvidó trazar un plan alternativo!

Esta vez el desacuerdo fue mayor. El ambiente se enrareció. El grupo había empezado a dividirse poco a poco en dos bandos opuestos: por un lado, Dylan, Adam, Tania, Tomi, Mia, yo y algunos de los empleados; por otro, las otras mujeres jóvenes, los Yobari y Peter.

Tomi tenía una mano escondida detrás de la espalda y, por su pose, supe que llevaba el arma. Miraba a Peter con un odio descarado.

—¿Os importaría callaros un segundo? —gritó Adam—. Dylan ha hecho una propuesta justa. Votemos. O salimos todos a por comida y vamos más veces, o salimos menos y algunas personas no van.

—Algunos cobardes se aprovechan de los demás, querrás decir —le espetó Tomi.

—¿Qué has dicho? —graznó Peter, adelantándose.

—Lo que has oído.

—¿Dónde estabas tú cuando salimos a cazar ciervos con ese frío?

—¡Callaos! ¡Los dos! —dijo Dylan, interponiéndose entre ambos y tomando la palabra.

Sin darme cuenta, yo también me había acercado un paso con respecto a Tomi y sentí de pronto que todos los demás en la sala lo habían visto. No tengo ni idea de por qué lo hice. Estaba claro que Tomi no necesitaba mi ayuda en una pelea. Era en momentos como ese que se ponía de manifiesto cómo se apoderaba de nosotros el instinto animal, cómo los grupos habían caído en enfrentamientos tribales por asegurar los recursos y el territorio.

—Vamos a votarlo —dijo Dylan—. Si queréis batiros en duelo, hacedlo en vuestro tiempo libre y lejos de aquí. Pero no olvidéis que, si alguno de vosotros ataca a otro a sangre fría, se hará justicia. Eso ya lo hemos visto hoy.

Asentí con la cabeza.

—Venga, chicos, tiene razón. Hagamos esto de forma justa.

—Hay que incluir a Tania —dijo Peter—. Para que sea justo de verdad.

—Vamos, que te quieres morir de una infección. —Rio Tomi—. Nada que objetar, si se trata de ti.

Tania intervino antes de que lo hiciera Peter.

—Mirad, yo he ofrecido una formación médica básica a algunos. A lo mejor, antes de la próxima incursión, puedo reunir a unos cuantos y darles clase unas semanas. De ese modo, si muero, no significará que...

—... se acabó el juego para todos —terminó la frase Tomi—. A diferencia de si muriera alguien que, por casualidad, tuvo descendencia.

—¡Lo pillamos! —le espeté yo al ver que Yuka parecía dispuesta a entrar de nuevo en la discusión—. Tania, eso sería genial. Si empezáramos a hacer eso y todo el mundo entrara en los turnos, ¿estaríais todos contentos?

Se miraron unos a otros.

—Igual contentos, no —dijo Dylan—, pero ¿os parecería justo? Algunos asintieron con la cabeza.

Tomi miró a Peter como diciendo: «¿Y bien?», y después lo hizo Dylan.

—Sería justo —dijo por fin, tras soltar un suspiro—. Si participamos todos.

—¿Os parece bien entonces? —preguntó Dylan, mirando alrededor.

Nadie dijo nada.

—Vale. Primera opción: hacemos más incursiones a por comida y volvemos a las raciones normales a condición de que se cree un turno rotatorio que incluya a todo el mundo. Los que estéis a favor, levantad la mano. —Todo el lado izquierdo de la estancia levantó la mano. De hecho, los únicos que no lo hicimos fuimos Adam, Tomi y yo—. Ahí lo tenéis —añadió Dylan—: La democracia en acción, ¿no os parece precioso?

Luego salió del bar.

Día 66 (4)

Me paseé nervioso por el vestíbulo el resto de la tarde. No podía marcharme por si Rob volvía. Solo hice un descanso para correr por el hotel, subiendo y bajando escaleras, con el fin de mantenerme mínimamente en forma y poder desconectar. Me tropecé un par de veces con Dylan y un grupito de empleados que estaban comprobando si había algún intruso en las tres primeras plantas.

Cuando bajaba, pasé por la habitación de Tomi y llamé a la puerta.

—¿Sí?

—Soy yo.

Oí el ruido metálico de la cerradura, el estrépito del pestillo y luego se abrió la puerta.

—¿Qué pasa?

Me pareció que se estaba echando una siesta. Tenía el pelo revuelto y los ojos algo irritados y entornados. Me sorprendió lo guapa que estaba sin arreglar.

—Aún no ha vuelto Rob.

—No sabía que se hubiera marchado.

Miré de reojo al pasillo para asegurarme de que nadie me oía.

—Ha venido con nosotros al bosque cuando hemos ido a enterrar a Nicholas. Tenía la intención de buscar el pájaro que yo había oído. Aún no ha vuelto.

—Habrá perdido la noción del tiempo. Además, está haciendo algo divertido...

—No. —Escudriñé de nuevo el pasillo—. El cadáver ha desaparecido. No lo hemos enterrado.

—¿A qué te refieres con que ha desaparecido?

—¡Pues a que ha desaparecido! Van Schaik ya no estaba donde lo dejamos. Alguien o algo se ha llevado el cuerpo.

Hizo una mueca.

—No sé mucho de la fauna de la zona, pero... ¿lobos?

—No hay lobos por aquí, ni osos. Dylan está convencido.

—¿Quién más lo sabe? —me dijo, acercándose.

—Solo Dylan, Adam y yo.

Me agarró del brazo, me metió dentro y echó el pestillo.

—Entonces, ¿de verdad pensáis que hay alguien rondando el hotel?

—Tiene que haberlo, no puede ser otra cosa.

—Mierda.

—Ya.

—Y si son personas, la única razón por la que podrían llevarse un cadáver es...

—Lo sé, no quiero ni pensarlo.

Sentada en el borde de la cama, se frotó la cara para despejarse.

—¿Cuánto hace que ha desaparecido?

—Unas cuatro horas.

Miró por encima del hombro a la ventana. Estaba anocheciendo.

—¿Qué ha propuesto Dylan?

—Ha dicho que había que asegurarse de que no hubiera nadie en el hotel antes de enviar una partida de búsqueda.

—Puede que, para entonces, sea demasiado tarde.

—Eso pienso yo.

Sonrió.

—Has acudido a mí porque soy la única persona, aparte de ti, que tiene agallas.

—En resumen, sí. Puede. —Le devolví la sonrisa, nervioso—.

Ya sé que esto no arregla lo nuestro. Es que no me parece bien dejarlo ahí fuera sin que sepa que corre peligro.

—Bueno, ha llegado la hora y todo eso. —Se levantó—. Sabes manejar una pistola, ¿no?

—Creo que, llegado el momento, hasta podría acertar a un blanco mientras no... se mueva.

—Guay. Aquí tienes la que les robé a tus amigos del hipermercado. —Abrió un cajón y me dio la pistola con la que Jessie me había apuntado la semana anterior. La cogí. Siempre se me olvida lo mucho que pesan—. ¿Quieres decirle a Dylan que nos vamos? —me preguntó.

—No creo que nos dejara marcharnos.

—Lo inteligente sería contárselo a alguien.

—Pues a Adam. ¿Nos llevamos algo más? —dije, echando un vistazo alrededor.

Me miró de una forma que me hizo sentir diez centímetros más alto.

—Cuchillos, claro.

Adam quería venir con nosotros, pero Tomi se negó. Tenía que quedarse en el hotel alguien que supiera dónde estábamos, y debía ser una persona que fuera consciente de la gravedad de la situación. Accedió de mala gana, pero nos dijo que solo nos daba dos horas y que luego mandaría a Dylan a buscarnos.

—Si en dos horas no hemos vuelto, ten por seguro que ya no regresamos —le replicó Tomi, y me dieron náuseas.

Salimos del hotel justo cuando el sol desaparecía detrás de los árboles. Yo llevaba una mochila extra con munición y una botella de agua. Por el cinturón me había metido un cuchillo. Tomi había cogido cinta de pintor, un rollo de alambre y una linterna, aparte de cuchillos y más munición.

Nos va a sobrevivir a todos, ahora lo tengo claro. Tiene asumida la situación de una forma en que el resto aún no lo hemos hecho. Nosotros nos vamos adaptando a trompicones a este nuevo mundo recién impuesto; Tomi ya lo ha hecho suyo. Al salir a esa hora, nuestros pasos en la hojarasca se oían en mayor medida. Cuanto más sigiloso intentaba ser, mayor ruido hacía.

—Confío en que aún haya comida suficiente en la ciudad como para que nadie recurra a esto —le susurré.

—No sabemos cuánto acapararía la gente —me respondió ella—. Piénsalo bien. Justo después de una cosa así, todo el mundo va corriendo a la tienda más cercana y se lleva lo que puede. A los que no tuvieran dónde refugiarse o no quisieran verse atrapados en una ciudad, no les iba a quedar mucho que llevarse.

—¿Crees que eso es lo que nos va a pasar a nosotros?

—Creo que Dylan está intentando mantener la moral alta, y es lógico, pero no, no creo que quede mucha comida por ahí. Tarde o temprano tendremos que empezar a saquear a otros y mudarnos a otro sitio.

Me detuve en seco. La idea de marcharme del hotel me alteró muchísimo. Para bien o para mal, nos había mantenido a salvo. Comparados con el resto del mundo, habíamos salido bastante bien parados de todo esto. Tenemos habitaciones y recursos e incluso algunos lujos. Ahora es nuestro hogar.

Tomi me vio la cara y se detuvo.

—Yo tampoco me quiero ir.

—¿Tú crees que el grupo se mantendrá unido?

—Igual no. Algunos no van a querer seguir a Dylan. Claro que cuantos más, mejor; y la gente se aferra a lo conocido. ¿Por qué crees que tú y yo nos llevamos bien?

—¿Por qué?

—Yo soy la única estadounidense, aparte de ti. ¿En serio crees que habríamos sido amigos si no fuera por eso?

Reanudé la marcha, espoleado por la perplejidad.

—Supongo que no.

—Es curioso las cosas que uno descubre de sí mismo cuando todo se va al carajo.

—Supongo.

Me miró.

—Antes de esto, ¿sabías que eras valiente?

—Una vez un policía me dio un puñetazo. El poli estaba gritando a mi mujer en una de esas manifestaciones. Pero no, nunca he tenido que hacer nada... heroico. Jamás me he tirado a un lago helado ni cosas por el estilo.

—Todavía estás a tiempo.

Giré a la derecha para alejarnos del claro donde habíamos dejado a Van Schaik.

—Creo que Rob se fue por aquí. No le estaba haciendo mucho caso.

—¿Te dijo adónde pensaba ir?

—No. Mencionó el lago una vez, cuando me hablaba de los pájaros que había venido a fotografiar en esta zona. Creo que es en esta dirección. Parece mentira que ni siquiera me haya acercado a verlo aún.

—Yo no le daría muchas vueltas. Tampoco es que hayamos estado de vacaciones.

No hacía viento, conque la hojarasca crujía más fuerte bajo nuestros pies. Iba con las manos por delante, apartando las ramas y ramitas del camino.

—No deberíamos quedarnos por aquí si se hace demasiado de noche —le dije.

—Así les costaría más vernos —replicó ella.

—Ya, pero podríamos dispararle a Rob.

Me pareció oír movimiento a lo lejos y me detuve para ver si volvía a oírlo. Tomi se detuvo también. Instintivamente, nos situamos espalda contra espalda, y ese contacto físico consiguió que me tranquilizara.

—¿Cómo es que todo esto te afecta tan poco? —le pregunté en voz baja.

—¿Qué te hace pensar que me afecta poco? —Noté que se encogía de hombros, pegada a mis omóplatos—. Lo cierto es que, de todas formas, tampoco me gustaba tanto la gente o... la sociedad. Me gustaba aprender y disfrutaba haciendo cosas. Con la gente, no demasiado.

—¿No tenías novio ni...?

—No. No me van las relaciones largas.

—Me sorprende.

—¿Por qué? ¿Porque estoy buena?

—No, porque... Me sorprende, nada más.

—Nunca he sentido la necesidad de forjar una de esas relaciones románticas. Igual soy antirromántica, no sé. Nunca he mirado a alguien y he pensado: «Quiero mantener una relación contigo», pero sí he mirado a alguien y me he dicho: «Quiero follarte, pero luego quiero que te largues».

—¿No te parece que eso suena un poco enfermizo?

Soltó un bufido.

—¿Muy atrevido? Si no es un problema para mí, ¿para quién va a serlo?

—Cierto. Pero tú misma me acabas de decir que esa actitud podría ser una de las razones por las que llevas bien todo esto, lo de matar a gente y...

—No llevo bien lo de matar a gente... ¡¿Qué dices?!

—¡Chist! —Me agaché un poco y ella hizo lo mismo.

Se oía el murmullo de una leve brisa agitando las hojas, pero no había movimiento que yo pudiera distinguir. El bosque era cada vez más frondoso y dejaba pasar menos luz. Me erguí de nuevo y empecé a caminar porque quería llegar al lago antes de que fuera noche cerrada.

—Eso que has dicho es una mierda.

—No me he expresado bien.

—No soy una sociópata solo porque no me guste mantener relaciones largas. Me sigue preocupando la gente de aquí. Lo que no voy a hacer es malgastar energía llorando por algo que había que hacer porque eran ellos o yo. Y, desde luego, no voy a llorar por un violador.

—Me parece bien. Perdona, sé que no eres mala persona.

—Pues entonces deja de portarte como un capullo. Es evidente que me tomo las relaciones un poco en serio.

—¿A qué te refieres?

—Sigo hablando contigo, ¿no? Sabe Dios por qué.

Caminamos en silencio un rato, sin ver a nadie ni nada. Entonces, de pronto, Tomi se acuclilló.

Miré por encima de mi hombro y vi que había cogido algo del suelo.

—¿Qué? ¿Algo de Rob?

—Es una moneda de cinco francos —dijo.

—A saber cuánto tiempo lleva ahí...

—Ya, es que... —Rio—. Todo el mundo moría por esto, ¿no?

—La miré extrañado mientras le daba la vuelta a la moneda como si nunca hubiera visto una—. ¡Todo el mundo moría por esto!

—repitió, agitándola delante de mí—. ¿No te parece un disparate ahora?

No le he dado tantas vueltas como pensaba a todo lo sucedido. La supervivencia me absorbe demasiado. El resto del tiempo, cuando no estoy sobreviviendo o escribiendo, me distraigo a propósito con otras tareas, como intentar averiguar más cosas sobre la niña del depósito de agua o hacer listas de habilidades prácticas que necesito adquirir. No parece importar por qué ocurrió. No he ahondado mucho en los porqués, solo en los cómos.

Dicho esto, aún tengo la sensación de estar decepcionando a Harriet Luffman. No he avanzado nada en la captura de su asesino. Pero es que siempre vamos justos de tiempo.

—Es como si todos hubiéramos despertado de la misma pesadilla —dijo Tomi, apuntando a los árboles de delante, y tiró la moneda lo más lejos que pudo. La seguí con la mirada y detecté movimiento en el preciso instante en que fui consciente de que el ruido blanco del bosque se había intensificado—. ¡Anda, si el lago está ahí mismo!

Salimos del bosque abriéndonos paso por entre los árboles. El lago era de un azul marino intenso, brillante, y estaba rodeado de hierba medio seca. Tendría unos dos kilómetros de largo, quizá dos y medio, y un recodo hacia la izquierda. No había rastro de Rob. No había rastro de nadie. Me alegré de que hubiéramos conseguido llegar allí antes de que se hiciera completamente de noche. Era una de las cosas más hermosas que había visto en meses, puede que desde que empezara todo aquello. De pronto quería ir allí a diario y correr alrededor de él. En caso de que averiguáramos si era seguro, igual podría hacerlo.

—¿Recorremos el perímetro? ¿Nos da tiempo?

Miró el cielo encapotado, por el que se filtraban unos rayos de sol moribundos que producían un reflejo etéreo en la superficie del lago, el cual, después de iluminarnos un minuto o así, desapareció.

Los árboles de la orilla se estaban volviendo negros.

—Deberíamos irnos —dije yo.

—¿Has visto el sol?

—Sí, a veces consigue colarse por entre las nubes un segundo.

La vi triste, distraída.

—Tienes razón, vámonos. Pronto no veremos nada.

Dimos media vuelta y, según volvíamos a adentrarnos en el bosque, de repente me entró el pánico de pensar que no supiéramos deshacer el camino.

—No nos habremos desviado en algún momento, ¿verdad? —pregunté.

—¡Cállate, pringado, que me estás asustando!

Con la mano izquierda me agarraba del brazo, mientras con la otra sujetaba la pistola. Por suerte, el trayecto de regreso transcurrió sin incidentes y llegamos sanos y salvos al hotel.

Al entrar en el vestíbulo vi a Dylan y a Adam plantados a un lado, esperándonos. Dylan estaba furioso, y antes de que yo pudiera decir nada ya se había acercado, hecho un basilisco, a Tomi y a mí, y me había asestado un puñetazo en el hombro.

—¡Puto imbécil!

—¡Gracias, chivato! —le gritó Tomi a Adam.

—Se había hecho de noche, ¿vale? ¡No sabía si podríais siquiera encontrar el camino de vuelta!

—Había que intentar por lo menos encontrar a Rob —dije, masajeándome el hombro.

—Lo ibais a tener difícil, porque ha vuelto al poco de que os fuerais —dijo Dylan, señalando con el dedo hacia el bar, donde supuse que estaba.

—Mierda, ¿se encuentra bien? —preguntó Tomi.

—Está bien. Pero nosotros, no. Tenemos un problema de cojones.

Dylan, Adam, Rob, Tomi y yo estábamos en el bar. Adam, plantado delante de la puerta para asegurarse de que no nos oyera nadie. Tomi subió a su habitación a por un poco de vodka. Nos tomamos unos vasos cada uno, casi nos terminamos la condenada botella. Llevo borracho las últimas tres horas. Así de fea estaba la cosa.

—Por cierto, ya casi no me queda de esto —dijo Tomi, dando unos golpecitos a la botella.

Rob había vuelto con una serie de fotos, no de aves, sino de personas. A ninguno nos resultaron familiares, pero había unas ocho o nueve figuras. Sus rostros eran difíciles de distinguir, aunque casi todos parecían hombres. Una o dos igual fueran mujeres.

—¿Has visto el cadáver? ¿Has visto... qué han hecho con él? —preguntó Tomi.

—No he podido acercarme tanto como para ver si tenían un cadáver, pero desde luego llevaban algo a cuestas. Podría haber sido un ciervo o... No sé. Los he seguido un rato, pero, como os podéis imaginar, me he mantenido lo más alejado posible.

—¿Hay casas por allí? —preguntó Dylan—. Dudo que duerman a la intemperie con este frío.

—Hay unas casas, a unos diez kilómetros. Todo está a kilómetros de distancia.

—Entonces, nos habrán estado espiando —dijo Tomi—. Sería mucha casualidad que se hubieran topado con nosotros justo el día de hoy, cuando íbamos a dejar un cadáver.

—No sabemos si se han llevado el cadáver —intervino Dylan.

Tomi se encogió de hombros.

—Pero se lo han llevado. Lo que cargaban no era un ciervo. ¿Cuándo fue la última vez que vimos uno?

—Hay un montón —apuntó Adam—. Un montón de personas, digo.

—Pero somos más nosotros —dije yo, agarrando la botella de vodka otra vez—. Seguramente por eso no se hayan puesto en contacto ni nos hayan atacado.

—Esto no podemos contárselo a nadie —nos advirtió Dylan—. Lo digo en serio. Hasta que decidamos qué hacer.

—Eso es una putada —soltó Adam.

Y yo coincidí con él.

—Tania sale a correr todos los días, Yuka va a dar paseos...

—¿Quién es Yuka? —preguntó Tomi.

—La señora Yobari. En cualquier caso, muchos salen a pasear. Tienen que saber lo que hay ahí fuera.

—Pero, si se lo contamos, cundirá el pánico —dijo Dylan, paseando el líquido por el vaso.

—Igual no —replicó Tomi, haciendo un gesto de balanza con ambas manos—. Esta mañana hemos tenido que ejecutar a un tío y la cosa ha ido tan suave como podía haber ido. No ha cundido el pánico, no nos hemos puesto todos en plan *El señor de las moscas*. Podría funcionar.

—Sin embargo, nadie estará bien si se lo ocultamos —añadió Adam en respuesta al comentario de Dylan—. Se cabrearán. Yo me cabrearía.

Dylan inspiró hondo y contuvo la respiración unos segundos.

—Una cosa es que decidamos ciertos asuntos en grupo y otra muy distinta que le contemos a todo el mundo que nos han estado espiando unos hombres que se han llevado el cadáver... Tipos que han empezado a comerse a sus congéneres. O a conservar su carne de algún modo.

—Solo han pasado dos meses —dije yo en voz baja.

Tomi se estremeció.

—Vimos a aquellos que se habían suicidado en el bosque. Está claro que la ciudad es peligrosa. Y si no tuviéramos armas, ya nos habrían matado a tiros en aquella tienda tus propios amigos.

—Conocidos —la corregí.

Ella enarcó las cejas.

—Siempre he sospechado que los profesores universitarios andabais buscando una excusa para pegaros un tiro en la cara unos a otros.

Contuve una carcajada. Estábamos histéricos, por el miedo y el alcohol.

—Y tampoco quedaba comida en la tienda —añadió Dylan—, aparte de lo que tenían ellos.

Se frotó la cara y pidió la botella. Tomi se la pasó.

Dylan parecía cansando. Cansado de tener que tomar decisiones. Cansado de tener que estar al mando. Creo que poco a poco nos estamos cansando todos de representar nuestro papel. Tania empezaba a mostrarse cansada de la lista interminable de dolencias y de la falta de medicamentos y de medios. Tomi estaba harta de mandar callar a voces a los demás cuando se equivocaban. Adam ya había dejado claro que no quería seguir allí. Yo estaba harto de ofrecerme voluntario cuando, en realidad, cada día me resultaba más atractiva la sola idea de rendirme.

No es que busque que me compadezcan, ninguno de nosotros lo busca, pero a Dylan lo notaba agotado.

—Ahora vuelvo —dije, poniéndome de pie.

—¿Adónde vas? —preguntó Tomi.

Adam me miró con los ojos entornados, irritados por el alcohol.

—No irás a hacer ninguna tontería, ¿verdad?

—No —contesté—. Necesito un momento.

Salí del vestíbulo y subí a mi habitación, donde escribí esto y pensé durante un rato, sobre todo en el estado del hotel, pero también en si merecía la pena seguir adelante. ¿Qué buscábamos a estas alturas? Siempre nos había propulsado la falsa sensación de progreso, de avance hacia un ideal utópico, viniera de la religión o de la democracia. Pero todo eso se había esfumado ya. Los mismos propulsores habían reventado por los aires.

Sentado en la cama, rodeado de papeles, ninguno parece importar. Estoy anotando esto porque es lo único que se me ocurre hacer, porque en eso consistía mi trabajo. Pero no vale para nada. Dudo mucho que alguien lo llegue a leer.

Todo sería más fácil si Nadia estuviera aquí. Si las bombas hubieran estallado cuando yo me hallaba en San Francisco y, por algún milagro, hubiéramos sobrevivido, nos habríamos apoyado el uno en el otro, en nuestras hijas.

Qué hipótesis tan absurda...

Supongo que lo que intento decir es que no sé por qué cualesquiera de nosotros seguimos aquí. No sé qué estoy haciendo y no sé si quiero hacerlo.

No sé qué estoy haciendo.

Me he quedado en mi habitación un rato. Cuando he vuelto a bajar, aún estaban ahí, exactamente tal como los había dejado, solo que llevaban puestos los abrigos. Era evidente que habían seguido bebiendo. Al entrar en la sala he visto que Tomi y Rob se reían de algo. Nathan se había unido al grupo en algún momento, y Dylan, Adam y él hablaban animadamente.

—Tengo una idea —he dicho, a nadie en particular.

Tomi ha dejado de reír de golpe.

—Eh, ¿dónde te habías metido?

—He estado pensando. —He mirado a Nathan, pero Dylan me ha hecho un gesto para que continuara, así que he supuesto que ya lo habían puesto al día—. Deberíamos irnos.

—Estás grillado, colega —ha dicho Adam.

—Va a ser que no... —me ha espetado Tomi.

—Eso es suicida —ha terciado Nathan.

—¿Por qué? —ha preguntado Dylan.

Me he sentado, sin saber cómo proceder.

—Veamos, respecto de ese grupo, no sabemos cuántos son en total, pero sí que son los suficientes para enviar una partida de caza de nueve hombres. Ese es el número de personas que se pueden permitir perder. Resulta preocupante.

—Salvo que lo hagan todo juntos y solo sean ocho o nueve... —ha intervenido Tomi.

—Puede. Pero parece improbable.

—Yo he tenido que dejar de seguirlos cuando ha empezado a oscurecer —ha dicho Rob—, pero seguían avanzando cuando me he ido.

He asentido con la cabeza.

—Si nos han estado espiando durante un tiempo, y parece que ha sido así, sabrán cuántos somos y que, sobre todo, hay mujeres y niños. No quiero parecer pesimista, pero si un grupo de hombres decide atacarnos, lo vamos a tener muy crudo.

—Pero seguramente no tengan armas —ha dicho Tomi, más a la sala que a mí—. Si las tuvieran, ya las habrían usado. Así que, o carecen de ellas o las han tenido pero se han quedado sin munición.

—Y eso les da otro motivo para espiarnos. Quieren algo que tenemos —ha dicho Dylan, agitando la botella vacía.

—En cualquier caso, no creo que podamos permitirnos un enfrentamiento. Dudo que ganáramos.

—¿Por qué? ¿Demasiadas mujeres? —me ha replicado Tomi irritada.

—No, Tomi, porque no somos... Aunque sepamos disparar, no todos somos luchadores.

—Y aunque algunos de nosotros podamos pelear, yo no quiero —ha dicho Dylan.

—¿En serio estás de su parte? —le ha preguntado Adam señalándome—. ¿En serio piensas que tenemos alguna posibilidad ahí fuera?

—Estaba claro que íbamos a llegar a esto —le ha replicado él—. Jon tiene razón. O nos arriesgamos a morir ahí fuera, uno a uno, buscando comida; o morimos todos buscando comida, con lo que los que se queden aquí morirían de hambre también; o bien intentamos movernos en grupo y buscar un sitio más seguro.

—Por ahora esto ha sido bastante seguro —ha terciado Nathan, agarrándose a los brazos del sillón.

—Puede que aún haya algún sitio medio civilizado —ha dicho Rob—. Puede que exista alguna ciudad que no haya caído o, por lo menos, pequeñas poblaciones dispersas por ahí donde nos acojan.

—¡Qué disparate! —ha soltado Tomi—. Hace muchísimo frío ya y la cosa va a empeorar. Además, ¿cuánto tiempo vamos a poder aguantar a pie?

—Tenemos coches —he dicho yo.

—Sí, pero solo tres. No es bastante para todos, más las maletas y la comida.

Silencio.

Dylan ha alargado la mano hacia el lateral de su sillón para coger otra botella (no tengo ni idea de dónde la ha sacado, pero no procedía del alijo de Tomi), se ha rellenado el vaso y luego me ha rellenado el mío.

—Podríamos mandar a dos o tres personas de avanzadilla en un coche, buscar un sitio, explorar el terreno en condiciones, entrar en la ciudad, ir lo más lejos que se pueda. Si encontramos algo, volvemos y nos mudamos todos —ha dicho Dylan.

—¿Si encontramos algo...? —ha apostillado Tomi—. Eso es mucho suponer.

—Pero sobrevivir ha sido siempre una gran suposición —ha dicho Rob con un desenfado sorprendente.

Tomi le ha robado la botella a Dylan, negando con la cabeza.

—No me lo puedo creer. Estáis todos locos.

—La gente tiene que estar viviendo en algún lado —ha dicho Dylan mientras ella bebía un poco más—. El ejército debe haber sobrevivido en alguna parte. El Gobierno podría estar aún operativo. Para nosotros es fácil olvidarlo porque aquí nos quedamos sin internet enseguida, pero Jon, tú dijiste que incluso había estudiantes vivos en sus casas.

—Bueno, igual eso sí merezca la pena hacerlo —ha dicho Tomi—. Hay que volver a donde haya cobertura móvil. Conseguir conectarnos el tiempo suficiente para que podamos, al menos, encontrar algo. Si la civilización ha sobrevivido en alguna parte, es probable que esté conectada a internet.

Me he reído sin querer. Rob también.

—¿Tú viste cómo estaba internet los últimos días? —ha preguntado Rob, sonriendo.

—Ya sabes a lo que me refiero. —Me ha mirado ceñuda—. ¿No entraste en ninguna página web la última vez que te conectaste?

—Sí... Facebook, Twitter, todo. Pero yo... yo solo buscaba mensajes.

—¿No leíste nada nuevo?

Me he sentido imbécil.

—No. ¿Y tú?

Se ha revuelto en el asiento.

—No. No miré nada.

Costaba creer que, de algún modo, estuviéramos tan cómodos allí que, ante la posibilidad de observar el estado del mundo exterior, muchos de nosotros habíamos decidido no hacerlo, o simplemente se nos había olvidado. En nuestra defensa, cabe decir que habíamos estado más centrados en la comida y la supervivencia, pero nuestra indiferencia hacia internet, después de haber vivido sin él un par de meses, resultaba asombrosa.

—¿Ninguno de los que tenéis móviles operativos echó un vistazo a las putas noticias? —ha dicho Adam, pasmado.

Nos hemos mirado unos a otros y casi todos nos hemos echado a reír de nuevo.

—Vale, pues eso es lo siguiente que vamos a hacer. Al menos, eso es obvio —ha dicho Tomi—. A ver si el SIP sigue operativo.

—¿El SIP? —ha preguntado Dylan.

—El Servicio de Información Pública. Cualquier aviso del Gobierno o simplemente de...

—Un adulto —ha dicho Nathan con tristeza.

—¿Quién quiere ir? —ha preguntado Dylan. —Silencio—. Vale, una pregunta más fácil: ¿quién puede ir? ¿Quién tiene móvil?

Nathan y Tomi han levantado la mano. Adam ha negado con la cabeza, mascullando algo de que la batería se le había muerto hacía tiempo.

—Tomi, tú puedes quedarte al frente del hotel. Creo que deberíamos ir Adam, Nathan y yo —ha dicho Dylan—. Adam, si damos la luz un rato, lo puedes cargar. Tomi, te quedas aquí y defiendes el fuerte. Creo que deberíamos ir Adam, Nathan y yo.

Pero Tomi se ha negado.

—Yo voy. Jon y Peter saben disparar.

—¿Insinúas que yo no puedo quedarme aquí y defender a los demás? —ha dicho Nathan, fingiéndose ofendido.

—Con el debido respeto... —ha respondido Dylan mirándolo, pero no ha terminado la frase.

Nos hemos reído todos.

—¡Un momento! —he interrumpido, incapaz de digerir la idea de que fuesen de expedición sin mí—. Si vais a volver a la tienda, yo quiero ir a por otro móvil.

—No merece la pena que te pongas en peligro por un móvil nuevo —ha dicho Dylan, nervioso—. Es preferible que te quedes aquí. Te podemos traer lo que quieras si nos lo das por escrito. Saldremos mañana por la mañana, en cuanto amanezca.

No soportaba la idea. Me ha sorprendido lo mucho que me fastidiaba. Me han dado ganas de estampar el vaso contra algún sitio, pero no he sido capaz de malgastar así el alcohol. En su lugar, he inspirado hondo, he dado un trago y he dicho:

—Vale, si piensas que es lo mejor...

—Te encontraremos uno, no te preocupes —me ha dicho

Nathan—. Con una bonita funda de color rosa oro, o igual una de Bob Esponja.

—No te convence quedarte aquí, ¿no? —ha dicho Dylan sonriendo.

Pues no.

Pero ahí ha terminado la conversación.

De vuelta a mi habitación, Tomi se ha acercado a mí y me ha dicho:

—¿Me puedo quedar contigo esta noche?

—¿Estás segura de que quieres?

—Bueno, no quiero hablar.

No estaba convencido de que fuera buena idea, pero le he dicho que sí.

Esa noche dormí profundamente, solo me despertó una vez Tomi, que vomitaba en el baño agarrándose el vientre con fuerza. Le brillaba la piel, casi traslúcida, y temblaba con violencia.

He parpadeado para despejarme, me he sentado en el suelo a su lado y le he apartado el pelo de la cara.

—Solo es la resaca —le he dicho—. Yo tampoco me encuentro muy bien.

Por primera vez desde que la conozco, me ha mirado con miedo y me ha dicho:

—¿Y si se trata de una infección?

—No lo es —le he dicho, sin tener datos reales—. Será algo estomacal.

—Ahora mismo, cualquier virus estomacal nos puede matar —ha replicado.

Hemos ido a ver a Tania, que le ha dicho muy seria que ya no iba a poder salir con la expedición.

Día 67

Ahora que Dylan se ha ido, nos hemos quedado sin timonel. Esta mañana todos hemos seguido con nuestras rutinas como si nada hubiera cambiado, pero había sitios vacíos. El de Dylan mismo, cuando pasa lista mientras desayunamos. El de detrás de la barra, donde Nathan se esconde para escuchar en paz su música. Los que tengo a ambos lados, donde se sientan Adam y Nathan a comer, fumar y charlar, porque son parte de mi grupo. Y porque son amigos.

Ha pasado el tiempo y, a medida que corrían las horas, mi respiración se ha ido haciendo más inquieta, ha empezado a invadirme el miedo y me he marchado a mi habitación, mientras pensaba para mis adentros: «¿Y si no vuelven?». Me he sentado al escritorio, junto a la ventana, y he esperado a que dejaran de temblarme las manos, pero no ha ocurrido, porque Dylan era nuestro pilar y, si no volvía, yo no sabía qué íbamos a hacer ni qué repercusiones mayores y más terribles podría acarrear su ausencia.

He bajado y he llamado a la puerta de Tania para ver cómo estaba Tomi.

—¿Sí?

He abierto y he preguntado en voz baja:

—¿Puedo pasar?

Tania me ha mirado desde la cama, donde estaba sentada al lado de Tomi.

—Ah, pensaba que era alguien que quería pedir cita. Tengo que asegurarme de que esta señora no se deshidrata.

Tomi estaba dormida.

—¿Se va a poner bien? —he preguntado.

—Tranquilo, tu novia se repondrá.

Me he parado cuando estaba a punto de sentarme.

—No lo he dicho por eso.

Ha sonreído.

—Ya lo sé, te estaba vacilando. Estoy cansada.

—¿Crees que...?

—¿Qué?

—¿Crees que podría ser... que no estuviera enferma?

—No está embarazada, si te refieres a eso —me ha dicho con una sonrisa pícara.

—¡Dios! —Me ha dejado descolocado un segundo—. No... no lo está, ¿verdad?

—No son náuseas matinales. Son náuseas.

—Pero no crees que esto se lo haya hecho nadie, ¿verdad?

—No. —Me ha mirado con recelo—. No me lo parece.

Los dos estábamos tensos y, después de que me sentara, ha esperado casi un minuto entero para preguntarme:

—¿Han vuelto ya? —He negado con la cabeza—. A lo mejor, deberías convocar una reunión para hablar de lo que vamos a hacer. En caso de que no regresen.

He tragado saliva.

—¿Por qué yo?

—Pues porque eres... —Ha buscado una palabra—. ¿Sensato? Seguramente todos van a querer que tomes el mando tú antes que Peter o Yobari. Peter no es accesible, y no me imagino a nadie más implicándose, claro que tampoco me extraña.

—Igual te proponen a ti.

—No me interesa mandar, gracias.

—¡A mí tampoco!

Me ha mirado sorprendida.

—Tú ya mandas. No hagas como que no te has dado cuenta. No te ofreces voluntario para todo solo por resultar útil.

—No, lo hago por estar ocupado. ¿Qué hago si no? ¿Sentarme a... pensar?

Se ha encogido de hombros.

—Vale.

Tomi ha hecho una mueca en sueños y se ha vuelto de lado, dándome la espalda. Instintivamente, he ido a recolocarle el pelo, que se le había quedado atrapado en la almohada, pero me he dado cuenta de que Tania me observaba, me he quedado a medio camino, con la mano suspendida en el aire, y para disimular he empezado a toquetearme los puños de la camisa.

—¿En qué intentas no pensar? —me ha preguntado—. ¿En caníbales?

—En mi mujer y en mis hijas, sobre todo —he dicho a trompicones, como si las palabras me aporrearan la garganta.

—No es culpa tuya que estuvieras en el congreso —me ha dicho.

—Sí fue culpa mía —le he respondido. Me ha mirado sin juzgarme y no me lo merecía. Tenía que aclarárselo—. ¿Sabes?, Nadia y yo no nos despedimos de buenas maneras —le he espetado—. No era un buen marido para ella porque viajaba mucho y trabajaba mucho y ella estaba harta de tener que cuidar de las niñas sola. Yo no quería que las cosas fueran así. Como si eso me exculpara... Pero ya nunca había sexo porque los dos estábamos demasiado cansados a todas horas, y di por sentado que ella debía de haberlo encontrado en otra parte o se habría vuelto loca. Nunca encontré pruebas. Nunca observé nada que me hiciera pensar que tenía una aventura. Di por sentado que la tenía porque a mí me costaba una barbaridad serle fiel, una puta barbaridad. Perdona, de veras que lo siento, no sé por qué te estoy contando todo esto. No se lo he contado a nadie. ¿Quién iba a querer saberlo? Es aburrido. Resulta tan predecible...

—¿Cuánto tiempo llevabais casados? —me ha preguntado, totalmente impasible pero sin duda asqueada, tan asqueada como yo.

—Once años. No es que hubiera dejado de parecerme atractiva; al contrario, la veía cada vez más guapa. Lo que pasa es que ella... No, no fue por ella; fue por mí. Después de tener a Marion, a veces me sentía como su compañero de piso. Ella seguía atrayéndome, pero tenía la sensación de que yo a ella, no. O a lo mejor dejó de darle importancia a esa parte de su vida cuando tuvo dos niñas a las que cuidar. —He reculado—. No, sé que eso es prepotente por mi parte. Igual fue cosa mía.

—¿Alguna vez lo hablaste con ella?

—Siempre terminaba mal. Me dijo que se le pasaría, que estaba pasando por una época en que la sola idea de que alguien la tocara la ponía enferma, así que dejé de preguntarle. Perdona que te cuente todo esto, de verdad.

Tania ha alargado la mano para tocarle la frente a Tomi.

—Soy médico, estoy acostumbrada. Eso es demasiado para que intentes no pensar en ello. —Me ha parecido que, debajo de su indiferencia, se ocultaba algo. Me ha mirado—. ¿Estás esperando a que te diga si eres mala persona o no por no estar felizmente casado?

Tenía la cabeza apoyada en una mano, con el codo clavado en el brazo del sillón y estaba recostado de lado. El monólogo me había dejado mal cuerpo.

—¿Eso crees?

Ha reído.

—No voy a caer en la trampa.

Me he dicho: «Va a empezar a pasar de ti. Si alguna vez has tenido una oportunidad, después de esto, se acabó». Me he sentado derecho, he cruzado los brazos y he apartado de mi cabeza esos pensamientos porque eran irrelevantes y sabía que no debía pensar en esas cosas.

De pronto, he caído en la cuenta. No sé por qué he tardado tanto en verlo, pero de repente se me ha ocurrido.

—¿Estáis...? —he dicho.

—¿Qué?

—Dylan y tú.

Se ha puesto tensa, ha echado los hombros hacia atrás y se ha recostado en el asiento, apartándose de mí.

Ni se me había ocurrido.

Tomi se ha vuelto otra vez hacia el espacio que quedaba entre ambos.

Me fui al poco rato y me dormí después de estar tumbado en la cama durante dos horas, tratando de controlar mi respiración.

«Ayúdame».

Me he despertado y he oído la voz pegada a mi oído.

—¿Quién anda ahí? ¿Quién anda ahí? —He buscado a tientas el cuchillo que siempre tengo bajo la almohada y me he levantado de la cama dando tumbos—. ¡Te estoy oyendo!

La habitación estaba en penumbra (era la última hora de la tarde), pero no completamente a oscuras. No había nadie allí.

Me corría el sudor por la nuca y tenía de punta el vello de los brazos. Estaba convencido de que había oído algo. Había sonado tan nítido... No como en un sueño intenso, sino como lo haría una voz humana, la voz de una niña. No le había hecho falta gritar, estaba demasiado cerca para eso.

«Ayúdame».

He soltado el cuchillo, pues me sentía estúpido por haberlo blandido. No podía dejar de temblar y me sentía febril. Como siempre, me ha preocupado que pudiera estar afectándome la radiactividad, aunque más bien se trataba de otro ataque de pánico. No creo que pueda superar otra ronda de pérdidas. No puedo perder mi vida, mi familia, el mundo y, ahora, perder a las únicas personas que había encontrado capaces de hacerme sentir como un ser humano.

Además, aún no he averiguado qué fue lo que le ocurrió a Harriet Luffman.

Por un momento, he pensado que me iba a echar a llorar, pero he conseguido serenarme y he bajado al vestíbulo sin jersey ni abrigo. Pensaba coger un puñado de hielo de los congeladores para refrescarme.

Los pasillos estaban en silencio, al igual que el vestíbulo. Me he quedado plantado allí un instante y he observado la entrada. Habíamos empezado a cerrar con llave las puertas principales durante las noches para que la gente no se sintiera tan libre de entrar y salir como antes. Hasta ahora, nos daba más miedo el medio ambiente que las personas, pero la lluvia radiactiva no iba a colarse en el hotel, cortarnos el cuello y robarnos las provisiones por la noche.

Me he metido en el comedor y he visto a Mia sentada a una de las mesas, fumando. Mi mesa, de hecho, es la que está al lado de la ventana. Me ha saludado con la cabeza cuando he entrado, pero no me ha dado conversación.

Casi había llegado a las cocinas cuando me he detenido.

—Mia, ¿te importa que te pregunte una cosa?

—Perdona, pero no me apetece hablar de ello, si no tienes inconveniente.

He titubeado

—¿Cómo dices?

—Sé que estás escribiendo historias en tu diario, pero, si no es molestia, prefiero no hablar de lo que pasó con Nicholas.

—No es un diario, es una... —He puesto cara de fastidio—. Da igual. Quería preguntarte si sabes dónde está la *suite* real. Tú trabajabas en recepción. He pensado que lo sabrías.

Ha apagado el cigarrillo en el cenicero y ha suspirado.

—¿Aún estás obsesionado con la conversación que mantuvieron Dylan y Sophia?

—No, he oído decir que hay una *suite* real y quería saber dónde está. —Me he acercado y me he inclinado sobre el respaldo de la silla que Mia tenía enfrente—. ¿Por qué todo el mundo lo oculta? ¿Hay más vodka escondido allí o algo así?

—No te hagas el idiota.

—Maldita sea, Mia. —He apartado la silla y la he volcado con un estrépito que la ha sobresaltado—. ¡Dime qué es!

—¡Es una habitación, una habitación grande! —Se ha puesto de pie, temblando—. ¡No es una *suite* real, no tenemos de eso!

—Entonces, ¿por qué aparece una en el libro de reservas?

—¡Porque es una broma! —Se le han escapado unas lágrimas y me he dado cuenta de que me tenía miedo—. Si venía alguno de los propietarios, le reservábamos una habitación y la llamábamos *suite* real. ¡Solo es más grande, nada más!

—¿Y por qué iban a darle a alguien el número de teléfono de esa habitación?

—¿A qué te refieres?

—¿Por qué iban a darle a un huésped el número de esa habitación?

—No lo sé —me ha dicho angustiada, negando con la cabeza—. No lo sé. A veces, si algún cliente no estaba satisfecho con su estancia, se le invitaba a volver y pagaba la casa. Baloche les daba su número para que pudieran llamarlo si había algún problema. A lo mejor es por eso.

—¿Quieres decir —le he preguntado vacilante, sintiéndome increíblemente estúpido— que se le daría ese número a un invitado en caso de que tuviera alguna queja en relación con el servicio de atención al cliente?

—¡Sí! —ha contestado, asintiendo con la cabeza—. ¡Solo se me ocurre eso! ¿Puedo irme ya?

—Yo... —He retrocedido, con las manos en alto—. Perdona, claro que puedes irte. Te podías haber ido en cualquier momento.

Ha pasado por mi lado rozándome y yo he estudiado mi reflejo en el cristal de la ventana y me he preguntado si me estaría volviendo loco.

—¿Qué habitación es? —le he gritado antes de que saliera del comedor.

Se ha parado y me ha mirado como si yo fuera basura. Me ha

parecido que se estaba conteniendo mucho para no venir a asestarme un bofetón. Se me ha ocurrido pensar que, si no lo hacía, probablemente fuera por miedo, aunque me lo había buscado.

—La novecientos nueve, gilipollas. —Casi me ha escupido las palabras, luego ha salido airada.

No me apetecía subir a las últimas plantas y registrar una habitación a oscuras con una caja de cerillas, así que lo he pospuesto. La habitación no se iba a mover de ahí, y no podía encarar la idea de volver a toparme con Mia.

Día 68

Ha pasado una noche y aún no han vuelto. Seguimos sin timonel. Apenas he pegado ojo porque me preocupaba despertarme y volver a oír voces en la oscuridad, así que me he quedado dormido cuando empezaba a amanecer y me he despertado a mediodía.

Estaba harto de que me paralizara la indecisión, así que hace unas horas he llamado a algunas puertas y he convocado una reunión de grupo en el bar.

Han acudido todos. Estaban asustados, y cansados de estar asustados. Cada uno de ellos ha echado un vistazo a los sitios de Dylan, Nathan y Adam, y ha visto que no estaban allí. Todos me han mirado para decirme algo y yo he pensado en lo mucho que había admirado a Dylan por estar ahí al frente, una y otra vez, cargando sobre sus hombros el peso de la expectación sin mostrar miedo alguno.

—Quería hablar con vosotros porque los chicos aún no han vuelto. Como sabéis, han ido a buscar acceso a internet. Pensaba que solo se alejarían lo necesario para encontrar cobertura, que como mucho volverían a la tienda. Quería que supierais todos que aún no han vuelto y que deberíamos hablar de lo que vamos a hacer si... en caso de que no vuelvan.

—¿No deberíamos ir a buscarlos? —ha preguntado Rob.

—¿Y perder a más miembros del grupo? —le ha replicado Sophia—. Ya se han ido tres hombres. No quiero perder a ninguno más, y menos aún a los que saben disparar.

—¿Dónde está Tomi? —ha preguntado Peter.

—Está enferma —he contestado yo.

—¿Se va a morir?

—No lo creemos.

Ha asentido con la cabeza. No me ha quedado claro si se sentía satisfecho o decepcionado. En ese momento, no he podido evitar pensar que, a lo mejor, la enfermedad de Tomi no se debía a causas naturales. Quizás alguno de los presentes había intentado quitarla de en medio. Mis principales sospechosos serían Peter o Sophia. A Mia tampoco le caía bien Tomi, y con Sasha aún no lo tenía claro.

Lauren ha levantado la mano y le he cedido la palabra.

—¿Deberíamos elegir a un nuevo líder? —ha preguntado.

—Al anterior no lo elegimos. Dylan se puso al mando por voluntad propia.

—Bueno..., igual ahora sí deberíamos hacerlo. —Me ha vuelto a mirar.

El ambiente estaba tenso y me fastidiaba sentirme el centro de todo. He mirado de reojo a Tania, que estaba apoyada en la pared del fondo. Al principio, me ha evitado la mirada, pero luego ha cruzado los brazos y se ha acercado.

—¿Alguien más está interesado en ponerse al mando? —Nervioso, Peter ha desplazado el peso de una cadera a otra y ha explorado la estancia, pero Tania lo ha derrotado lanzando otra pregunta—. ¿Hay alguien aquí que no votaría a Jon?

Se han mirado todos y luego me han mirado a mí. No he tenido el valor de decirles que yo no quería hacerlo, porque no podía dejar que supieran que no había nadie al timón, que yo no podría soportar esa carga con la serenidad y la dignidad con que Dylan la había soportado.

Mia no ha querido mirarme, pero tampoco ha dicho nada.

Como nadie se ha opuesto, Tania me ha señalado.

—Bueno, pues ya está.

Peter me ha lanzado una mirada asesina, pero no ha tenido ni el coraje ni la energía necesarios para sostenérmela, así que ha terminado mirando hacia otro lado y carraspeando.

—Tengo una propuesta —he dicho, sin poder dejar de mirar a Tania, que parecía enfadada—. Creo que no os va a gustar a todos, pero escuchadme primero. —Me estaban escuchando—. Creo que deberíamos marcharnos. No todos a la vez y no sin un plan, pero el tiempo que podíamos pasar aquí está llegando a su fin. Nos estamos quedando sin comida, las expediciones son cada vez más peligrosas... Tenemos motivos para creer que hay otro grupo de personas cerca que podría causarnos problemas. Solo los ha visto Rob, pero no parecen buena gente y saben que estamos aquí.

Se levantó un fuerte murmullo. Empezaron a hablar todos a la vez, la mayoría dirigiéndose a Rob, pero algunos también a mí.

—Dios nos proteja...

—¿Son peligrosos?

—¿Que no parecen buena gente?

—¿Dónde los habéis visto?

—¿Cuántos son?

—¿Cómo sabéis que no son amistosos?

—Podrían ser como nosotros...

—No tenemos armas suficientes.

—¿Han capturado a Dylan, a Nathan y a...?

—Sería un suicidio.

—¡Chicos! —he levantado la voz—. Escuchadme primero. Tenemos armas y munición. Están bajo llave en la zona de personal. La razón por la que aún no ha pasado nada es que, probablemente, nuestro arsenal sea mayor que el suyo. —He observado que miraban de reojo a la puerta, y se me han puesto los pelos de punta—. Si ponemos rumbo a la ciudad, llevándonos nuestras provisiones, tendremos más posibilidades de sobrevivir que si intentamos aguantar aquí todo el invierno. En mi opinión. Ya casi estamos en otoño, ¿no? Cuando llegue el invierno, nos quedaremos aquí atrapados sin posibilidad de desplazarnos a ninguna parte. Y ellos lo saben.

—Pero si llega el invierno y ellos siguen ahí fuera, morirán —ha dicho Peter—. Se acabó el problema.

—Sí, y tendrán más que perder. ¿Quiere enfrentarse a hombres desesperados? Yo, no.

—Estoy de acuerdo con Jon —ha dicho Yuka. La he mirado fijamente, sorprendido, y no he sido el único. Hasta su marido se ha vuelto a mirarla, y ella ha levantado la barbilla, muy digna—. Estoy de acuerdo con Jon —ha repetido, abrazando más fuerte a su hijo.

—¿Marcharnos te parece seguro? —le ha preguntado Haru con incredulidad.

—No estamos a salvo en ninguna parte. Si morimos, morimos como una familia. Pero yo no pienso morir de hambre aquí, no permitiré que me dé caza un animal. Si Jon piensa que nos tenemos que ir, yo creo que tiene razón. No sabemos lo que queda, ni cómo es ahora la ciudad.

—Pues eso, que no lo sabemos —le ha espetado Peter.

—¿Y vamos a morir sin saberlo, como cobardes? ¿O lo vamos a averiguar? —ha dicho Yuka, y me ha parecido que ganaba estatura según hablaba, que se le ensanchaban las espaldas—. Detesto este lugar, no quiero quedarme aquí ni un día más. Esto no es vida. No podemos permanecer aquí solo por miedo.

Yuka nunca había hablado tanto delante del grupo. Y tenía razón.

Se me hace raro reconocerlo, dadas las circunstancias, pero he estado intentando dejar de lado el miedo. Todos lo hemos hecho. El miedo era vergonzoso. Quedaba mejor decir que hacíamos las cosas por hambre, por rabia o, como yo, por simple necesidad. Queríamos que nos motivara cualquier cosa menos el miedo, cuando, en realidad, el miedo era lo único que nos quedaba.

Sus palabras los han dejado mudos a todos.

—Tiene razón —he dicho al final—. No podemos quedarnos solo por miedo.

—El miedo no tiene nada que ver —ha dicho Peter con prepotencia—. Aquí estamos a salvo.

—Ya no.

Lauren se ha encogido de hombros y ha dicho:

—Íbamos a tener que marcharnos en algún momento. Mejor hacerlo antes de que empiece a helar.

Lex ha dicho algo en francés que ha sonado a que estaba conforme.

—¿Qué margen vamos a darles a los otros para que vuelvan? —ha preguntado Tania, lanzándome una mirada que me ha hecho sentir la peor persona del mundo—. ¿Planeas que nos vayamos antes de que regresen?

—Ahora mismo no hay ningún plan —he dicho—. Solo estamos hablando.

—Deberíamos poner un límite —ha terciado Sophia—. No es agradable, pero sí necesario. No podemos esperarlos eternamente.

—¿Una semana? —he propuesto.

Algunos me han mirado con inquietud.

—Eso es demasiado —ha dicho Yuka.

—¡Dylan ha mantenido en pie el hotel todo este tiempo! ¡Nos ha mantenido a salvo! —le ha espetado Tania—. Mostrad un poco de respeto.

—¿Y si morimos esperando? —ha preguntado Sophia, enarcando las cejas.

—¿Tres días? —he propuesto. Nadie quería concretar—. Vamos a tardar por lo menos eso en prepararlo todo para marcharnos —he añadido—. Ahora solo tenemos dos coches, así que tendremos que irnos en grupos aún más pequeños.

—¿No hay un remolque o algo así? —ha preguntado Rob—. Es una de esas cosas que suele haber en los hoteles, para repartos. Si tuviéramos uno, podríamos irnos todos, o usarlo por turnos.

—Los hombres podrían llevarlo por turnos —he dicho yo.

—No estamos hechas de pétalos de rosa —ha protestado Sophia—. Podemos llevar el remolque por turnos.

—Vale, perdona. Pues podemos hacer turnos todos con el remolque.

—No sabemos si tenemos un puto remolque —ha dicho Peter.

—Entonces, les damos a los otros el tiempo que tardemos en prepararnos para marcharnos —he resumido—. Nos llevará varios días y ese será el tiempo que tendrán. ¿Os parece bien a todos?

—¿Y no vamos a mandar a nadie a buscarlos en ningún momento? —ha preguntado Tania—. Entonces, ¿no vamos a intentar encontrarlos?, ¿es eso lo que estás diciendo?

No he sabido qué responder, la verdad.

Yuka lo ha hecho por mí.

—¿Por qué no mandamos solo a una o dos personas a hacer una ronda en coche? Si llegamos al tercer día y nos vamos a marchar, ¿qué más nos da echar un vistazo durante unas horas?

He mirado a Tania y he extendido las palmas de las manos en ademán de acuerdo.

—Eso suena factible. ¿Te parece bien?

Tania se ha marchado.

Los demás han murmurado su conformidad.

Me he arrepentido de haberle contado todo lo de mi matrimonio: no merecía que me desahogara con ella de ese modo solo porque estuviera cansado de sentir que no me conocía nadie de aquí y que los únicos que sí me conocían, aunque solo fuera un poco, ya no estaban.

He propuesto que fuéramos recogiendo nuestras pertenencias y la reunión se ha disuelto.

Un par de nosotros hemos ido a ver si, en efecto, había un remolque en el jardín. No lo había.

Yo he vuelto a mi habitación para documentar la reunión y he padecido lo que creo que ha sido otro ataque de pánico.

Tania ha subido a decirme que necesitaba un descanso, así que me he quedado cuidando de Tomi mientras ella iba a correr un rato por los pasillos. Ya no corría por los alrededores del hotel. Me sorprendería que alguien volviera a salir de las instalaciones del edificio.

Me he sentado en una de las sillas que había junto a la cama y, por primera vez en un tiempo, he sido verdaderamente consciente de lo mucho que me dolía la muela. Creo que voy a tener que volver a darle la lata a Tania con eso. Estaba convencido de que se me pasaría solo, pero no.

Tomi estaba dormida, pero cuando he entrado ha abierto un poco los ojos y se ha vuelto de lado, empapada en sudor, por la fiebre. Una de las cortinas estaba corrida para que no entrase demasiada luz en la habitación, algo innecesario, teniendo en cuenta el tiempo que hacía, pero igual Tania lo había hecho por costumbre. O quizá la preocupaba que nos observaran desde fuera.

—¿Hay agua? —me ha preguntado. Le he pasado el vaso que Tania había dejado en la mesilla, ha dado unos sorbos y me lo ha devuelto—. Como me muera, me voy a cabrear mucho —ha añadido con un hilo de voz.

—No te vas a morir.

—Bueno... Si me muero, me voy a cabrear.

—Y nosotros lo vamos a llevar crudo —he dicho yo—, porque eres la mejor tiradora que tenemos. Preferiría que dirigieras tú el cotarro si Dylan no vuelve.

—Ya... te... digo. —Se ha tumbado boca arriba y se ha limpiado el sudor de la frente con el dorso de la mano—. Pero los otros... creen que soy una hija de perra.

—Nadie piensa eso.

—Tú, sí.

—No me puedo creer que, estando ahí tumbada con treinta y nueve de fiebre, me vayas a tocar las narices. Eres imposible. —Me he inclinado hacia delante, le he cogido la mano y me la he llevado a la mejilla—. No creo que seas una hija de perra, solo... un poco peñazo.

Se ha reído, pero ha parado bruscamente y ha inspirado hondo.

—¡Ay, Dios, qué dolor!

No se lo podía decir a la cara, pero me tenía preocupado y lo llevaba fatal. Le ardía la mano que tenía pegada a mi mejilla, pero temblaba como una hoja. Le he apartado el pelo de la frente y lo tenía empapado, y de repente no podía ni mirarla porque he pensado que me iba a dar otro ataque de pánico.

—¡Oye! —me ha dicho, apretándome la mano de pronto.

—¿Qué?

—Mientras Dylan no está, y no digo que no vaya a volver, podrías... registrar su habitación.

La propuesta me ha pillado desprevenido, y he sonreído.

—Tú nunca desconectas.

—Deberías hacerlo, en serio, mientras andan todos... distraídos. Y se me ha ocurrido otra cosa: tendrías que hablar con los niños. Los de los Yobari. A lo mejor ellos se fijaron en algo relacionado con los otros niños del hotel.

Le había estado dando vueltas a la idea, pero sabía que ni Yuka ni Haru me iban a dejar interrogar a sus hijos. Tengo la sospecha de que Yuka me evita por algo. Las dos últimas veces que le he propuesto cuidar de los niños me ha parecido que buscaba una excusa para decirme que no. Puede que se sienta incómoda después de mi arrebato emocional. Sería comprensible.

—Esperaré a que vuelva Tania.

—No me va a pasar nada... Con que me dejes un poco de agua...

—No. Ni hablar.

—¡Que estoy bien!

—Deja de quejarte o me pongo a leerte un libro o algo así.

—¡No, por Dios! ¡Ay!

—No me provoques, que lo hago.

—¿Por qué eres así? Ni que te hubieras doctorado en Memez.

—Por lo menos, yo me he doctorado.

—Creo que el fin del mundo cuenta como atenuante.

Suspiró con dramatismo e hizo ademán de darme la espalda, pero no me soltó la mano.

—No te soporto. Como seas la última persona con la que hable antes de morir, me voy a cabrear mucho.

Día 68 (2)

He estado teniendo una pesadilla recurrente. El entorno es distinto cada vez: estoy en el jardín de nuestra casa de San Francisco o en casa de mi amigo, donde murió mi madre, pero siempre termina igual, con una explosión. Muero en el acto y me despierto.

No pensaba mencionarlo aquí porque los sueños, por lo general, carecen de interés, pero esas pesadillas me han obligado a reflexionar más en el día en que empezó todo.

Mi portátil se está quedando sin batería otra vez, así que no he podido ver más vídeos con los que ejercitar la memoria, pero he empezado a recordar cosas, quizá por las pesadillas. A lo mejor me están desbloqueando. Justo ahora, acabo de recordar algo nuevo que creo que podría ser importante.

El hotel se vació. Todas las personas a las que paré para suplicarles que me dejaran su móvil estaban huyendo. Yo volví a mi habitación, encendí el portátil y estuve enganchado a las noticias y a las redes sociales durante al menos un par de horas antes de perder la cobertura. Desactivé y volví a activar el wifi unas cuantas veces, hasta que empezó a fallar la conexión.

Las redes sociales eran un desastre. Me sorprendió la cantidad de personas que intentaban tuitear en tiempo real sus vivencias apocalípticas, pero no había noticias de San Francisco, ni siquiera de Los Ángeles. Que yo sepa, hasta que perdí la señal, California estaba bien. Londres había desaparecido y se había llevado por delante el sur de Inglaterra; al igual que Glasgow y, en consecuencia, Escocia. Tampoco había noticias de Suiza.

Le mandé un correo electrónico a mi padre cuando ya empezaba a temer por la batería que le quedaba a mi portátil. Decía: «Espero que estéis bien los dos. Por favor, si podéis, poneos en contacto conmigo. Estoy en Suiza por trabajo y no consigo localizar a Nadia. Os quiere, Jon».

No fue emotivo. No fue un adiós. No se me daban bien las despedidas y mi padre y yo nunca habíamos mantenido ese tipo de relación. Cuando escribí el correo, no estaba preocupado por él. Era un hombre práctico, aunque triste. Se había ocupado de Barbara. Probablemente se fueran hacia el sur e intentaran cruzar la frontera mexicana.

Me pasaban por la cabeza imágenes de película de terror. Habían muerto millones de personas. No era capaz de digerir la cifra. ¿Cuánto tardaríamos en evaporarnos? ¿Cuánto tiempo me quedaba?

Me acerqué a la ventana, la abrí e inspiré el aire fresco. Esa fue la última vez que vi el sol con claridad, sin que nada lo tapara. Apenas le presté atención. Tendría que haberlo hecho, haber memorizado sus colores y su calor. En cambio, miré al jardín y vi a más gente que se iba.

Dos personas discutían. Parecían empleados. Eso es lo que quiero documentar aquí (pese a que no tengo claro si es un recuerdo, un recuerdo inventado o un sueño): que vi a dos personas discutir, sin la menor duda. Eran un hombre negro y una mujer blanca, pelirroja. Recuerdo vivamente su pelo. Ahora que lo pienso, debían de ser Dylan y Sophia.

Recuerdo que entonces pensé que estarían decidiendo si se iban o no. Me imaginé lo que pasaba. Eran pareja y uno quería irse y el otro, quedarse. La mujer, Sophia, lloraba, algo que no me pareció raro porque, en aquellos momentos, el llanto, la histeria y los sollozos eran las únicas reacciones que tenían sentido.

Lo raro era que yo estuviera en mi habitación, asomado a la ventana, paralizado. Recuerdo que pensé que tenía que irme, subirme al coche de alguien o —¡joder!, qué más daba ya— robar uno. Podría llegar a la ciudad, pillar un tren o un avión. Aún debían de estar saliendo vuelos en alguna parte...

El hombre la abrazaba y ella acababa de dejar de llorar.

Si se marchaban, pensé, podría irme con ellos. Si bajaba lo bastante rápido.

Pero se metieron dentro los dos y no volví a verlos. Estaba claro que habían decidido quedarse.

En algún momento, salí de mi habitación. Los ascensores no funcionaban, así que tiré por las escaleras, paradójicamente fastidiado por aquel trastorno.

El vestíbulo estaba en silencio y no había nadie en recepción.

Sonaba una música desconcertantemente tranquila en la que no había reparado antes y que ahora me parecía siniestra.

Unas cuantas personas se habían reunido en el bar, pero nadie que yo conociera. De pie en el umbral de la puerta del comedor, paralizado por la indecisión, con las maletas aún sin hacer, caí en la cuenta de que llevaba en la mano un paquetito de dos galletas, de esas de cortesía que te dejan en la habitación junto con los sobrecitos de café soluble y las bolsitas de té.

—¡Jon!

Me volví. Conocía a aquellas personas. Ahora no recuerdo sus nombres.

Eso me preocupa.

Un hombre y dos mujeres: las mujeres eran de Nueva York; el hombre..., me parece que de Washington, pero no me acuerdo. Ni siquiera me acuerdo de sus caras ya, solo de lo que ocurrió. Se iban. Llevaban su equipaje.

El hombre me dijo:

—Vente con nosotros, nos vamos.

—¿Vienes? —preguntó una de las mujeres.

Dije que bueno y salí con ellos. Uno de los tres tenía un coche de alquiler aparcado en un lateral del hotel, en un rincón vallado y oculto de los jardines. Me subí al asiento de atrás. No llevaba ninguna de mis pertenencias, pero en ese momento me dio igual porque sabía que me tenía que ir. Era lo más sensato. Por fin alguien me decía qué hacer.

—No me lo puedo creer —recuerdo que oí decir.

—Nada aún.

Intentaban hacer llamadas. Salí de mi ensimismamiento y me obsesioné con que no podía marcharme sin mi portátil. Me bajé del coche. Seguía conmocionado. Todavía no había digerido la magnitud de la nueva realidad que se abría paso.

—¿Adónde vas?

—¡No tengo mis cosas! —chillé.

—¡Pero nos vamos ya!

—He de volver.

—¡No puedes!

Me había pasado la mañana buscando a alguien que me dijera qué hacer, y cuando por fin alguien lo hacía, me fastidiaba y quería hacer lo contrario. Como un adolescente.

—Claro que puedo —respondí.

—¡Nos vamos ya! —La mujer recalcó la palabra como si yo fuera imbécil, arrastrándola tanto que parecía más que un monosílabo.

Me los quedé mirando.

—Pues idos.

Me miraron los tres como si estuviera chiflado. A lo mejor lo estaba. El coche se alejó y yo no me arrepentí de no ir en él. En el fondo, sabía que ya no había vuelos, qué va. También sabía que no podía irme sin mi portátil, mi ropa, mis cosas. No sabía estar sin mis pertenencias. No podía lanzarme a la aventura sin nada. ¿Y si alguien del Gobierno me paraba y me pedía que me identificara? ¿Y si me hacía falta el pasaporte?

Aún sostenía en la mano las galletitas de cortesía.

Instintivamente, me llevé la mano al bolsillo para mirar el móvil, pero no encontré nada. Abrí el paquetito de galletas, me comí una y me dirigí despacio hacia la entrada. Una desesperación insidiosa amenazaba con devorarme. Quería estar cerca de mi portátil, aun sabiendo que ya no había internet.

Estaba desconectado. Había destrozado mi móvil.

Apoyado en la pared del aparcamiento, partí en dos la otra galleta del paquetito y me la comí también. No recuerdo a qué sabía. No me supo a nada. Fuera, todo estaba tranquilo. Se había ido todo el mundo. Me parecía surrealista, imposible de imaginar, que en innumerables lugares del planeta, en aquel mismo instante, estuvieran muriendo millones de personas; que cayeran bombas nucleares sobre las ciudades, los edificios, las estatuas y los puentes que, en algunos casos, llevaban siglos en pie. Los habíamos contemplado todos los días, pensado que eran eternos y, de pronto, se estaban convirtiendo en polvo. Ni siquiera encontrarían los huesos, me dije. Probablemente tampoco quedara quien pudiera buscarlos.

La historia había terminado y yo estaba allí plantado en medio de la nada, rodeado de desconocidos, comiendo galletitas de cortesía porque no sabía si quedarme o marcharme. Visto con perspectiva, era el miedo lo que me retenía. La idea de coger un coche rumbo al caos, a las explosiones, los alaridos y las cenizas humanas flotando en el aire, mezcladas con el veneno de las bombas: eso me retenía.

¿Era un disparate quedarme? ¿Permanecía allí solo para aguardar la muerte?

Intenté pensar en qué habría hecho Nadia. La conocía muy bien. Si habían sobrevivido, seguro que habría hecho las maletas rápidamente, metido a las niñas en el coche e intentado llegar a la casa de sus padres en la costa, en Portland. Desde allí, habrían cruzado la frontera a Canadá. Es lo que habría hecho yo. No había leído nada en relación con un ataque a Canadá, de modo que, cuanto más al norte fueran, menos posibilidades habría de que los afectase la radiactividad.

Aunque lo consiguieran, probablemente jamás volvería a saber nada de ellas.

Si las carreteras de la costa estaban lo bastante despejadas para que Nadia llegara a Portland, no se quedarían allí. En el supuesto de que en Canadá acogiera a refugiados, a refugiados estadounidenses —¡qué disparate!—, estos seguirían desplazándose hacia el norte. La comunicación iba a ser intermitente y, quizá, no hubiera internet en toda Norteamérica. Si ese era el caso, se acabó.

Repasé mis elucubraciones y caí en la cuenta de que millones de habitantes de la costa californiana se dirigirían al norte al mismo tiempo. Algunos al sur, hacia Sudamérica, pero la mayoría en dirección al norte. En ese caso, la costa sería un auténtico desastre. Seguramente la gente abandonaría sus vehículos. Habría robos de coches, saqueos; se agotaría el combustible, la comida; la gente se pelearía por los recursos y por el agua, e intentaría llegar a la frontera en pandillas. Sería el caos.

Pero Nadia era lista. Gestionaba bien las situaciones difíciles. A lo mejor ni siquiera cogía la carretera de la costa. Quizá fuera primero hacia el interior y tomara una ruta algo más larga para mayor seguridad.

Aunque ¿y si a todo el mundo se le ocurría la misma idea?

Por eso, al final, después de unos cuantos días, tuve que dejar de pensar del todo en Nadia y en las niñas. Me estaba volviendo loco. No podían ser ellas mi mayor preocupación. No estaban allí. Yo estaba solo y tenía que seguir con vida. Podía salvarlas o ser testigo de su muerte de mil maneras hipotéticas, pero eso no me acercaría a la verdad, ni a ellas tampoco.

No sé cuánto tiempo me quedé allí.

Me dolía el pecho: sentía unas punzadas agudas y apremiantes, y me preocupó que pudiera estar sufriendo un infarto.

Vi que un coche se acercaba a la puerta del hotel; no llegó al aparcamiento, sino que, tras un frenazo, se detuvo ante la entrada principal. Recuerdo que pensé que a alguien se le debía de haber olvidado algo importante. Ese día se iba casi todo el mundo, pero ese fue el único coche que vi llegar.

En ese momento, miré a mi derecha y volví a ver al hombre

negro y a la mujer pelirroja. Cargaban con algo entre los dos, pero estaban demasiado lejos para que yo pudiera identificar de qué se trataba. Luego, desaparecieron de mi vista por entre los árboles de la zona.

Los seguí con la mirada, forzándola, de modo que cuando volví a observar el único coche que había llegado a contracorriente, estaba vacío.

Pasé el resto del día solo y traté, una y otra vez, de conectarme a internet con el portátil. De vez en cuando salía de la habitación a echar un vistazo y me encontraba el hotel aún más vacío que antes. Luego, volvía e intentaba conectarme a internet de nuevo. No dormí, ni siquiera cuando empezó a hacerse de noche. Contemplé el horizonte por la ventana y esperé. Fue entonces cuando conocimos a Dylan, que iba por el hotel llamando a las puertas y pidiendo que nos reuniéramos todos abajo.

Ese fue el primer día.

Día 68 (3)

He esperado a que estuvieran todos cenando y me he dirigido al acceso interno de la zona de personal, que se halla en la primera planta, a la derecha de la escalera. He enfilado un largo pasillo y he girado a la izquierda, avanzando rápido y con sigilo.

Solo he estado en la habitación de Dylan un par de veces, e incluso entonces nunca he franqueado el umbral de la puerta mientras dejaba que Dylan me cargara de herramientas para subir luego juntos a la azotea. Es más pequeña que la mía. Todas las habitaciones de los empleados lo son, y algunas tienen literas, pero, pese a todo, Dylan y Sasha decidieron no trasladarse. He pensado que, aunque podían haber aprovechado la ocasión para mudarse a otras zonas más espaciosas del hotel, habían preferido lo conocido.

Cuando he llegado a la habitación de Dylan, he llamado a la puerta con los nudillos, por si acaso, y luego he entrado y he cerrado. Tan pronto como he pisado el cuarto, he sabido que las maletas no estaban allí. De haberlo hecho, las habría visto desde la puerta. Me he sentido mal. El solo hecho de estar ahí ya suponía una traición, una forma de reconocer que no me fiaba de él, que no me fiaba de ninguno de ellos.

Las maletas no estaban, pero yo sí, de modo que he decidido registrar la habitación de todas formas. Si no encontraba nada, nadie tendría por qué saberlo.

Fuera, el pasillo permanecía en silencio.

Dylan tiene una vista estupenda desde la ventana: su habitación da a los jardines, en su mayor parte, oscurecidos ahora por los setos faltos de agua y, detrás de ellos, se yerguen los árboles frondosos. He tenido un vago recuerdo de cómo era todo a la luz del sol, cuando estaba verde.

La cama era una individual grande, impecablemente hecha. Había una foto en la mesilla, de una mujer negra con otra más joven, de veintitantos, que se parecía lo bastante a Dylan como para que yo pensara que se trataba de su hija. Tenía su misma sonrisa y las trencitas cortas como él. La otra figura sería su mujer.

Apenas tenía pertenencias. He abierto el armario y he encontrado tres camisas blancas limpias, un par de pantalones negros, una cazadora caqui y unas zapatillas de repuesto. Había varias cajetillas de tabaco escondidas en un rincón de la última estantería, y su caja de herramientas en el suelo, junto a sus zapatos.

Me he sentido como una mierda por dudar de él. Estaba registrando la habitación de mi amigo desaparecido.

Jugando con las llaves que llevaba en la mano, he abierto y cerrado todos los cajones de la pequeña cómoda de la derecha, pero no había nada en ellos aparte de calcetines y ropa interior, un par de guantes y un gorro de lana. Lo he ido apartando todo, por si escondía algo debajo, pero no, no escondía nada.

He oído unos pasos que se acercaban por el pasillo y he mirado alrededor.

No había donde ocultarse. He confiado en que fuese otro de los empleados, que se dirigía a una habitación diferente. Nadie más tenía motivos para estar allí.

Durante una décima de segundo, se me ha ocurrido meterme en el armario. En cambio, me he acuclillado y he mirado debajo de la cama para ver si cabía. Y entonces he visto una maleta oscura...

Alguien ha metido la llave en la cerradura y ha descubierto que la puerta estaba abierta.

Me he vuelto en el preciso instante en que entraba Tania.

—¡Dios! —ha exclamado sobresaltada, y se le ha caído la llave—. Pero ¿qué haces aquí?

Cuando se ha agachado a recoger la llave del suelo, he visto que era solo una, no un manojo de llaves maestras como el que Dylan me había dado a mí. He visto también, de repente, que había unos surcos de tono gris descolorido en la moqueta, como si alguien hubiera arrastrado por allí una maleta y no hubiera tenido tiempo de borrar el rastro de las ruedas.

—¿Qué haces tú aquí? —le he preguntado yo—. ¿Quién está con Tomi?

—Yo... —Se ha ruborizado—. He perdido una cosa. No es asunto tuyo. Además, a mí me dejan estar aquí. ¿Qué haces tú?

—También he perdido una cosa. Y me parece que la acabo de encontrar. —Me he agachado, he agarrado la maleta por el asa y la he sacado a la moqueta.

No me ha cabido la menor duda de que se trataba de una de las maletas de los Luffman.

—¡Eso no es tuyo!

—Me la ha robado de mi habitación.

—Me cuesta creerlo —ha dicho ella, cruzando los brazos mientras yo abría la cremallera.

—Bueno... —Al levantar la tapa, me la he encontrado repleta de rifles desmontados—. Esto... no me gusta.

—¿Por qué te iba a robar nada?

—Porque sabe algo sobre la niña que encontramos en el depósito de agua, él y Sophia, y sabe Dios quién más. —He apartado algunas piezas, como si al hacerlo fuera a encontrarme debajo el contenido anterior, pero, claro, no había nada—. Lo sacaría todo y se quedaría la maleta como recipiente para guardar otras cosas.

—O esa maleta, en realidad, es suya.

—¡No te enteras! —le he soltado—. Tomi los oyó discutir a Sophia y a él. Pasa algo, y esas maletas desaparecieron de mi habitación, no me lo estoy inventando.

He vuelto a cerrar la cremallera y le he dado la vuelta. Las etiquetas de facturación de los Luffman andaban por allí, pero debía de habérselas quitado. Estaba convencido. Estaba convencido de que esa era una de las maletas.

—Mira, le ha quitado las etiquetas —he dicho.

—Jon, yo he visto esa maleta todas las veces que he estado en esta habitación. Es de Dylan.

—¡No, no es suya! ¡No puede ser!

—Y otra cosa: ¿le has pedido a tu novia que espíe a la gente, a tus amigos, porque crees que uno de nosotros mató a esa niña?

—Sé que suena fatal —he dicho con un suspiro.

—Creo que deberías irte.

He vuelto a meter la maleta debajo de la cama. Ya tenía lo que había ido a buscar. No hacía falta que me quedara discutiendo con ella cuando la segunda maleta y el contenido de la primera aún podían estar en alguna parte del hotel. Se me ha ocurrido que, a lo mejor, se lo había llevado todo al bosque y lo había quemado.

—Bueno, ¿qué...? —me ha dicho Tania con las cejas enarcadas.

—Perdona, sí, me voy.

—Igual deberías devolver también esas llaves.

No había forma de decirlo sin sonar hostil.

—No.

—Sé reconocer la paranoia en cuanto la veo —me ha dicho.

—No estoy loco.

—Has formulado una teoría conspiratoria de la nada; eso es una paranoia de manual.

—¡En absoluto! ¡Esa maleta no es suya!

—Pero, curiosamente, está llena de cosas suyas.

Me he quitado las gafas para frotarme los ojos.

—No estoy loco. ¡Esas maletas estuvieron un montón de días en mi habitación! Además, desconoces lo de las grabaciones de las cámaras de seguridad que encontré, relativas al día en que llegaron los Luffman. Les entregaron un papel con un número de teléfono para que se pusieran en contacto con el dueño de la *suite* real. Baloche Braun se alojaba allí... ¡El marido de Sophia!

—¿De qué estás hablando? ¿Qué *suite* real?

—Es la novecientos nueve, los padres de la niña estaban...

—Pues demuéstramelo.

He contenido la respiración.

—¿Cómo?

Hablaba muy despacio.

—Si tienes pruebas de que pasa algo en el hotel, demuéstramelo. Enséñame esa habitación secreta; tienes las llaves.

—Aún no he subido. Me enteré justo ayer.

—Pues enséñamela ahora. Vamos.

Lo decía en serio. Como insistía tanto, no he podido negarme. Me he armado de valor y he asentido. Hemos subido los nueve pisos hasta el ala este superior del hotel. Estaba cerca del acceso a la azotea. Por su ubicación, esa zona del edificio seguramente tuviera las mejores vistas del bosque, sin que lo ocultara la escalera de incendios.

Sin aliento después de la subida, he trasteado con las llaves hasta que he visto que aquella había sido una habitación de llave-tarjeta. Entonces, he caído en la cuenta de que probablemente hubiera estado allí antes, la primera vez en que registré aquellas habitaciones a toda velocidad. Recordaba haber asomado la cabeza para asegurarme de que no estaba ocupada antes de pasar a la siguiente.

Tania guardaba silencio, con los brazos cruzados. He abierto la puerta de un empujón y hemos entrado los dos.

Había estado allí antes. Ya no me cabía la menor duda.

Mia tenía razón: no era una *suite* real, sino una habitación algo más grande que la mía, con un baño y una cama más bonitos. No había equipaje, pero he mirado en el armario y en los cajones de la cómoda, y he descubierto que aún quedaba ropa en ellos. Eran todo trajes. En los cajones, algunas camisas dobladas —nada en los bolsillos—, calcetines y calzoncillos bóxer.

A lo mejor, Mia también tenía razón en lo del número de teléfono. A lo mejor, sí era el número del servicio de atención al cliente. Pero es que no me fío de Mia. Podría haberme mentido. Cualquiera de ellos podría estar mintiendo para protegerse.

—Así que el dueño se alojaba en esta habitación —ha dicho Tania sin inmutarse.

—Los dueños. Aunque ese día solo Baloche estaba aquí, según el registro.

—Ya.

Evitando su mirada, he registrado los cajones de la mesilla y he descubierto que la Biblia tenía algunas páginas dobladas por una esquina, a modo de marcapáginas.

—¡Esta debía de ser su Biblia!

Ella ha asentido con la cabeza.

—¿Y...?

—Que marcó algunos fragmentos, mira... —Estaba todo en francés—. No estoy seguro de cuáles, resulta complicado verlo. Subrayó muchas cosas en el evangelio de Mateo...

—Jon, estás agotado —me ha soltado por fin—. Déjalo ya, ¿vale?; descansa un poco. ¡Mira alrededor! ¡Aquí no hay nada! Ya tenemos bastante con lo que lidiar, como para que te inventes más cosas. Venga, entrégame las llaves —me ha dicho, tendiéndome la mano como el que intenta despojar del arma a un psicópata descontrolado—. Vámonos.

—¿Aún no me crees?

—¿Cómo que aún? Me has enseñado la habitación de un tío. Genial. —Inspiró hondo—. Mira, sé que no es lo más conveniente decirle a alguien en pleno... brote psicótico, que está teniendo un brote psicótico, pero guardo algunos medicamentos que te ayudarán a calmarte.

—¿Qué?

—Para que sigas operativo —ha añadido, mostrando las palmas de las manos en ademán de justificación.

Me ha dejado de piedra.

—¿En serio piensas que estoy psicótico?

—Pienso que necesitas ayuda, Jon, nada más. —Me ha vuelto a tender la mano—. Dame las llaves. Deja que te ayude.

He retrocedido un paso y he notado que me ponía colorado como un tomate.

—¿Quién está cuidando de Tomi? —le he preguntado, ignorando su demanda.

—Está mejor. Lleva un rato despierta.

Haciendo caso omiso de su respuesta, he salido de la habitación, con las llaves y la Biblia de Baloche. Estaba enfadado con ella y no quería decir nada que luego pudiera lamentar.

—¡Jon, dame las llaves! —me ha gritado.

La he ignorado y he seguido adelante.

Día 68 (4)

Después de dejar a Tania en la *suite* real, he vuelto a la habitación de Dylan y he encontrado una pala. Luego, he salido al jardín. He pasado muy cerca del aparcamiento donde me había quedado plantado el primer día y de la pared en la que había permanecido apoyado.

Tenía razón. Sabía que tenía razón. Ese día había ocurrido algo que solo Dylan y Sophia sabían y tenía que ver con Harriet Luffman y Baloche Braun. A lo mejor el resto de los empleados también estuviera al tanto. No podía fiarme de ninguno de ellos.

Fuera había menos luz de lo habitual. Las nubes bajas eran de un gris furioso. De no haber sabido que resultaba imposible, habría pensado que iba a echarse a llover.

He cruzado el césped seco hasta donde empezaban los árboles y he empezado a zigzaguear por la periferia del bosque. Aunque no supiera bien qué buscaba, recordaba lo que había visto.

Las hojas secas crujían bajo mis pies. Las ramas que me rozaban la cabeza languidecían y todo el follaje colgaba marchito de ellas.

Tania me había decepcionado mucho. Pensaba que ella, precisamente, me creería, que tendría la fortaleza moral necesaria para comprender la importancia de esto. Tal vez Dylan le había contado algo. Quizá sí le pareciera importante, pero ya se había puesto de su parte.

He ido de un lado a otro por el borde del bosque, pisando fuerte en busca de alguna variación del terreno. Sabía que no podían haberse llevado lejos el cadáver, ese día, no. Aun siendo dos, lo habrían llevado solo hasta donde ya nadie los viera.

Después de dar pisotones zigzagueando por entre los árboles durante unos veinte minutos, he llegado a un trozo de tierra extraño que no encajaba con el resto. He mirado alrededor y he visto un lecho forestal cubierto por plantas que se venían abajo. Pero allí no crecía nada. No habíamos tenido mucho sol ni mucha lluvia desde aquel día, claro. Nada nuevo iba a crecer en una tierra removida.

Tras agarrar la pala con ambas manos, he empezado a cavar. Me he quitado una capa de ropa y la he tirado al suelo. Había ganado masa muscular con los trabajos que había estado haciendo. He empezado a sudar, pero no he dejado de cavar hasta haber hecho un hoyo de algo más de un metro de profundidad. He apoyado la pala en el borde para recobrar el aliento. Estaba cubierto de tierra y tenía las manos negras.

Cuando he mirado hacia el hotel, he visto que los árboles me cubrían casi entero. Nadie podría verme. Tendría sentido que se hubieran deshecho de lo que fuera allí mismo.

He vuelto a coger la pala y he seguido cavando.

Ha llegado un momento en que me ha dado un ataque de risa. ¿Qué andaba buscando? Me había topado con un trozo de tierra raro y allí estaba, cavando por espacio de una hora porque me había convencido de que tenía razón. Claro que ¿qué otra cosa nos quedaba ya, más que tener razón? ¿Qué más daba que me pasara el día siguiente, la semana siguiente, el mes siguiente allí, cavando hoyos? Todos los que me habrían echado de menos, quienes habrían notado mi ausencia, se habían ido ya.

He dejado de cavar otra vez hasta que se me ha pasado la risa. Me he quitado las gafas y las he tirado encima del abrigo. Me he quitado el jersey, y la camisa, y he seguido cavando.

Me temblaban los brazos. No sabía ni cuánto rato llevaba allí. He clavado la pala en la tierra, me he apoyado en ella y he notado resistencia. Una vez erguido, he sacado la tierra del hoyo de una palada y he visto una tela marrón. He soltado la pala y he escarbado el resto con las manos. Había más tela (una sábana vieja, quizás) y, cuando he apartado la tierra suficiente para agarrar un trozo de la tela, he tirado de ella.

—¡Venga! —he gruñido, sacándola más y más de la tierra.

De pronto, la parte superior de la sábana se ha soltado y yo me he tambaleado, vencido, mientras caía de espaldas con violencia.

Sobresaltado por el golpe, me he incorporado como he podido y he visto que lo que tenía delante era un cadáver.

Estaba demasiado agotado para exclamar o gritar.

Se ha hecho el silencio.

He sacado la mitad superior del sudario, arrastrándolo, y ha quedado en un ángulo de cuarenta y cinco grados, casi derecho. Era un hombre, muy descompuesto dentro del traje. Lo que quedaba de su rostro era un boquete putrefacto. Aunque no había gusanos, como habría sido de esperar. Olía mal, pero no tanto como el cadáver que habíamos sacado del agua. Este se había momificado. Era desagradable pero llevadero.

Resultaba difícil saber cómo había muerto. Solo tenía claro que lo habían asesinado. ¿Qué iba a hacer allí si no? Si se hubiera quitado la vida, lo habrían enterrado en el jardín, como a los demás. De haber sido un suicidio, lo habríamos descubierto.

Pensaba que me sentiría realizado, resarcido incluso. Acababa de encontrar una prueba monumental que casi podía confirmar la culpabilidad de Sophia, y quizá de Dylan. Sin embargo, me he puesto triste.

Me he quedado allí sentado, procurando recobrar el aliento, pegado al cadáver, en el hoyo que había cavado para los dos. Estaba aturdido. Creía que encontraría respuestas y, de pronto, solo surgían más preguntas, y Dylan no estaba. Mientras que Nathan y Adam, las únicas personas que podrían haberme ayudado, se habían ido.

¿Estamos Tomi y yo a salvo aquí? ¿Habrán intentado envenenarla de veras?

Me he inclinado hacia delante, haciendo un esfuerzo mínimo, y le he registrado los bolsillos de la chaqueta. Estaban vacíos. Después de un buen rato, he inspirado hondo y me he puesto de pie.

He vuelto a dejar con cuidado el cadáver en el hoyo. Al hacerlo, he observado que llevaba el traje desgarrado por varios sitios. Puede que lo hubieran apuñalado, pero era difícil saberlo con certeza. Al examinar los desgarros, he visto que el traje era caro. Un Tom Ford. Entonces he caído en la cuenta: podría tratarse de Baloche Braun.

¿Sería el hombre a quien Sophia escondía entre los árboles? ¿A quien yo había visto trasladar ese día con la ayuda de Dylan? Un traje Tom Ford... Tenía que ser Baloche. Pero si lo era, he pensado de pronto, su relación con el asesinato de Harriet sería mínima. Aunque fuera Baloche, no podría ayudarme.

He vuelto a taparle la cara con la sábana, he recogido la pala, la he lanzado fuera del hoyo y, reuniendo todas mis últimas fuerzas, he salido de él yo también. Luego he empezado a llenar el hoyo de tierra, despacio, no con el mismo frenesí con que había estado trabajando antes. Me había quedado de golpe sin fuelle, sin motivación.

Cuando he terminado, se estaba haciendo de noche. Me he puesto las gafas y me he mirado: estaba sucio. No merecía la pena que volviera a vestirme. De todas formas, no podía sentir el frío.

Me he colgado la camisa, el jersey y el abrigo del brazo y he emprendido el camino de vuelta al hotel.

Me dolían las piernas. Me temblaban los hombros del sobresfuerzo.

He cruzado el jardín y he levantado la vista hacia el hotel. No he detectado movimiento en las plantas superiores, pero al bajar la vista al comedor he visto a Sophia mirándome fijamente por la ventana.

Me he detenido y, durante uno o dos segundos, nos hemos quedado los dos plantados, mirándonos a través del cristal, a unos diez metros el uno del otro. Aun a esa distancia, he visto algo raro en su gesto. Tenía los brazos cruzados y el pelo apartado de la cara. Por un instante, he pensado que quizás hubiera estado llorando o, al menos, conteniendo las lágrimas.

Sin decir nada, sin energía siquiera para poner cara de algo, le he dado la espalda y me he dispuesto a rodear el hotel hasta la entrada principal. Por suerte, no he visto a nadie más. Seguramente se habrían alarmado al verme.

Cuando he llegado a mi habitación, estaba a punto de padecer otro ataque de pánico. He sufrido un bajón y me he apoyado en el borde de la cama, procurando respirar más despacio. Tenía la cabeza y el cuello demasiado calientes. Se me estaba nublando la mente y he pensado que me iba a desmayar, pero he contado las inhalaciones y las exhalaciones, y he seguido respirando hondo. Me he sentado en el suelo, con la frente apoyada en las rodillas, hasta que se me han pasado las náuseas y el mareo.

Luego me he dado una ducha fría y creo que me ha ayudado.

Tengo muchísima hambre, pero no quiero bajar y encontrarme con nadie.

No sé qué hacer. Pensaba que resultaría obvio. Pensaba que bastaría con saber que yo tenía razón. Pero empieza a quedarme claro, a pesar de mis recién adquiridas convicciones y de mi nuevo objetivo en este mundo poscivilizado, que lo que estoy haciendo a lo mejor no importa. Baloche está muerto, ¿y qué? El muerto no ha podido contarme nada en absoluto.

No te he contado mucho de mí. Es lo primero de lo que el mundo universitario despoja a la prosa de uno: de cualquier rastro de uno mismo. No me preocupa demasiado que nadie me recuerde, pero sí quiero asegurarme de que se hable de mis padres, aunque sea brevemente. También quiero escribir esto por si no vuelvo.

Mi madre, Marion Keller, murió cuando yo tenía trece años. Para entonces, mi padre y ella ya llevaban divorciados tres años, y menos de un año después él ya había conocido a su nueva novia y futura esposa, Barbara. Mamá siempre fue demasiado elegante para verbalizarlo, pero era obvio que mi padre había conocido a Barbara mucho antes de que mi madre y él pusieran fin a lo suyo.

Nunca he dejado de odiar a mi padre por eso. He pasado una parte tan importante de mi matrimonio procurando por no parecerme a él que he tardado en darme cuenta de que había terminado siendo exactamente igual.

Mi madre murió de una hemorragia cerebral mientras yo estaba en casa de un amigo. Vino a recogerme y estuvo un rato charlando con la madre de mi amigo en la cocina. Yo no estaba prestando mucha atención a lo que decían (Landis y yo jugábamos a la consola en el salón), pero la oí decir: «¿Tienes una aspirina?», y enseguida supe que algo no iba bien.

No sé cómo lo averigüé, pero lo hice: pasaba algo malo.

Dejé el juego, fui a la cocina y me encontré a mamá apoyada en la encimera, sujetándose la frente con las manos. La madre de Landis me dijo:

—Jon, ve corriendo a la tienda a por una aspirina, que nosotros no tenemos.

Consiguió mantener la calma.

—Mamá, ¿te encuentras bien? —le pregunté, consciente de que no.

Sin mirarme a los ojos y hablándose a las manos con las que se agarraba la frente, me dijo:

—Sí, cielo, estoy bien; tú ve a la tienda. Se me pasará.

No quería dejarla, pero agarré la mochila que había dejado a la entrada y corrí dos manzanas. No era un gran corredor, y cuando llegué a la tienda me dolían tanto los pulmones que pensé que iba a vomitar del pánico y del esfuerzo. Compré aspirinas, y el hombre que me atendió me miró preocupado porque, por entonces, no sé cómo, yo ya sabía que era demasiado tarde, y se me debía de notar en la cara.

Aun así, volví corriendo, a pesar de que sentía punzadas en las espinillas, me dolían los pies una barbaridad y sudaba tanto que casi no veía.

Cuando llegué, vi que la puerta seguía abierta y pensé: «No la han cerrado cuando me he ido porque ella ya no está», y acerté.

Creo que fue Stephen King quien dijo que la suma de todo el miedo humano no es más que una puerta que se deja entreabierta.

«Ayúdame».

Eso es lo que me ha tenido en vela, pensando, toda la noche, antes de llegar a la conclusión de que, por supuesto, no había ninguna niña fantasma intentando hablar conmigo. No hay fantasmas en este hotel, solo los que hemos inventado para nosotros.

No he echado la llave a la puerta ni he corrido el pestillo. Ha sido una especie de desafío, pero no ha funcionado. No he oído ningún traqueteo durante la noche. Nadie me ha dicho nada a voces.

A lo mejor, la voz que me ha parecido oír sea la mía. Quizá, Tania tuviera razón. Tal vez necesite ayuda. O, a lo mejor, solo quiera que alguien me explique por qué aún seguimos todos aquí. Quizá «¿por qué yo?» sea la pregunta cuya respuesta necesito saber más que nada.

Fuera estaba oscuro, aún más que ayer.

He salido de mi habitación y he subido a la de Peter.

Me ha parecido que lo había despertado y, cuando ha abierto, sin camisa, me ha mirado de arriba abajo, desconcertado.

—Tiene un aspecto horrible —me ha dicho.

—Necesito su ayuda.

Ha cruzado los brazos.

—Vaya, el nuevo líder del grupo necesita mi ayuda.

—Yo no quería ser el líder.

—Claro, claro, a usted le pasan las cosas porque sí. ¿Y si le digo que no? —me ha dicho, apoyado en el marco de la puerta.

—No va a pasar nada, pero debería aceptar.

—¿Es para su investigación? ¿Para ese pequeño proyecto suyo? —me ha soltado con una media sonrisa—. ¿Qué es lo que quiere que haga?

He inspirado hondo.

—Su trabajo.

Yuka y Haru han accedido a responder mis preguntas durante media hora en su habitación. Yuka ha transcrito la entrevista, porque esta se ha desarrollado enteramente en alemán y, aunque yo le había facilitado a Peter algunas preguntas, no entendía nada. Estas son las anotaciones de Yuka, tal cual:

P. ¿De dónde habéis sacado eso?

R. Nos lo compraron para que estuviéramos calladitos en el tren.

P. ¿Me enseñas cómo se hace uno?

R. ¡Sí! Es fácil, mira.

P. ¿Os gustan los trenes a los dos?

A. A mí me gustan los aviones.

R. ¡Sí!

P. ¿Os gusta estar aquí?

R. A mí antes sí, pero ya tengo ganas de volver a casa.

A. Yo no quiero volver al colegio.

R. Yo echo de menos el colegio.

P. ¿Echas de menos el colegio?

R. No echo de menos el colegio.

A. Yo echo de menos a mis amigos.

R. ¿Ha explotado el mundo?

P. ¿Piensas que el mundo ha estallado?

R. (*Ríe.*) ¡No!

A. ¡Lo estás haciendo mal!

P. Perdona, ¿me lo haces tú?

R. ¿Cómo te llamas?

P. Peter, ¿y vosotros?

R. Ryoko. Este es Akio. Él se llama Jon.

P. Lo conozco.

R. ¿Es amigo tuyo?

P. Claro. ¿Qué te ha hecho pensar que ha explotado el mundo?

R. Que todos gritaran no sé qué de unas bombas.

P. ¿Sabes lo que es una bomba?

R. Hacen estallar las cosas en pedazos.

P. Pero nosotros no hemos explotado. Estamos bien.

R. Entonces, ¿podremos irnos a casa pronto?

P. Puede que tengamos que buscarnos casas nuevas. ¿Os parece bien?

R. Mmm...

P. Echas de menos tu antigua casa.

R. A mis amigas. Y las chuches.

P. Yo también echo de menos las chuches.

R. Tenemos una hermanita nueva y, aun así, echo de menos las chuches.

P. ¿Habéis hecho amigos aquí?

R. ¡Tomi! Es muy guapa y nos deja decir palabras graciosas.

P. ¿Qué palabras?

R. No te las puedo decir, que está aquí mamá. Otro día te las digo. No son de buena educación.

P. ¿Qué otros amigos tenéis aquí?

R. Conozco a Jon. Mis otros amigos se han ido.

P. ¿Quiénes eran?

R. Harry y Sam. Sam vino aquí con su padre para aprender a cazar ciervos. Yo eso no lo quiero hacer. Me parece que solo les gusta a los chicos.

P. Entonces, ¿Harry y Sam se fueron con su padre?

R. Sam se fue con su padre antes de que se marcharan todos los demás. Harry se fue con sus padres cuando todo el mundo gritaba. Me dijo adiós.

P. ¿Harry era una chica?

R. Sí. Me dijo adiós y que no quería irse porque estaba asustada.

P. ¿Hacía mucho que conocías a Harry?

R. No. Me dio un abrazo cuando yo lloraba. Me gritaron, y los demás gritaban también, y ella me dio un abrazo.

P. ¿Y luego se fue con sus padres?

(*R. asiente con la cabeza.*)

P. ¿Por eso saliste corriendo? Tu mamá dice que te perdió un momento. ¿Fuiste corriendo a algún sitio? ¿A despedirte de Harry?

R. No, yo iba detrás de la otra niña.

P. ¿La otra niña?

A. ¡Ya está!

P. Gracias, Akio, ¿hay que ponerlo en esas vías desplegables?

A. Sí.

R. ¡No, lo estás haciendo mal!

A. Así lo rompes.

R. ¡No lo rompo! Además, es mío.

(*Discusión sobre cuál es la mejor forma de montar el tren portátil y jugar con él, que Peter resuelve haciéndolo volar todo y provocando colisiones en el aire.*)

P. ¿Quién era la otra niña que has dicho?

R. ¿Cuál?

P. Esa a la que seguiste cuando tu madre no te encontraba. ¿La habías visto en el hotel antes?

R. No. Entró con su padre.

P. ¿Su padre?

R. No sé, pero me escondí. No llegué a hablar con ella.

P. ¿Te escondiste?

R. Sí, me escondí y entonces mamá me encontró.

P. ¿Por qué te escondiste? ¿Era un juego?

(*R. niega con la cabeza.*)

P. Te prometo, Ryoko, que no te vas a meter en un lío.

R. Ya me metí en un lío por salir corriendo.

P. Ahora no te vas a meter en ningún lío. No has hecho nada malo. ¿El hombre daba miedo? ¿La niña estaba bien? ¿Fuiste con ella para ver si estaba bien?

R. Yo estaba asustada, por eso me escondí, y luego mamá me encontró.

P. ¿Has vuelto a ver a ese hombre?

R. (*Niega con la cabeza.*) Tengo muchas pesadillas.

P. Sabes que aquí estáis a salvo, ¿verdad? Estamos todos aquí para cuidaros.

R. ¿Quién te cuida cuando eres mayor?

P. (*Ríe y señala a Jon.*) Él.

(*R. ríe.*)

J. ¿Qué?

Día 70

Al tercer día decidimos enviar una partida de búsqueda a por los otros. Sería solo una tarde; no nos ausentaríamos del hotel por más de ese tiempo. En su estado, Tomi no pudo venir. Tampoco la habría dejado. Estaba sentada, hablaba y bajó a comer algo hacia el final del tercer día. Debilitada y todo, sabía que podría confiar en ella, y también en Peter, para que protegieran al grupo.

Me ofrecí a ir porque no importaba mucho si volvía o no. En esos momentos, casi me daba igual si no conseguía regresar. No escribí nada más después de la entrevista que Peter mantuvo con Ryoko. Estaba demasiado desmoralizado.

No le había hablado a nadie del cadáver enterrado entre los árboles, ni de que la niña del depósito de agua, sorprendentemente, no fuera quien yo creía. Ni siquiera se lo había contado a Tomi. En parte, porque me avergonzaba que la pista que seguía no me hubiera conducido a nada, pero también porque ella ya tenía bastantes preocupaciones y cuanto menos supiera, menos probable sería que sufriese ningún daño.

La mañana en que salimos hacía más frío de lo normal y yo llevaba un segundo suéter debajo del abrigo que me agarrotaba los brazos y me dificultaba la movilidad. También tenía tensos los hombros y las pantorrillas, ya resentidos, y me dolía la muela. Estaba cansado porque me había pasado la noche en vela preocupado por la misión de reconocimiento, y también en general.

Peter se había ofrecido a venir conmigo, pero era el único tirador decente que quedaba en el hotel no debilitado por la enfermedad. En un sorprendente giro de los acontecimientos, Yuka quiso acompañarme. Creo que la ofendió la insinuación de Tomi de que no hubiera arrimado el hombro. Pero no iba a salir bien, porque ella no estaba hecha para cargar con uno de esos rifles, y menos aún para correr con uno o disparar bajo presión.

Al final, me acompañó Rob.

—¿Has preferido que te acompañe yo en vez de Peter porque crees que es menos probable que te mate y haga que parezca un accidente? —me dijo cuando salíamos del hotel.

Reí.

—Por eso mismo. Sé que seguramente es injusto, pero no me fío de él.

—Me alegro de no darte esa impresión.

—A lo mejor, ese es tu secreto.

—A lo mejor, siempre he sido el más peligroso de todos por aquí.

Me estaba riendo tanto que me olvidé de vigilar la carretera un momento. Eso me hizo echar aún más de menos a los otros. Mi red de apoyo andaba perdida por ahí. No había sabido reconocer lo mucho que confiaba en ellos.

—Tal vez, nos los encontremos —dijo Rob.

—Ese no es un pensamiento muy positivo.

—Preferiría tener la certeza, para bien o para mal.

—Yo no lo tengo claro.

—¿La guerra nuclear está siendo tan horrible como creíste?

Hice una pausa.

—Eh... No, supongo que no está siendo tan horrible como pensaba.

—¿No habías imaginado siempre algo más del estilo del principio de *Terminator*? Yo, sí.

—Para algunos fue tal cual.

Asintió con la cabeza y supe enseguida que los dos andábamos acordándonos de las personas a las que habíamos perdido. Al menos, para ellos, habría sido rápido. Ojalá, porque era igual de probable que hubieran muerto todos lentamente por la radiactividad.

Resultaba difícil averiguar si alguien estaba sufriendo los efectos de la radiación en el hotel. Yo ya me había acostumbrado a encontrarme mal a todas horas.

—Ya que hemos salido, podríamos buscar un móvil —propuso Rob.

—¿Tú llevas el tuyo?

Se lo sacó un poco del bolsillo.

—Podemos hacer una parada en algún momento si ves que tienes cobertura —dije, contemplando con temor el bosque moribundo—. Cuando salgamos del bosque. Pero no en la tienda. Me da mala espina.

—A mí también me da mala espina.

—«Siempre dices lo mismo, Frost —le contesté sonriendo—. Siempre dices: "Este lanzamiento me da mala espina"».

Estábamos a unos quince minutos de distancia.

—¿Pasamos por delante de la tienda, por si han parado allí?

—Si quieres...

—No, te lo pregunto a ti. ¿Te parece buena idea?

Suspiró.

—Podrían tendernos una emboscada.

—Pero también podrían atacarnos en cualquier momento en esta carretera.

Nos lo pensamos un rato los dos y Rob rompió el silencio.

—Deberíamos hacerlo por los otros. Imagina que fueras Dylan o Nathan, que se te hubiera estropeado el coche y estuvieras atrapado en la tienda, muerto de miedo, y ninguno de nosotros fuera nunca a buscarte de puro pánico. No sería justo.

—Vale, decidido. Voy a dar una vuelta alrededor.

Se tensó el ambiente en el interior del vehículo. El corazón se me aceleró. Tenía la sensación de estar metiéndome en la boca del lobo, pero lo que Rob decía era cierto: ¿cómo íbamos a tener la conciencia tranquila si Dylan, Nathan o Adam seguían vivos y no intentábamos siquiera buscarlos o rescatarlos?

—Una sola vuelta —dije con firmeza mientras giraba a la izquierda en dirección a la tienda—. Si detectamos algo raro o vemos a alguien, nos vamos. Si algo se acerca al coche, le disparamos.

—Esa sería mi reacción inmediata —respondió, alargando la mano a sus pies para coger uno de los rifles que habíamos traído con nosotros—. Aunque nunca he disparado uno de estos. Pesa bastante, ¿no?

—¿Vas a poder con él?

—Apunto más o menos y rezo, ¿no?

—Algo así. Prepárate para el culatazo que vas a recibir en el hombro. Pégatelo a la mejilla, si eso te ayuda a mantenerlo firme. Procura acertar el blanco la primera vez.

—Eso es obvio, claro.

—Nunca has disparado un arma: el primer disparo te va a producir un subidón de adrenalina. Empezarán a temblarte las manos. Probablemente no seas capaz de disparar otra vez durante unos minutos.

—Ah —dijo, inspirando hondo—. Eso no lo sabía.

Cayó algo pesado en el techo del coche con un estrépito metálico y los dos nos sobresaltamos. Posiblemente fuera una rama. Rob se llevó una mano a la cabeza y resopló. Yo agarré más fuerte el volante, colorado como un tomate. Nos miramos y nos sonreímos, conscientes de nuestro miedo.

Cuando nos acercábamos a la tienda, aminoré la marcha.

—No aminores —me dijo Rob, comprobando que el seguro de su puerta estaba echado—. Hazlo muy rápido.

—¿Y no se nos escapará nada?

—Un Land Rover no pasa inadvertido fácilmente.

Pisé a fondo el acelerador y, armándome de valor, viré bruscamente a la izquierda, en dirección al aparcamiento.

Con la cara pegada a la ventanilla, Rob examinaba aquella vasta extensión de color gris, mientras yo mantenía la vista fija en el trecho limitado que teníamos delante. Buscaba clavos de punta, trampas, indicios... cualquier cosa que pareciera obra de manos humanas.

—¡Allí!

Di un respingo, viré a la derecha y aparté los ojos de la carretera.

—¿Qué?

—Allí —repitió con la mano pegada a la ventanilla—. Ese es el coche de Dylan.

—Joder. Joder, ¿qué hacemos?

—¡Para!

—¿Que pare? —Ya estaba saliendo del aparcamiento—. ¡No podemos!

—¡Ese es su coche!

—¿Ves algo más?

Dos pares de ojos registraron a toda velocidad la zona en busca de peligro.

—No, nada. ¡Para!

—¡No creo que debamos parar!

—¡Podrían estar ahí dentro!

—¡Joder! ¡Joder! —Pisé el freno y el coche derrapó y nos lanzó a los dos hacia delante—. Joder.

Esperamos a que pasara algo, un ataque, un movimiento, pero solo había silencio.

Ninguno de los dos hizo ademán de bajar del vehículo.

Puse marcha atrás y retrocedí despacio.

—¡Rob, dime si ves algo!

—No veo nada.

—¿Seguro que es el coche de Dylan?

Me detuve junto a él y miramos los dos. En efecto, era su coche.

—Joder —dije otra vez, porque sabía que uno de los dos se iba a tener que bajar.

—Joder —dijo Rob, porque sabía que iba a tener que ser él.

—Dejo el motor en marcha —le dije, procurando disimular que me temblaba la voz—. Llévate el arma, no te va a pasar nada.

—Por favor, no te largues sin mí.

—No lo haré.

—No, en serio, no te vayas, por favor.

—Que no me voy, te lo prometo.

Con manos temblonas, quitó manualmente el seguro de su puerta y bajó. Yo volví a mirar alrededor, pero no se movía nada. Nadie avanzaba hacia nosotros. Rob dejó la puerta entreabierta mientras se acercaba al Land Rover, pegó los hombros a la parte de atrás y se puso de puntillas para asomarse por la ventanilla. Por lo visto, no vio nada alarmante y se volvió hacia mí para negar con la cabeza.

Vino corriendo a refugiarse de nuevo en nuestro vehículo y preguntó:

—¿Entramos en la tienda?

—Dudo que hayan acampado ahí —dije yo.

—¿Y por qué sigue aquí su coche?

—¡Sé lo mismo que tú! —Tragué saliva, tenía la boca como un estropajo—. Solo somos dos. Si han podido con Dylan, Adam y Nathan, dudo que sobrevivamos si nos asaltan.

—No podemos dejar el Land Rover aquí.

—Ve a ver si está puesta la llave.

—¿Qué? Ah, sí.

Esa vez fue más rápido, algo más seguro, y abrió la puerta del Land Rover. Dejó el rifle en el asiento y empezó a registrar el hueco de los pies, la guantera, el suelo, mientras yo vigilaba el aparcamiento desierto con el corazón desbocado y el estómago revuelto.

En la vida había sentido un miedo parecido. Cada vez que pienso que he llegado al límite de mi capacidad, me veo en una situación que lo sobrepasa. Así era como se sentía uno siendo parte de la cadena alimentaria.

Volvió Rob y echó el seguro.

—No hay llave.

—Lógico; si la hubiera, el coche ya no estaría. Sabes hacer un puente, ¿verdad?

—Me halaga que pienses que parezco de esa clase de hombres que saben hacer un puente.

—Supongo que eso es un no.

—No. O sea, que no, no sé.

Me pregunté si yo sabría hacerlo si lo buscábamos en Google. Decidí que merecía la pena intentarlo.

—Prueba a conectarte a internet —propuse—. Si encuentras algún tutorial, igual puedo hacerlo yo. Igual. Además, con un coche más no tardaremos tanto en sacar a todo el mundo del hotel.

—Pensé que tú sabrías puentear coches modernos.

—Ni idea. Pero merece la pena intentarlo y llevárnoslo, ¿no crees?

Riendo de lo absurdo que era todo, Rob encendió el móvil y activó los datos que le quedaban.

—Con un tutorial, a lo mejor lo puedo hacer yo también.

—¡Abejorro! —exclamé.

—¿Qué?

—El cable amarillo y el negro van juntos cuando le haces el puente a un coche. Lo leí en algún sitio. Era abejorro para el amarillo y el negro y... había otra palabra para los otros dos colores, pero no me acuerdo.

Brilló la pantalla y el móvil se conectó. Buscó en YouTube. Me dieron ganas de quitarle el móvil de las manos para mirar mis mensajes.

—¿Me lo... dejas cuando termines? —le pregunté mientras bajaba del coche.

—Sí, claro. —Volvió a dejar la puerta entornada—. Por favor, no te largues.

—¡Que no! Date prisa, tengo un mal presentimiento.

—¿Qué quieres decir?

—Nada, es que... Nada. Ve. ¡Ve!

333

Agachado, como si esperara un disparo, Rob volvió al Land Rover. Se oía el tutorial que estaba viendo: un tío con el coche a la puerta de su casa explicando el proceso paso por paso. Di marcha atrás un poco para poder ver la entrada a la tienda. No detecté movimiento, pero cuanto más nos entreteníamos en un sitio, mayor era el agujero que se me hacía en el estómago.

Vi que no se había llevado el arma y miré por encima de mi hombro derecho. Vislumbré algo, a alguien, retirándose del fondo del aparcamiento y escondiéndose en el bosque.

No tenía tiempo para poner en duda lo que había visto con mis propios ojos.

—¡Rob! ¡Rob, rápido!

Bajó del coche de Dylan como un rayo y, cuando se lanzó al asiento del copiloto, yo ya estaba poniendo en marcha el nuestro. Mientras escudriñaba el bosque, oí que echaba el seguro a su puerta. Apenas un segundo después, algo golpeó el guardabarros derecho de nuestro vehículo.

—¡Joder! —Rob echó la vista atrás—. ¡Joder!

Pisé a fondo el acelerador y ya iba a más de sesenta por hora cuando cruzamos la salida. Noté que rodábamos por encima de algo y el aire se escapó de las ruedas con un fuerte estallido. El coche se volvió prácticamente incontrolable. Pisé el freno y puse marcha atrás, retrocedí hasta el Land Rover, oyendo el ruido de los neumáticos pinchados al rozar con el suelo.

—¿Qué haces?

—¡Hemos pisado unos clavos o algo así!

—Joder, joder, joder...

—¡Muévete!

Cogí mi rifle del asiento de atrás, bajé del coche y apunté hacia las dos figuras, dos hombres, que, al ver el rifle, dejaron de correr y levantaron los brazos.

Día 70 (2)

Oí un disparo y los hombres se tiraron al suelo, cubriéndose la cara y la nuca.

Me agaché y apunté enseguida hacia la tienda, donde había un hombre abatido y sangrando a la entrada. Se agarraba el muslo y chillaba. Por la cantidad de sangre que perdía, supe enseguida que iba a morir desangrado.

Rob le había disparado.

No le veía la cara al tipo. Me lo tapaban los coches, que estaban a mi espalda.

Como casi no podía ver, ni pensar, ni recordar cuántas balas me quedaban, apunté el arma a los hombres tirados en el suelo.

—¿Quiénes sois? —grité, sonando más valiente de lo que me sentía. No contestaron. Vi que uno de ellos llevaba una especie de machete, pero solo Rob y yo teníamos armas—. ¿Quiénes sois? —volví a preguntar.

—¡No disparéis! —Uno de ellos levantó la cabeza. No lo reconocí, pero tenía acento suizo o francés—. ¡Buscamos comida!

Me limpié los ojos porque estaba sudando, a pesar del frío.

—¿Y por eso nos habéis reventado los neumáticos?

—¡Solo buscamos comida!

Miré hacia la tienda por encima del hombro. Rob no paraba de moverse, apuntando con el arma al hombre del suelo. Me temblaban las manos y los hombros, y me esforcé por recobrar un poco la compostura, no fueran a detectar debilidad y decidieran atacarme.

—¿Somos vuestra comida? —pregunté—. ¿Dónde están nuestros amigos?

—¡No conocemos a vuestros amigos!

—¡Iban en ese coche!

Titubearon. Tomé una decisión y disparé al que no hablaba. Ahora que lo escribo, suena precipitado, como si lo hubiera hecho sin pensar. Pero sí lo hice. Nunca había matado a un hombre y llevaba más de diez años sin disparar un arma. Se sacudió y escupió sangre a su compañero, que soltó un grito. Le había acertado en el pecho, aunque apuntara a la cabeza.

El disparo me dejó conmocionado. Me costaba respirar.

—¡Joder! ¿Estás bien? —me gritó Rob.

—Estoy bien, es que... Estoy bien. —Muerto de miedo, me dirigí al otro—. ¿Dónde están los hombres que iban en ese coche? —No dijo nada. Había soltado el machete en cuanto la sangre le había salpicado y ahora tenía los ojos cerrados con fuerza y murmuraba algo por lo bajo, rezaba, quizás, o tal vez me maldecía—. ¡Habla!

Abrió los ojos. Noté que tenía la cara sucia y había perdido las muelas. Llevaba varios jerséis, una sudadera con capucha y mitones. Sus vaqueros parecían cubiertos de porquería. O tal vez de sangre seca.

—¡No dispares, por favor! —me dijo.

—¡Dime qué les ha pasado a nuestros amigos!

—Buscábamos comida. No queda comida por aquí.

El hombre al que había disparado se movió un poco y, al ver que seguía vivo, me sobresalté. Pero aquellos fueron, por lo visto, sus últimos estertores. Sufrió calambres en los brazos y en las manos antes de quedarse completamente inmóvil. La sangre seguía abandonando despacio su cuerpo.

—¿Os estáis comiendo a la gente?

Meneó la cabeza.

—Ya no queda comida por aquí.

No había meneado la cabeza para negarlo, sino por lo mucho que lo asqueaba.

—¿Y en la ciudad?

—No podemos ir allí.

—¿Por qué?

—No podemos.

Miré a Rob por encima del hombro. Aún apuntaba con el rifle alternativamente a la entrada de la tienda y al tercer hombre, aunque ese parecía muerto.

—¿Qué ha pasado con los que iban en el coche?

—No sé —dijo, sin mirarme a los ojos.

—¿Cómo es posible que no lo sepas?

—¡Huyeron! Huyeron los dos...

—¿Solo dos? —Se me empezaban a cargar los hombros de sostener el arma. No contestó—. ¿Qué dos? —pregunté.

—No sé adónde fueron —balbució—. A la ciudad, tal vez.

—Pero ¿no has dicho que a la ciudad no se puede ir? —No se explicó—. ¿Qué le pasó al que no consiguió escapar? —le pregunté. Volvió a cerrar los ojos y susurró algo en francés—. ¿Por qué sigue ahí su coche? —grité.

—¡Porque sabíamos que vendríais! Sabíamos que pararíais si veíais el coche. Por favor, solo necesitamos comida. Tenemos mucha hambre y no podemos cazar, no tenemos armas. —Le temblaba el labio inferior y por las mejillas empezaron a rodarle lágrimas que iban dejando un reguero en la mugre.

La sangre me había llegado a los pies y retrocedí. Al hacerlo, topé con el coche y se me descolocó el rifle. El tipo agarró el machete y vino reptando a por mí. Me entró el pánico y me caí de espaldas, al mismo tiempo que sonaba otro disparo detrás de mí que hizo que nos agacháramos todos.

Completamente sordo, me puse de pie como pude y, recuperando el control del rifle, disparé al otro hombre del suelo hasta que dejó de moverse.

Solo cuando dejé de disparar me di cuenta de que le había pegado cuatro tiros antes de que el rifle se atascara. Sacudí el arma para que cayera al suelo la bala encasquillada.

Alguien decía algo, pero no lograba distinguirlo.

Miré por encima del hombro y vi a Rob, de un pálido casi gris. Agitando el rifle, me dijo como si hablara desde detrás de una campana de cristal: «Apunto más o menos y rezo». Luego se agachó detrás del coche y vomitó.

Inspiré hondo y, reteniendo el aire en el pecho, bajé el arma, pisé la sangre y les registré los bolsillos a los dos. Me costaba mover las manos.

—¿Qué buscas? —me preguntó Rob, medio tumbado sobre el capó del coche.

—Esto —dije, sosteniendo en alto las llaves del coche de Dylan.

Los dos nos recostamos en el coche un rato, porque no podíamos ni movernos.

—Jon, ¿estás bien?

Volvió a llegarme el oxígeno que me faltaba. Había dejado de respirar.

—¡Sí! Sí, perfectamente. Estoy bien. ¿Tú estás bien?

—Sí. Creo. La verdad es que no lo sé.

Miré los dos cadáveres, el machete que estaba en el suelo, y luego los neumáticos reventados de nuestro coche. Sin repuestos, no podíamos hacer nada. Tendríamos que dejarlo allí y dar gracias por tener el Land Rover de Dylan.

Cogí la mochila del coche, repasé el interior por si nos habíamos dejado algo y nos fuimos en el de Dylan.

—¿Qué ha pasado? —me preguntó Rob—. No me he enterado de lo que hablabais. No paraba de pensar que iban a salir más de la tienda.

—Debían de estar desesperados. Nos han tendido una trampa, pero no tenían armas.

—Te he oído hablar con ellos.

—Arranca de una vez. —Inspiró hondo y vi que se le llenaban los ojos de lágrimas—. Sabes conducir, ¿no? —le pregunté, suavizando el tono.

—Sí, un minuto. Necesito un minuto.

—Déjame a mí —le dije, y le hice una seña para que bajara.

—No, no hace falta.

—Estoy bien, no te preocupes. —Nos cambiamos el sitio y arrancamos otra vez. Agradecí la distracción. Si me centraba en conducir, no tenía que pensar demasiado en lo que acababa de ocurrir—. Lo has hecho fenomenal bajo presión, ahí fuera —le dije mientras tomaba la carretera para esquivar los clavos de la salida.

Soltó una carcajada un poco histérica e hizo un aspaviento.

—¡No he pasado más miedo en toda mi vida!

—Ni yo. La verdad.

—Pero les has pegado un tiro a esos tíos. Ha sido... Me ha sorprendido.

—Sabía que no podíamos dejarlos con vida. Habrían venido a por nosotros. A por todos nosotros. —Pensé en tomar el camino del hotel en el siguiente desvío, pero sabía que teníamos que intentar llegar a la ciudad—. No sé si he hecho bien.

—¿Te han contado algo de los otros?

—No —contesté, pero me arrepentí de inmediato—. No, es mentira. Perdona, no sé por qué lo he dicho. Me ha hablado de los otros, me ha dicho que dos de ellos seguían vivos, que habían huido y que, a lo mejor, corrieron en dirección a la ciudad. No sé qué... No me ha explicado bien lo que pasó. Igual me estaba mintiendo.

—¿Qué? ¿Te han dicho que los habían visto?

—Sí, me han dicho...

—¿Qué te han dicho?

—Me han dicho que salieron corriendo hacia la ciudad... Me ha dicho que huyeron. No me ha dicho quiénes eran.

Un breve silencio.

Rob suspiró y dijo:

—Nos habrían contado más si no nos hubiera entrado el pánico.

—Ya, es que he pensado que... —Una jaqueca, súbita e intensa, me aporreaba la parte anterior del cráneo, y tuve que parar en el arcén—. Perdona, dame un minuto.

—¿Te han dicho si mataron a uno de los tres?

Agarré a tientas la manilla, quité el seguro de la puerta y conseguí bajar del coche tambaleándome antes de vomitar en la hierba seca. Como me faltaba el aire otra vez, cerré la puerta y me apoyé en el coche, porque necesitaba escapar del tono acusador de Rob. Pero no era acusador; en realidad, no. Solo era una pregunta. Oí que abría la puerta y sus pies alcanzaban el suelo. Vino a mi lado y se apoyó también en el coche, delante de la pared de árboles.

—No insinuaba que hubieras hecho algo malo —me dijo.

—No, es culpa mía. Se me ha ido la olla. —Solté una carcajada nerviosa—. Es que... no sabía qué hacer. Estaba aterrado, joder.

—Y yo.

—¡No habías disparado un arma en tu vida y has acertado a la primera!

Sonrió un poco.

—Sí, ¿verdad? Eso se lo puedes contar a todo el mundo si quieres.

—Lo haré.

Alzó la mano para que chocara los cinco con él, y lo hice, riendo. El gesto se convirtió en uno de esos abrazos incómodos entre hombres que habrían terminado con fuertes palmadas en la espalda si alguno de los dos hubiera sido lo bastante machote para hacerlo. No recordaba la última vez que había abrazado a alguien que no fuera Tomi. No me había dado cuenta de lo mucho que lo echaba de menos, de los pocos abrazos que había dado en la vida, incluso antes de las bombas. ¿Abrazaba a alguien aparte de a Nadia y a las niñas? ¿Aparte de a las mujeres con las que me acostaba? No me acordaba. No creía hacerlo.

Nos cambiamos el sitio y Rob condujo el resto del camino.

Día 70 (3)

Llegamos a la zona residencial de la periferia, a las grandes casas de campo y las tiendas pequeñitas, y al principio no vimos mucho. Me sorprendió lo normal que parecía todo, salvo por los coches abandonados que sembraban la carretera y dificultaban nuestro avance. Escudriñé las casas por las que pasábamos y me extrañó ver rostros en las ventanas.

—Qué raro —dijo Rob.

—Esperaba que esto fuera... —No me salían las palabras.

—¿Zona de guerra?

—Sí.

Aminoró la marcha y rodeó un par de coches que habían dejado en la carretera. Vi a los hombres armados antes que él. Parecía que llevaban uniformes de la marina, aunque sin insignias. Nos hicieron una seña para que parásemos y bajáramos las ventanillas.

Le di un codazo a Rob, que se puso pálido.

—Dios.

Un hombre se acercó a la ventanilla. Llevaba un rifle cruzado sobre el pecho. Tenía los ojos de color caoba, con manchitas, la piel oscura, y se dirigió a nosotros en francés.

—Soy estadounidense —le dije, sintiéndome gilipollas y confiando en que no me pegara un tiro por eso.

—¿De dónde vienen? —preguntó.

—De L'Hotel Sixième —contestó Rob—. Está por allá.

—Ya. —Frunció el ceño y miró a nuestra espalda, a la parte de atrás del coche—. ¿Queda alguien allí?

—Quedamos menos de veinte —contesté.

—¿Todo este tiempo? —Asentimos—. ¿Qué hacen aquí?

Nos miramos.

—Hemos perdido a parte del grupo. Salieron a buscar comida y no han vuelto. Temíamos que... otras personas los hubieran atacado —añadí.

—Tienen razón. Hay gente mala por ahí, en el bosque. —Miró más allá de nuestro coche, le hizo una seña a alguien como diciendo: «Tranquilos, estos no son un peligro»—. Entonces, ¿vienen a buscar comida o a buscar a sus amigos?

Tragué saliva, porque no sabía si había una respuesta incorrecta.

—A las dos cosas. Con lo que tenemos, no podremos sobrevivir este invierno en el hotel. ¿Cómo están por aquí? ¿Acogen a gente de fuera? ¿Son policías?

Me miró sorprendido.

—Somos todos policías. Síganme, que los llevo al ayuntamiento.

—¿Dejamos el coche aquí?

—Sí, no se lo van a robar.

Bajamos despacio del vehículo.

—Con eso, no pueden venir —nos dijo el hombre del uniforme oscuro, señalando con la cabeza nuestras armas—. Pueden dejarlas en el coche, pero no pueden andar por ahí con ellas.

Obedecí encantado. Había como una docena de hombres uniformados vigilando el control de carretera y no me veía con posibilidades de enfrentarme a ninguno de ellos.

—Me llamo Felix —dijo el hombre, tendiéndome la mano.

Se la estreché y me relajé un poco. Me costaba imaginar que un hombre que se presentaba tan educadamente tuviera pensado pegarnos un tiro.

—Yo soy Jon. Este es Rob.

—¿Es británico? —le preguntó Felix a Rob.

—En el hotel hay estadounidenses, británicos, alemanes y

342

franceses —dijo Rob, asintiendo con la cabeza—. Y una pareja japonesa con niños pequeños.

—¿Unos veinte, ha dicho?

—Ahora menos.

Felix pasó con nosotros el control de carretera y, más allá, pude ver la ciudad, con un aspecto, en su mayor parte, idéntico a como la habíamos dejado hacía unos meses, cuando habíamos cogido unos taxis de la estación al hotel. Seguía limpia. Los edificios no estaban en ruinas. La única diferencia importante que pude observar fueron las banderas y los letreros. Estaban por todas partes, algunos en francés y otros no. Colgaban de las ventanas y ondeaban en los jardines.

LARGA VIDA A SAINT-SION. PAZ.

—Antes no se llamaba Saint-Sion, ¿verdad? —pregunté, dubitativo.

Felix negó con la cabeza.

—Le hemos cambiado el nombre. Ahora es una ciudad distinta.

—¿Qué hay en el ayuntamiento? —preguntó Rob cuando empezamos a caminar.

—Nuestra alcaldesa —contestó Felix—. Y los concejales.

—¿Su qué? —Me detuve.

Me miró como si fuera estúpido.

—Nuestra alcaldesa y los concejales. La alcaldesa es Stephanie Morges.

Rob me miró raro también, pero me dio igual. Fue como si perdiera el control de mi cuerpo, y los ojos se me llenaron de lágrimas. Me quité las gafas y me tapé la parte superior de la cara, pero no pude impedir que las lágrimas siguieran brotando. Una sensación dolorosísima de alivio y de nostalgia me dejó sin aliento y, por un momento, no pude más que quedarme allí plantado en medio de la calle, reprimiendo una necesidad imperiosa de llorar. Noté una mano en el hombro. De Rob.

Felix no dijo nada.

Costaba deshacerse de las imágenes de nuestra vida en el hotel. Creo que por eso me daba tanto miedo irme. En el hotel podíamos centrarnos en la supervivencia y en los demás. No había que pensar en el resto del mundo ni en lo que habíamos perdido. De repente empecé a sentirlo: el aplastante peso existencial de la pérdida. Los traslados diarios en coche o en tren; llamar a tus representantes por algo que has visto en la tele; leer en internet las noticias, que cada vez eran peores; ir a una manifestación tras otra con la angustiosa sensación de que nada cambiaba, de que los gobiernos no tenían miedo y la gente, menos del que debería; pasar un día y otro en el trabajo hablando de los políticos a los que odiábamos y de las batallas que estábamos perdiendo; preocuparte por tu futuro y por si tus hijos tendrían uno... y, de pronto, todo había sido borrado de un plumazo. Tu familia, la tele y tu preocupación por el propio futuro y por el futuro que imaginabas, y por tus hijos; todo desaparecido en un día, o quizás un poco más, pero eso no lo sabía nadie porque internet, esa gran ventana, había desaparecido también.

Lo echaba mucho de menos, aunque no hubiera sido feliz cuando lo tenía. Ninguno de nosotros había sido feliz. Cualquier imagen de nuestra existencia anterior nos dolía como una vieja herida. Nunca fue una vida feliz, pero era la que conocíamos. Siempre supimos que no era sostenible, que la violencia no era sostenible, pero había que vivir con ella, como fuera. No había felicidad. No había paz. Pero, en ocasiones, para nosotros, había habido tranquilidad.

Me destapé los ojos.

—Perdón —dije, y seguimos andando.

Rob iba callado.

Felix no nos hizo más preguntas.

No me dio vergüenza. ¿A quién demonios le importaba ya? ¿No teníamos todos cosas de sobra por las que llorar?

Empezamos a pasar por delante de tiendas, algunas de las cuales parecían incluso abiertas. Me pregunté qué estaría haciendo la gente con su dinero, con todas sus cosas. Había gente por la calle, vestida con ropa normal. Una mujer con tres niños cruzó la calle delante de nosotros y yo me los quedé mirando. Parecían limpios, felices, como cualquier niño normal.

Rob se acercó al escaparate de una tienda y miró dentro.

—Entonces, ¿qué ha pasado aquí después de... bueno...?

Aún no habíamos encontrado una forma cabal de llamarlo con la que todos nos sintiéramos cómodos. Pero Felix, sí.

—¿Después de la guerra final? —dijo—. Cundió el pánico, hubo multitud de disturbios y robos. Fue horroroso durante un tiempo, sobre todo cuando se fue la luz. La gente quería internet. Pensaban que íbamos a morir todos. Los fanáticos convencían a los demás para que se suicidaran en las calles. Fue espantoso.

—Ahora no lo parece —observé.

—En cuanto restablecimos el orden, organizamos una limpieza. Reparamos los edificios y las carreteras, enterramos a los muertos, desterramos a los que fomentaban la violencia o el fanatismo...

—¿Adónde?

—Los echamos de la ciudad. Por eso tenemos esos controles policiales en las carreteras. Hay algunos también en los límites del bosque, pero muchas personas se han mudado al centro, donde podemos mantener a salvo a todo el mundo. Sabemos que los desterrados siguen ahí fuera. No todos han muerto. Nos consta que sobreviven comiéndose unos a otros.

Sentí un escalofrío.

—Nos preocupa que les haya pasado eso a nuestros amigos.

—¿Ha llegado alguien nuevo en la última semana? —preguntó Rob—. ¿Llega mucha gente nueva?

—No llevo la cuenta de todas las admisiones. No les doy acceso yo a todos. El ayuntamiento cuenta con un censo completo de los ciudadanos, así que, si sus amigos han venido aquí, aparecerán en las listas.

Me atreví a sonreír.

—Entonces, ¿aceptan a los recién llegados?

Felix se encogió de hombros.

—Primero tenemos que asegurarnos de que nos puedan resultar útiles, y de que no son peligrosos. En ese caso, no veo problema.

Seguimos andando. Observé que habían sellado con listones de madera muchos edificios altos de oficinas, por cuyas ventanas no se veía absolutamente nada, y que eran vigilados por hombres con uniforme de la marina.

—¿Qué está pasando ahí dentro? —pregunté, señalando.

—Producción de alimentos. Tuvimos que idear una nueva forma de agricultura porque... —Señaló con el rifle el cielo vacío, sin sol—. Además, la lluvia no se puede beber. Es radiactiva. Organizamos la recogida de agua cercana antes de que la infectara la lluvia, agua de nuestros arroyos y nuestros lagos. Hemos estado usando eso y racionando las existencias de agua embotellada mientras otras personas construyen pozos.

Titubeé.

—¿La lluvia es radiactiva?

Me miró como si fuera un poco lento.

—Sí. Por suerte, aquí solo ha llovido una vez, así que el nivel de radiactividad de nuestros lagos sigue siendo muy bajo.

Me costaba creer que a ninguno de los que estábamos en el hotel se nos hubiera ocurrido eso. Guardé un rato silencio.

También me pregunté qué habría querido decir con «útiles», pero me abstuve de preguntar.

En el centro de Saint-Sion había una antigua plaza donde los edificios eran de piedra y las casas de alrededor, de ladrillo rojo. Las calles, de pronto, se volvieron viejas y accidentadas. Algunos agentes de uniforme de la marina iban a caballo. A nuestra izquierda se erguía un gran edificio de piedra con una aguja en la parte frontal. Supuse que se trataba del ayuntamiento, porque estaba fuertemente custodiado.

Me detuve y eché un vistazo a la plaza. Había algunos puestecillos de mercado.

—¿Con qué pagan? —pregunté.

—Con nada. Cuando alguien quiere algo extra, algún artículo de lujo, lo cambia por otra cosa. El dinero ya no tiene ninguna utilidad. Nos aseguramos de que a nadie le falte de nada. Es ahí —dijo Felix, cediéndonos el paso y haciéndoles una seña a los guardias plantados a ambos lados de la puerta.

Delante había un tramo de escaleras empinadas, una alfombra roja, salas a izquierda y derecha, techos altos. Al fondo resonaba una conversación.

—Esperen aquí —nos pidió Felix, señalándonos unos sofás y desapareciendo luego por las escaleras.

Nos sentamos. Me noté mareado.

—Esto es surrealista —dijo Rob, jadeando un poco—. Tengo la sensación de que no esté pasando de verdad.

—Sí, como si fuera una secuencia onírica. —Reímos los dos, nerviosos—. No me había planteado lo raro que podía resultarme volver a estar rodeado de gente. No creí que fuera a ocurrir.

—Si lo piensas bien, era improbable.

—Ya me había acostumbrado al grupo.

Inspiró hondo.

—Pero podríamos venir a vivir aquí. A una ciudad, otra vez. Piensa en los que se han quedado en el hotel, ni se lo imaginan.

—Me gustaría saber qué ha querido decir con «útiles».

Sonrió.

—Tú también te has quedado con eso...

—Me ha sonado a *El cuento de la criada*. No me ha gustado en absoluto.

—Sí, yo he pensado lo mismo.

Nos miramos y sentí un fuerte cariño por él.

—Me alegro de haber venido contigo en vez de con Peter —le dije.

—Soy yo el que se alegra de que hayas venido conmigo en vez de con Peter. A lo mejor no habrías vuelto.

—O esos tíos nos habrían disparado ya.

Volvió Felix, acompañado por una mujer de cincuenta y tantos años vestida con vaqueros oscuros y un elegante abrigo gris. Me estrechó la mano con firmeza y vi que tenía unos rasgos fuertes, muy directos, pero una sonrisa cálida.

—Hola, me llamo Louise Zammit, soy la alcaldesa en funciones. Felix me ha dicho que acaban de llegar en coche...

—Sí, yo soy Jon Keller, este es Rob. Venimos de...

—Del hotel, me lo ha dicho Felix. —Lo miró—. Ya te puedes ir, gracias.

Felix se despidió de nosotros con un gesto y se fue.

Louise Zammit nos llevó arriba y la seguimos hasta uno de los despachos que daban a la plaza. Ella se instaló detrás de un gran escritorio y nos invitó a tomar asiento. Se acercó un libro de registro enorme y probó el bolígrafo, pero se había quedado sin tinta. Tuvo que ir un momento a buscar otro, y cuando volvió tomó nota de nuestros nombres y apellidos.

Nos preguntó por el hotel, cuántos supervivientes éramos, quién era quién, qué hacía cada cual, qué idiomas hablábamos, con qué provisiones contábamos y si había habido algún incidente violento en los últimos meses. También nos preguntó qué edades teníamos, y me pareció raro, aunque no me preocupó, de momento.

No mencioné a la niña, pero sí le contamos lo ocurrido con Nicholas van Schaik. No pareció perturbarla.

—Es comprensible —dijo—. Felix me ha dicho que preguntaban por unos amigos desaparecidos ¿hace cosa de una semana?

Asentimos con la cabeza.

—Sí, por tres: Nathan, Dylan y Adam. Los tres son bastante llamativos, no pasan desapercibidos —dije, inclinándome hacia delante en mi asiento.

—Me suenan, sí —dijo, volviendo la página del registro—. La semana pasada una de nuestras patrullas encontró a un joven inglés llamado Adam. Iba junto con otro llamado Dylan, creo. Sí, aquí está. Tenemos un listado con todas las personas procedentes del hotel.

Rob me agarró del brazo y se me hizo un nudo en la garganta.

—¡Están vivos! —exclamó.

Louise Zammit asintió con la cabeza.

—Sí, prácticamente ilesos, aunque bastante conmocionados. Ninguno de los dos habló mucho con nosotros. Trasladamos a Adam a una habitación que se halla cerca de donde han dejado el coche. Pueden ir a verlo si lo desean, claro.

Día 70 (4)

Felix, que nos había estado esperando a la entrada del ayuntamiento, nos ayudó a encontrar la dirección y esperó de nuevo a la puerta del edificio mientras alguien llamaba al interfono del pequeño bloque de tres plantas para que nos abrieran. Obviamente, le habían ordenado que no nos dejara solos hasta que nos hubiéramos marchado de la ciudad.

Era como cualquier otro edificio de viviendas europeo. El jardín estaba bien cuidado, pese a que la hierba amarilleaba. Había una maceta colgante de flores muertas, pero resultaba alegre y optimista más que triste. En el vestíbulo, una alfombra roja nos condujo por una escalera ancha. Las puertas de los pisos eran blancas y todo lucía limpísimo.

—Aún tienen electricidad —dijo Rob.

—Sí, cuando tienen interfono.

Subimos al tercero y se abrió la puerta blanca. Adam, pálido y delgado pero indudablemente vivo, nos dedicó una leve sonrisa. Llevaba un albornoz blanco. Me costó una barbaridad no abalanzarme sobre él como un crío para abrazarlo. Rob sí lo hizo, procurando no tirarlo al suelo.

—¡Madre mía, qué pintas! —exclamó Adam, agarrándose la cintura como si le doliera, pero sonriendo a pesar de todo—. ¿Qué os ha pasado?

—¿Más bien, qué os ha pasado a vosotros? —repliqué yo.

—Bueno... ¿Qué no nos ha pasado? —dijo con una mueca, y se metió dentro.

Lo seguimos al interior de un piso pequeño pero acogedor. Me recordó el primer sitio donde Nadia y yo habíamos vivido juntos. Las paredes estaban decoradas con un papel estampado en verde claro y blanco, como el de las confiterías antiguas, y había muebles de madera oscura.

—Hay té en la cocina —dijo Adam, como si nada.

—Té —repitió Rob.

—Sí, té de verdad. El hervidor funciona y todo, aunque nos han aconsejado que no nos pasemos con el gasto de la luz porque, si no, habrá que empezar a aplicar restricciones —nos explicó, sentándose en uno de los sillones que había junto a la ventana.

—Voy a... —dijo Rob, algo emocionado—. Voy a prepararme un té.

—Prepárame uno a mí también —le dije yo.

—¿Te gusta el té? —Adam rio.

Me senté en el otro sillón, sintiéndome todavía completamente fuera de lugar.

—Lo detesto.

—También hay café.

—¿Un café? —le grité.

—Ya estoy en ello —me respondió.

Adam miró por la ventana y cerró los ojos un instante, como si le pesaran los huesos de la fatiga. Estaba palidísimo.

—¿Puedes contarnos lo que ha pasado? —pregunté—. ¿Dónde está Dylan?

—Eh... —Se toqueteó la barba, esquivando mis ojos y mirando en su lugar por la ventana—. Se ha ido esta mañana. Le han dado un coche, volvía al hotel. Habría ido con él, pero... No pienso volver a ese bosque.

No quise preguntar.

Tuve que hacerlo.

—¿Y Nathan?

Aun con el ruido del hervidor, oí a Rob quedarse inmóvil en la cocina. Era un sonido asombroso, el del agua a punto de hervir. Me llenó de calidez y casi ahogó por completo mi pregunta.

Adam contuvo la respiración.

—No lo consiguió.

Se hizo un largo silencio durante el cual ninguno de los dos nos miramos. Hirvió el agua y cesó el borboteo. No oí moverse a Rob. Todo se detuvo. Hacía un tiempo que la muerte no irrumpía en una habitación. Los últimos fallecidos, de entre los que yo conocía, habían sido Patrick y Coralie, y parecía que hubieran transcurrido años de aquello. No recuerdo cómo me despedí de Nathan, y no puedo seguir intentándolo porque me voy a volver loco. No recuerdo si lo abracé o no. No creo que lo hiciera. Creo que salí a la escalinata de acceso al hotel y les dije adiós con la mano, pero no recuerdo cuáles fueron las últimas palabras que pronuncié.

Adam miró por la ventana. Yo observé mis manos. Rob no salió de la cocina. No sé cuánto tiempo estuvimos así.

No quería llorar. Ya había librado esa batalla. Si empezaba, no podría parar.

—No sé si me apetece hablar de ello —dijo Adam por fin.

—Bien, no hace falta.

Se levantó, fue a la cocina y empezó a prepararse un sándwich de atún. Me dio la impresión de que hacía todo lo posible por estar distraído, aunque era evidente que aún le dolía caminar. No pregunté por qué.

Observé que tenía heridas defensivas en las manos, los nudillos reventados y rasguños y cardenales por los brazos, pero procuré no mirárselos.

Cuando volvió y se sentó de nuevo, dijo:

—Nos pillaron porque me agarraron a mí. Dylan podría haberles pegado un tiro, pero no lo hizo porque me tenían a mí.

—No es culpa tuya.

—Es... Puede —dijo, rascando los brazos del sillón—. Yo le estaba diciendo a Dylan que disparara, pero él no quería hacerlo mientras yo estuviera en medio, de modo que acabaron soltando las armas y eso fue todo. No pudimos hacer nada. Eran solo tres hombres.

—¿Tres?

—Bueno, tres los que nos cogieron. En el grupo había unos doce, igual diez, no sabría deciros. Dylan mató a dos para poder escapar de allí y luego ya no paramos de correr hasta que nos topamos con los guardias del control de carretera.

—¿Dylan está bien?

—Conmocionado, pero necesitaba volver, asegurarse de que todos os encontrarais a salvo. Sé que tenían pensado usarnos de cebo para atraparos a vosotros, chicos, chantajearos para conseguir comida, armas y demás.

—No notamos nada raro.

Rob trajo un par de tazas de la cocina: una para mí y la otra para Adam.

—No sabía cómo lo querías —dijo, distraído—. Hay azúcar, leche no, claro.

—¿Me pones azúcar?

Trajo el paquete entero, lo dejó junto a mi sillón y, apoyándose en la pared del fondo, removió su té, mirando la taza con los ojos irritados y cara de pasmo.

—¿Estáis bien, chicos? —preguntó Adam.

Me eché una cantidad brutal de azúcar en el café. Escaseaba tanto que era como una droga para mí.

—Hemos tenido algunos problemas cuando veníamos hacia aquí. Rob me ha salvado.

—¡No me jodas! —dijo Adam contento—. ¡Enhorabuena, colega!

—Ha sido suerte, seguro.

—Nos han asaltado tres hombres en la tienda. Encontramos el coche de Dylan y nos estaban esperando, pero ya están todos muertos.

—Bien hecho —murmuró Adam—. Pero ¿vosotros estáis bien?

—Sí, estamos bien. ¡Qué pasada lo de este sitio!, ¿no?

—Yo aún no me lo creo. Esta mañana, cuando he despertado, no podía recordar dónde me encontraba y he sufrido un ataque de pánico bestial. Me he caído y todo, como un anciano.

—Yo me había acostumbrado tanto al hotel... —dije, mirando de reojo a Rob, que asintió con la cabeza.

—Me cuesta creer que no se nos ocurriera marcharnos antes. Esto ha estado aquí todo el tiempo. Si no hubiéramos sido tan cobardicas...

Se hizo el silencio de nuevo.

Si hubiéramos sido más valientes, a lo mejor todos los que se habían suicidado, Nathan, todos, seguirían vivos. Habríamos tenido un poco más de esperanza.

—¿Tú crees que aquí pasa algo raro?

Adam me miró extrañado.

—¿A qué te refieres?

—Uno de los guardias nos ha dicho que todo el mundo debía ser útil. Y la alcaldesa en funciones nos ha preguntado por el grupo, por las habilidades de cada uno, por la edad. No será para nada raro, ¿verdad?

Se encogió de hombros.

—No sé. A mí me preguntaron qué clase de trabajo podría hacer cuando me recuperara; nada más. Ya sabéis que tienen esa especie de invernaderos con luces LED de color rojo y azul. Por lo visto, así las semillas crecen más rápido. Lo cierto es que a mí no se me da bien nada, pero..., bueno, le he pedido a Dylan que me traiga la guitarra, igual puedo ser el... como se diga de la ciudad.

—El trovador —dijo Rob.

—Sí, eso.

—Mejor el tonto del pueblo —dije yo.

—Eso aparte, la verdad.

—A nadie le cae bien el típico tío que acude a una fiesta con la guitarra —añadió Rob.

—¡Pero sé tocar *Wonderwall* y todo!

—¿Se puede saber por qué te empeñas en aguarnos la fiesta, Adam? —Suspiré.

—¿Qué pasa, tíos? ¿No os gusta *Wonderwall*? Increíble. —Meneó la cabeza.

A Rob le dio la risa en pleno sorbo de té.

Se me ocurrió una idea.

—Rob, ¿por qué no te quedas tú aquí y vuelvo yo?

—¿Tú solo?

—No tiene sentido poner en peligro a nadie más ahora. Quédate aquí, ya me encargo yo del resto.

—Ni hablar —dijo con un resoplido—. Menos aún, después de lo que nos ha pasado al venir.

—¡Venga, si por eso mismo quiero que te quedes! No tiene sentido que nos pongamos los dos en peligro.

—No, yo pienso volver —sentenció, sorbiendo el té y mirándome furibundo—. No se hable más.

Adam se recolocó el albornoz.

—Pues mejor: no me apetecía quedarme aquí con un idiota al que no le gusta *Wonderwall*.

Volvimos a reír.

Durante una décima de segundo me pregunté si el niño fantasma de Adam lo habría seguido hasta allí también.

—¡Mierda, casi se me olvidaba! —exclamó Adam, haciéndole un gesto de urgencia a Rob—. ¡Tenemos cobertura, echa un vistazo a internet! Y tengo otro móvil. Aquí la gente tiene más de uno.

—¿Has mirado las noticias? —pregunté con la respiración de pronto entrecortada.

—Sí, tío, y son una puta locura.

Estaba a punto de pedirle a Rob su móvil cuando alguien llamó con fuerza a la puerta.

Adam fue a abrir.

Era Felix.

—Traigo un mensaje de Louise Zammit. Dice que, como se han marchado de repente, no han consultado siquiera la lista completa de llegadas de L'Hotel Sixième. Ha pensado que quizá les interesaría verla.

—¿Ha llegado alguien nuevo hoy? —dijo Adam, mirándonos esperanzado.

—¿Se llama Nathan? —preguntó Rob.

—No, la última persona aparte de ustedes llegó hace semanas —contestó Felix, y se me cayó el alma a los pies—. La mayoría llegó en los dos primeros días, pero hubo que identificarlos mucho más tarde. Otros lo hicieron durante las semanas siguientes, cuando resultaba más fácil llevar un registro de las sucesivas llegadas. Desde entonces, no hemos tenido muchas.

Me pasó la lista y me sorprendió ver en ella tantos nombres conocidos. Muchos de los asistentes al congreso habían conseguido llegar aquí, pero casi todos estaban en una lista diferente. Pregunté por qué.

—Esa es la lista de los que, aunque llegaron aquí, luego se fueron al aeropuerto siguiendo las vías del tren —dijo Felix—. Registramos sus nombres por si alguien venía buscándolos. Por desgracia, estos listados son bastante recientes y se han incluido muchos nombres después. Puede que una buena parte de las personas quedaran sin registrar, así que no son del todo fiables. El único listado preciso del que disponemos es el de los que se han quedado.

Miré la lista de nombres un buen rato y vi uno que no me cuadraba. Se lo señalé.

—Eeeh... ¿Albert Polor llegó aquí?

—Sí, es uno de los que se han quedado.

Ni Adam ni Rob reaccionaron, pero a mí el nombre me chocó tanto que tuve que pedirle que me lo repitiera.

—¿Y este es Albert Polor? —insistí.

—Sí —contestó—. Los nombres que tienen una marca al lado son los verificados. Nos enseñaron algún documento de identidad.

Rob me miró extrañado.

—¿Lo conoces?

Tras tomar una decisión casi instantánea, opté por disimular.

—Es uno del congreso. No pensé que fuera a conseguirlo.

Felix preguntó si podía acompañarnos al coche y yo le pedí que nos dejara despedirnos.

En cuanto se cerró la puerta del piso, me volví hacia Adam y le dije:

—Tienes que averiguar dónde vive ese tío, el tal Albert Polor, y vigilarlo hasta que volvamos todos.

Mi tono, por lo visto, lo confundió.

—¿Por qué?

Rob bajó la voz como yo.

—Me ha parecido que ponías cara rara cuando has visto su nombre. ¿Quién es?

Me latía el corazón a una velocidad anormal.

—Lo conozco. Es uno de los profesores universitarios que nos encañonaron cuando fuimos a la tienda la primera vez. Tomi le disparó. El verdadero Al Polor no puede haber llegado aquí porque está muerto.

Día 70 (5)

Nos devolvieron las armas y nos llevaron de vuelta al coche. Y lo más importante: Felix me consiguió un móvil antes de que nos marcháramos. Rob y yo paramos en cuanto estuvimos fuera de la vista del control de carretera y pasamos la siguiente hora concentrados en la pantalla de nuestros respectivos móviles, prácticamente en silencio.

—¡Han nacionalizado el wifi! —exclamó Rob—. No ha hecho falta más que el fin del mundo para que hicieran algo tan obvio...

Mi nuevo móvil se conectó al wifi de la ciudad y fui derecho a mis mensajes de Facebook.

Millie Santiago: «¡Jon, madre mía, no me puedo crees que estés vivo! Por aquí estamos bien. He mandado mensajes a tu familia, pero aún no me han contestado. Te aviso si lo hacen. Supongo que no podrás volver a Estados Unidos. Cuídate, me alegra muchísimo saber que sigues por ahí».

Alice Reader: «¡Gracias a Dios que aún hay gente viva! Nosotros nos mudamos al sur. Aquí ya no hay comida y hace muchísimo más frío que nunca. No sé cuándo volveremos a tener internet, pero le he mandado un mensaje por Facebook a la Nadia que tienes en tu lista de contactos, por si acaso. Me alegra mucho saber de ti. ¡Suerte!».

Sin noticias de Nadia ni de papá.

En mi muro de Facebook aún había publicaciones de hacía tres meses, a falta de contenidos nuevos.

Entré en Twitter y, antes de acceder a mi perfil, vi que tenía un mensaje directo.

No me atrevía a albergar esperanzas. Me quedé mirando la notificación un buen rato, aquel uno pequeñito. No iba a poder superar que no fuera de Nadia. Twitter siempre había sido su red social favorita. Miré de reojo a Rob, que tenía la vista puesta en la pantalla de su móvil y no se dio ni cuenta. El corazón me latía con fuerza.

—Vamos —me susurré, y lo abrí.

Decía: «¡Las niñas, asustadas pero bien! Internet va a ratos. Ir a casa de mis padres es muy arriesgado, probamos con Canadá. TQ, N».

—¿Te encuentras bien? —me preguntó Rob cuando vio la cara que puse.

No reprimí las ganas de llorar esa vez. No pude. Fue como perder el conocimiento. Fue como... No sé. No puedo describir lo que sentí. Más que una sensación, se trató de un seísmo, como si el mundo se hubiera desplazado bajo mis pies, y lo único que me preocupara fuera ese mensaje. Nada. No me importaba nada más allá de que mis hijas siguieran vivas. Caí en la cuenta, vagamente, de que Rob me había preguntado qué me pasaba, y lo único que pude decirle, y podría seguir diciendo, una y otra vez, fue: «Mis hijas están bien». Nada más importó durante un tiempo, porque mis hijas estaban bien.

Respondí inmediatamente a Nadia, con solo tres palabras: «Voy a volver».

Salimos de la ciudad en silencio. La carretera desierta del bosque fue reemplazando los obstáculos de vehículos abandonados. Sentía náuseas, así que intenté centrarme en la conducción. Se me hacía raro que Adam no estuviera con nosotros, pero merecía quedarse allí después de lo mal que lo había pasado. No conseguía centrarme porque lo único que me importaba era poder volver, como fuera, a Estados Unidos.

Hacía apenas veinticuatro horas todo aquello me habría parecido inconcebible. Disponer de acceso a internet de nuevo había reventado por completo mis teorías anteriores sobre lo que ya no era posible. La familia inmediata de Rob y sus amigos vivían a las afueras de Londres, así que no esperaba mensajes. Había estado leyendo las noticias, porque había noticias. En todo el mundo, en los espacios existentes entre las grandes ciudades y en los lugares que se mantuvieron a salvo del viento procedente de las zonas de impacto, la gente había sobrevivido, buscaba ponerse en contacto entre sí e intentaba organizar el traslado a zonas más seguras. Por supuesto, no había aún internet en todas partes. No sabía de qué dependía que sí lo hubiera o que no, pero no éramos los últimos humanos del planeta. Una vez más, había mundo más allá de nuestro hotel.

—¿Sabes que fue al hotel en busca de su padre? —dije, después de haberme mordisqueado los labios hasta destrozármelos debido a mi preocupación por Dylan, mientras avanzábamos por la carretera, y sin saber qué decir de Nathan.

—¿Adam?

—Nath.

—¿Sí?

—Su padre los abandonó después de... Nathan me contó una vez una historia sobre que sus padres se habían arruinado. Su padre vino a este hotel y tuvo una alucinación. Desapareció poco después. Antes de marcharse definitivamente, le dijo a Nathan que había encontrado a Dios. Nathan terminó trabajando aquí cuando se fue de casa. Vino adrede. No porque pensara que iba a encontrar a su padre, sino porque a lo mejor daba con algo.

Aparté la vista de la carretera y vi que Rob me observaba fijamente.

—¿En serio? ¿Eso te dijo?

—Sí, estuvimos haciendo un par de trabajillos juntos. Se nos daba fatal. —Miré la gasolina, pero íbamos bien—. Esa historia de su padre me hizo pensar en que todos habíamos terminado allí por algo.

—¿A qué te refieres?

—A que todos sobrevivimos al fin del mundo por haber estado en ese sitio concreto en un momento concreto. ¿Alguna vez te has preguntado por qué?

Rob se estaba mordisqueando las uñas.

—No creo que haya un porqué.

—Yo creo que sí. Quiero pensar que fue algo más que cosa del azar.

—Pero esa niña de la azotea no sobrevivió, ¿verdad?

—No. —Perdí el hilo de mis pensamientos—. No, tienes razón. Ella, no.

De pronto pensé con cierta tristeza en que Dylan, Nathan y yo ya nunca terminaríamos el proyecto de la azotea. Llevábamos menos de la mitad y, aparte de que nos marcháramos del hotel, lo que pretendíamos hacer habría sido del todo inútil. Yuka y yo tampoco llegamos a limpiar el vestíbulo, a darle un lustre nuevo. Me pregunté si viviríamos cerca en la ciudad, si me quedaría allí lo bastante como para asentarme, ahora que sabía que mis hijas andaban por ahí.

Pensé que me sentiría henchido de felicidad, y así era... Supongo que, hasta ahora, no había considerado en serio la posibilidad de volver a Estados Unidos. Sin vuelos, no tengo ni idea de qué hacer. Podría intentar cruzar Europa por el oeste, atravesar zonas quizá devastadas, exponerme a cantidades tóxicas de radiactividad y, posiblemente, morir antes de alcanzar la costa de Portugal. Y aunque lograra llegar allí contra todo pronóstico, luego, ¿qué?

Pero están vivas. Eso era así contra todo pronóstico.

—¿Jon?

—Perdona. —Casi se me caló el coche y tuve que volver a centrarme en la carretera—. Perdona, estaba... Perdona.

—¿Podemos parar un segundo? —me dijo Rob, poniéndome una mano en el hombro.

—¿Para qué?

—Solo un segundo. Necesitas parar.

Paré, no demasiado cerca de los árboles, y me aseguré de que estuviera echado el seguro en todas las puertas. Me puse el rifle en el regazo y me volví hacia Rob.

—¿Qué? ¿Por qué teníamos que parar?

—Porque estabas conduciendo... muy mal.

Me quité las gafas y parpadeé con fuerza, como si eso me fuera a quitar el dolor crónico de cabeza y de muelas.

—Mis hijas están vivas. No pienso en otra cosa.

—¿Vas a marcharte?

—¿Cómo no iba a hacerlo?

—¿Intentar volar a Estados Unidos?

Me froté los ojos y noté una punzada en la cabeza, pero no supe si era mi jaqueca de siempre o si se trataba de un dolor reflejo de la mandíbula.

—Me he puesto contentísimo de ver la ciudad, a todo el mundo aún vivo y llevando vidas normales..., bueno, más o menos normales..., y ahora ni siquiera me puedo quedar.

—No tienes que marcharte de inmediato.

Lo miré.

—Están vivas.

Inspiró hondo.

—Bueno, no le des demasiadas vueltas y vamos a ver cómo termina el día. Mañana podrás preocuparte de eso todo lo que quieras.

—Ya, lo entiendo. —Agarré el volante e hice ademán de arrancar el coche, pero no lo arranqué—. Primero tengo que contarte una cosa de Dylan. Me lleva rondando un tiempo y, la verdad, no sé si me estoy volviendo loco o si estoy paranoico, o si es por el maldito dolor de muelas...

—¿Te duelen las muelas?

—Esto va de Dylan —dije, suspirando, y procuré dejar de tocarme la cara compulsivamente.

—Pero ¿qué pasa?

—¿Te acuerdas de la niña del depósito de agua...?

—No pregunté mucho al respecto. No quería saber nada, la verdad. Pero sí.

—No sé quién era. Pensaba que se trataba de Harriet Luffman, pero descubrí que huyó con sus padres el día en que se marchó todo el mundo. Lo estuve investigando durante un tiempo. Creo que, más que nada, por mantenerme ocupado, pero también porque quería hacer lo correcto, ¿entiendes? —Lo miré y él asintió—. El caso es que todo apuntaba a que fuera cosa de algún empleado. No sé cuál, pero Dylan y Sophia habían estado actuando de forma rara y cada vez parecían más... culpables.

—¿Piensas que tuvieron algo que ver?

Procuré no sonar paranoico.

—Es difícil saberlo con certeza. Pero aunque la niña no fuera quien yo creía, Dylan y Sophia, desde luego, han estado ocultando algo.

Miró por las ventanillas, pero todo estaba en orden.

—¿Qué pruebas tienes?

—Sobre todo, su empeño en que yo no encontrara nada. Entraron en mi habitación, me robaron las pertenencias de la familia..., bueno, las que se dejaron en el hotel, y Dylan es el único que tiene llaves maestras.

—¿Y qué te dijo él?

—Que me habría olvidado de echar la llave a la puerta al salir.

Meneó la cabeza.

—Nadie sale de su habitación sin echar la llave.

—En la vida he estado más convencido de algo: no se me olvidó echar la llave. Además, cuando registré la habitación de Dylan, una de esas maletas estaba allí, pero la habían vaciado. ¡Te juro que era la misma!

Lo pensó un poco y luego dijo:

—Pero me has dicho que la niña no era quien tú creías. Harriet. Entonces, ¿por qué iba a robar Dylan las maletas de los Luffman si la asesinada ni siquiera era su hija?

—No sé, ¿para confundirme? Yo solo sé que me las robaron, y eso es todo.

—¿Y registraste la habitación de Dylan cuando se fueron?

—Por favor, no me hagas sentir culpable. Tenía que saberlo.

Al principio vacilé sobre si hablarle del cadáver que había encontrado enterrado a la entrada del bosque, pero luego se lo conté también. Después se quedó callado tanto rato que me incomodó y pensé para mis adentros: «Cree que estoy loco».

—No entiendo por qué Dylan y Sophia... —dijo, confundido—. ¿Por qué alguien iba a asesinar a una niña y dejarla allí arriba? No tiene sentido. —Se frotó los brazos como si estuviera temblando—. Podrían haberla enterrado en el bosque. ¿Por qué subirla a la azotea?

—¿Por qué asesinarla?

—Sí, ¿por qué asesinarla? ¿Por qué hace la gente las cosas? —Se encogió de hombros—. ¿Por qué hay un cadáver en el bosque? No lo sabemos. Podría ser otro suicida o...

—Si se trataba de otro huésped que se había quitado la vida, ¿por qué esconderlo?

Me disponía a arrancar el coche de nuevo cuando me hizo otra pregunta.

—¿Esto lo sabe alguien más? ¿O, al menos, que has estado investigando?

—Yuka sabe un poco, pero Tomi sabe casi lo mismo que yo.

Vaciló, luego puso cara de preocupación.

—¿Sabe alguien más que ella lo sabe?

Lo miré fijamente y arranqué el motor.

«Dylan no haría algo así —me dije—. No le haría daño».

«No tienes ni idea de lo que Dylan sería capaz de hacer o no», pensé al cabo de un rato.

Día 70 (6)

No oímos nada en la radio mientras conducíamos. Habíamos intentado apagarla y encenderla de nuevo varias veces. A ratos, conducíamos con el ruido blanco de fondo, un leve chisporroteo. Pero no se oían voces ni música, nunca. No había actividad alguna en las ondas hercianas. Dejamos que el ruido de fondo nos acompañara el resto del camino a casa y luego aparcamos el Land Rover en el lateral del edificio.

Egoístamente, me alegraba de que Dylan hubiera vuelto antes que nosotros y de que no tuviéramos que ser quienes informáramos de lo de Nathan, ni intentáramos explicar la inexplicable normalidad de la vida en la ciudad.

Era por la tarde, a última hora, antes de que anocheciera, pero había menos luz que de costumbre. La nube inmensa que cubría el cielo estaba muy baja, hasta el punto de rozar las copas de los árboles.

Ojalá pudiera decir que tuve el presentimiento de que algo no iba bien, pero estaba demasiado distraído. No pensaba en otra cosa que no fuera en mis hijas, en marcharme y en lo poco que me apetecía hacerlo. Pensaba en Nathan y en la forma en que había desaparecido su padre. En la teoría de Adam de que ya estábamos todos muertos. Todo aquello debía tener algún sentido.

El sinsentido, eso sería lo más espeluznante.

Con los rifles en la mano, agotados y sin hablar mucho, rodeamos el hotel hasta la entrada principal. Fue entonces cuando noté algo extraño por primera vez. Antes de que llegáramos a la puerta, salieron varias personas: Dylan, Sasha, Tania y Peter.

Me detuve e instintivamente me acerqué a Rob, que no notó nada raro en aquella escena hasta que reparó en el arma de Dylan, y en que Peter y Sasha también iban armados.

—Eh... ¿hola? —saludó, levantando los brazos y olvidando que también él llevaba un rifle.

Miré a Tania y a Dylan alternativamente, y enseguida supe qué había pasado. Ella iba un poco por detrás de él, pero no me miraba a los ojos.

—Jon, devuélveme las llaves, ya —dijo Dylan.

Peter me apuntaba a la cabeza con un rifle de caza. Me pregunté si me dispararía igual, hiciera lo que hiciese. Seguramente podría hacerlo pasar por un accidente.

—¿Por qué? —pregunté.

—Eh, ¿nos puede explicar alguien qué está pasando? —dijo Rob, tan bajito que casi no lo oí.

—Tranquilo, esto no tiene que ver nada contigo —contestó Dylan, y le hizo una seña para que se apartara—. Solo quiero las llaves de Jon.

—¿Por qué? —repetí.

—Ya sabes por qué.

—No, no lo sé.

Di un paso atrás y deslicé el dedo por el gatillo del rifle.

Pensé que, en cualquier momento, notaría el impacto, que mi nuca rebotaría contra el hormigón y la muerte se apoderaría de mi cuerpo, y después habría un fundido en negro. Eso era lo que me había contado Adam: que, al morir, no había visto nada, solo oscuridad. Ni tiempo, ni sensación de uno mismo ni tampoco de ningún lugar. Ni siquiera otra vida. Solo oscuridad.

«No quiero morir —pensé—. Por favor. No quiero morir».

—Jon, dame las llaves y aquí no ha pasado nada.

—¿Al igual que no iba a pasar nada cuando me robaste esas maletas de mi habitación?

—Yo no te robé esas maletas, y lo sabes. ¡Estaba contigo cuando desaparecieron!

—Ya sé que no lo hiciste tú mismo, pero también sé que una de ellas está en tu habitación y la otra sigue desaparecida.

Suspiró.

—Jon, estás confundido. Has llevado todo esto demasiado lejos, y eso no es sano. Empiezas a asustar a la gente.

—No estoy confundido.

—Ya te he tolerado demasiado.

—Ah, ¿de modo que me has tolerado? ¿Me has tolerado entonces que intentara averiguar qué le pasó a esa chica? ¡Qué proeza, Dylan! Asesinan a una niña y tú me toleras que me importe.

Me miró con tristeza.

—Te has inventado una conspiración.

—Entonces, ¿de qué hablabais Sophia y tú? No queríais que me acercara demasiado, ¿verdad? ¿Que me acercara demasiado a qué? ¿Por qué hay un cadáver enterrado allí? —dije, señalando bruscamente con la cabeza hacia la parte de atrás del edificio, casi perdiendo la posición de disparo—. Encontré un cadáver allí. ¡Lo desenterré con mis putas manos!

Se miraron todos.

Tania se situó al frente del grupo.

—Jon, por favor, eres un buen tío, pero no estás bien. Se lo he tenido que contar.

Rob se movía nervioso; no tenía claro si seguir haciéndome de parapeto o no.

Lo que dijo Tania me enfureció más que el tono condescendiente de Dylan.

—¡No me sorprende que te pongas de su lado! —solté—. Esa niña estuvo en tu mesa, la viste, pero, por supuesto, proteges a tu novio...

—¡Que te den! —me dijo encendida.

—¡Que te den a ti!

—Bueno, bueno, no os insultéis. Jon —me dijo Dylan muy sereno, sin que le temblara la voz—, dame las llaves.

—Sophia y tú sabéis algo. No soy imbécil. No te voy a dar las llaves hasta que no me cuentes qué le pasó a esa niña.

Peter se puso tenso y yo me preparé.

Rob se desplazó hasta parapetarme del todo, con las manos aún en alto.

—¿Por qué no entramos y lo hablamos?

—Lo que pretendemos es poder hacerlo de forma segura, Rob. Apártate.

Rob dejó el rifle en el suelo, pero no se movió.

—Con el debido respeto, Jon nos ha salvado la vida unas cuantas veces hoy. Me vais a tener que perdonar si no me creo que sea un lunático peligroso.

—Rob, por favor, no nos lo pongas más difícil...

—¿Yo os lo pongo más difícil?

Sasha, Peter y Tania se volvieron al oír la voz de Tomi. Al principio no la veía, pero había aparecido justo a la entrada del edificio, apuntando a Dylan con su pistola. Me dio un brinco el corazón y, aprovechando el segundo de sorpresa de los demás, levanté el arma y apunté a Peter. Era el único al que tenía a tiro.

Me miró como diciendo: «Ni se te ocurra, imbécil».

Sasha vaciló y luego apuntó con su arma a Tomi.

Se me pasó por la cabeza que a lo mejor no habían esperado a que entráramos en el hotel para plantarme cara porque era más fácil matarme sin testigos. También caí en la cuenta, tal vez demasiado tarde, de que, si de verdad Dylan y Sophia tenían algo que ver con el asesinato de la niña, no les costaría nada matarme para conservar el secreto.

Ni siquiera cuando encontré la maleta en la habitación de Dylan se me ocurrió en serio que mi vida pudiera correr peligro. Antes no creía que Dylan pudiera matarme. Ahora, sí. Ahora solo veía un futuro en el que todos o casi todos terminábamos muertos en el suelo tras una sacudida de disparos mortales.

Aparté la vista de Peter y me dirigí a Dylan.

—¿De verdad me vas a disparar si no te doy las llaves? ¿Al igual que disparaste a quienquiera que sea el que está enterrado allí?

Vi que Tania miraba a Dylan para ver si lo negaba y detecté un destello de remordimiento en el rostro de él, como si se diera cuenta de que había abordado la situación de forma errónea. Una vez sacadas las armas, todos estábamos acorralados.

Miré a Tomi a los ojos. No parecía asustada.

Peter observaba a Dylan y vi que la duda le ensombrecía el rostro.

—¿Es cierto lo que está diciendo?

—¿Eh? —dijo Tomi, enarcando las cejas.

Dylan negó con la cabeza porque no iba a justificar lo del cadáver ni lo de las maletas.

—Esto no tiene por qué terminar mal.

—¡Me vas a matar por un juego de llaves y luego el que está loco soy yo!

—¡Nadie va a matar a nadie! —repuso Tania—. ¡Joder, Jon, devuélvele las llaves!

—¿Y luego qué?, ¿me olvido del asunto?

Entonces, increíblemente, Peter bajó el rifle y dijo:

—Yo no creo que este hombre esté loco.

—Por favor, Jon —suplicó Tania—. ¡Por favor, haz lo que te dice, que al final vas a conseguir que mate a alguien!

—En realidad, no tiene por qué hacer nada de lo que decís. —Tomi se aclaró la garganta y miró con desprecio a Sasha de arriba abajo—. Apuesto a que yo podría tumbar a dos de vosotros antes de que este niñato se diera cuenta de que tiene el seguro puesto.

Sasha bajó la vista a su arma y Tomi giró y le disparó en el pie.

Todos dimos un brinco cuando el joven cayó al suelo, chillando, mientras ella apartaba el arma de un puntapié y encañonaba a Dylan.

Dylan gritó algo, pero los alaridos de Sasha lo ahogaron. Me pitaban los oídos.

Alguien, no sé si fui yo, chilló:

—¡Joder! ¡Joder, calmaos todos!

—¡Un momento! ¡Un momento, por favor! —dijo Dylan, apuntando aún a Rob.

—No lleva seguro, lerdo —espetó Tomi.

No tengo ni idea de cómo no nos entró el pánico a todos y empezamos a dispararnos unos a otros, incluido yo. Tal vez fuera por la conmoción. Tal vez ninguno de nosotros había pensado de verdad que alguien fuera a disparar y nos quedamos demasiado pasmados cuando Tomi lo hizo. Pero yo miraba a Dylan y...

«Ya está —me dije—. Aquí acaba todo».

Recuerdo que pensé que Adam tenía razón: que igual estábamos todos muertos. A lo mejor sentiría el impacto, habría un fundido en negro y despertaría otra vez en el hotel como si no hubiera pasado nada. Por un segundo, quise saberlo. Quise saber si podía morir.

Pero ese día no llegué a morir, o a no morir.

—¡Parad! ¡Parad, por favor! —Se abrieron las puertas del hotel y salió corriendo Sophia con las manos en alto—. ¡Bajad las armas! —Sasha maldecía en francés y se agarraba el pie, que lo estaba inundando todo de sangre—. ¡Parad, por favor, no quiero que nadie salga herido! —repitió, casi llorando—. ¡Por favor! ¡Dylan!

—Sophia... —le dijo algo en francés que hizo que Tania lo mirara con dureza.

Peter dijo algo en alemán que sonó a exclamación. Dylan bajó el arma, pero siguió dirigiéndose a Sophia, que gesticulaba desesperada, señalando al hotel, al bosque, a mí...

Tania le dijo algo a Dylan que sonó a acusación.

Tomi no había bajado el arma. Aún apuntaba al cráneo de Dylan. Me hizo un gesto brusco con la cabeza, como diciendo: «Yo te cubro», y me sentí muy agradecido.

Estaba claro que Dylan había dicho algo que a Tania no le había gustado. Él quiso agarrarla del brazo, pero ella reculó, furiosa, y fue a ayudar a Sasha a levantarse del suelo. Se pasó uno de los brazos del joven herido por los hombros y se lo llevó, a la pata coja, dentro del hotel.

—¿Qué está pasando? —pregunté.

Dylan miró fijamente a Sophia y vi que ella tenía el rostro bañado en lágrimas.

Sophia se volvió hacia mí y me habló en inglés.

—Jon, lo siento mucho.

Se me cortó la respiración, y en vez de bajar el arma la dejé caer a mi lado y me apoyé en el hombro de Rob. Es muy fuerte que te digan que no estás loco cuando incluso tú empezabas a poner en duda tu cordura.

Dylan miraba el suelo, el reguero de sangre que Sasha había dejado tras de sí y que conducía al interior.

Día 70 (7)

—Yo quiero quedarme —dijo Peter con arrogancia mientras seguíamos a una Sophia afligida en dirección al bar.

—¡No! —le espetó Dylan.

—¿Y eso es justo?

—Yo me quedo —sentenció Tomi, cogiéndome del brazo, como si eso ayudara.

Dylan miró a Sophia, que se apartó las manos de la cara lo justo para decir:

—Me da igual, me da igual.

—Tú, sal. Luego te lo explico —le dijo Dylan a Peter, dando un manotazo hacia la puerta, y luego la cerró, volviéndose hacia Tomi y Rob—. Vosotros os podéis quedar. No quiero que nadie vaya divulgando chismes sobre esto hasta que estemos todos de acuerdo.

—¿Qué pasó, entonces? —pregunté, dirigiéndome a Sophia.

—Jon, lo siento. —Se sentó, presionándose las sienes con los dedos—. Cuando te vi volver del bosque anteayer, lo supe. Supe que todo había terminado. Supe que iba a tener que contártelo.

Todo el mundo había dejado las armas en el suelo.

Yo aún tenía el corazón desbocado. Era la tercera vez en ese día que había estado convencido de que iba a morir.

Me instalé en uno de los sillones y Tomi se puso a mi lado. Rob y Dylan se quedaron de pie. Dylan me esquivaba la mirada y parecía perplejo. Me recosté en el asiento y pensé en todas las veces que me había sentado allí a hablar con Nathan. El bar siempre había sido su dominio.

No quería saber cómo había muerto. Era una de las pocas cosas que no me importaba ignorar.

—Baloche y yo nos estábamos divorciando —dijo Sophia, frotándose aún las sienes, con los ojos medio cerrados—. Porque estaba loco. Era uno de esos hombres que... Todo era perfecto, él era perfecto y, en cuanto nos casamos, cambió, casi de un día para otro. Yo pensaba que era culpa mía, no entendía lo que estaba pasando. Bueno, eso no viene a cuento. Jon, Dylan no me estaba ayudando a ocultar el asesinato de esa niña, me ayudaba porque el día en que ocurrió todo Baloche me atacó..., y yo lo maté. Ocurrió en la cocina, mientras todos andaban corriendo de aquí para allá, aterrados. Dylan se enteró porque vino a ver si me había marchado.

Primero me acordé del sabor. De azúcar y chocolate. Me recordé comiendo aquellas galletas de cortesía y sintiendo el viento en la cara, plantado en el aparcamiento vacío, preguntándome qué iba a hacer, cuando miré a la derecha y...

—Os vi —dije.

—¿Cómo? —preguntó Dylan.

—Estaba fuera y os vi, a los dos, cargando con algo por el jardín. Fue algo más tarde, cuando casi todo el mundo se había ido. Así supe lo del cadáver.

—¿Y en su momento no te pareció raro? —dijo Tomi, extrañada.

—No. Entonces todo era raro, así que no le di más vueltas. Lo recordé de repente hace unos días.

Rob se estaba mordiendo las uñas, pero se detuvo para decir:

—¿Te atacó?

—Me... Me, bueno, no quiero...

—Quiso violarla —dijo Dylan, y se cruzó de brazos.

—¿Por qué? —preguntó Rob. —Lo miramos todos. Se explicó—. No, a ver... Lo que digo es que... ¿Es el fin del mundo y decide pasar sus últimos momentos atacando a su exmujer? Es un poco raro.

—Las violaciones en medio de una catástrofe son un fenómeno documentado —dije—. Estando cerca de un exmarido maltratador en ese momento, era muy probable que ocurriera, porque la gente aprovecha el caos de la situación. La tasa de abusos aumenta por lo general durante los huracanes y en tiempos de guerra, en cualquier momento de inestabilidad social.

—Gracias, profesor —dijo Tomi.

—Nadia era periodista —añadí—. Me contaba muchas cosas de ese tipo.

—No fue solo eso —añadió Sophia, como si no le bastara con aquella explicación—. Bueno, sí. Yo me defendí y no vi lo que había hecho hasta que...

—Le metió la mano en una freidora y le clavó un cuchillo en el cuello —aclaró Dylan—. Se lo clavó unas cuantas veces, de hecho.

—Guau —dije, de forma casi inaudible.

—¿Y tú la ayudaste a esconder el cadáver? —preguntó Tomi.

Dylan asintió con la cabeza.

—Era lo único decente que se podía hacer.

—Dylan me ayudó a esconder a Baloche y a limpiar la cocina. Me deshice del cuchillo. Luego subí a su habitación para... No sé, llevarme lo que pudiera necesitar.

Tomi y yo nos miramos.

—¿Y no viste nada raro? —pregunté.

Dylan se dirigió a la puerta, la abrió, se aseguró de que no hubiera nadie fuera escuchando y volvió a cerrarla.

Sophia hizo una pausa larga.

—No. Fui a su habitación y encontré su ordenador, así que me lo llevé. Lo estuve usando para seguir las noticias hasta que dejó de funcionar internet. No vi nada raro, aparte de los correos electrónicos que había enviado sobre la venta del hotel. No sabía que tuviera pensado venderlo, pero... tampoco me pareció inusual.

—Se hizo un breve silencio y entonces Sophia empezó a llorar desconsoladamente—. Lo siento mucho, Jon —volvió a decir—. Pensé que, si todo el mundo se enteraba de lo que había hecho, me obligarían a marcharme, o peor. Y como andabas investigando lo de esa niña... Temía que fueras a encontrar algo.

—Lo entiendo —dije, pero mentía.

—¿Crees que tuvo algo que ver con lo de la niña? —preguntó Rob—. ¿Tu ex..., eh, el dueño?

—No lo sé —contestó ella, meneando la cabeza.

—¿No encontraste ninguna otra cosa sospechosa en sus correos? —dijo Tomi.

—No me enteré de lo de la niña hasta el día en que lo supisteis todos —le espetó Sophia—. Así que no, no vi nada sospechoso.

—¿Podríamos echar un vistazo Jon y yo?

—Vale, vale, a ver, vamos a calmarnos todos —dijo Dylan, irguiéndose y aclarándose la garganta—. Espero que ninguno de los presentes tenga reparos en mantener esto en secreto. —Tardamos todos un segundo en darnos cuenta de que nos estaba preguntando y asentimos. Un pacto—. Jon, te debo una disculpa —me dijo. Esperé—. Debes saber que dejé que Sophia se llevara las maletas de tu habitación. Y saqué de la sala de seguridad los cedés de ese primer día.

Me dio un brinco el pecho, como si tuviera palpitaciones.

—¿Por qué?

—Pensamos que así te espantaríamos. Estabas tan obsesionado, mostrabas tal fijación por los pequeños detalles... A quienes teníamos algo que ocultar, nos asustaba. —Miró a Sophia e inspiró hondo—. Solo conseguimos empeorar las cosas. Fue mala idea y no tendríamos que haberlo hecho.

—Pero ¿dónde están?

—Estuvieron un tiempo en el asiento de atrás de mi coche. Del mismo en el que acabas de llegar. Al cabo de unos días, me las llevé en plena noche y las abandoné en el bosque. —Hizo una mueca—. Como he dicho, no me agrada haber traicionado así tu confianza. Lo siento.

Asentí y dije:

—No pasa nada. Tampoco yo debería haber entrado en tu habitación. Por lo visto me estaba obcecando. La niña ni siquiera era quien yo pensaba.

Ninguno de nosotros supo qué decir durante un rato.

—Si fuera supersticiosa, diría que este sitio está maldito —observó Tomi.

—Si fuera supersticioso, yo diría que, desde fuera, podría parecer todo lo contrario —terció Rob—. Claro que eso es absurdo.

Lo miré extrañado.

—¿A qué te refieres?

Se encogió de hombros y sonrió incómodo.

—Antes has dicho algo que es cierto: el mundo se ha acabado, pero seguimos todos vivos, ¿no?

—Ay, Dios... —murmuré, con el corazón encogido—. Nathan.

Y Dylan me interrumpió.

—Jon, Nathan está aquí.

Rob me miró a los ojos y nos levantamos de golpe.

—¿Nathan está aquí?

—Sí. —Sonrió—. No se encuentra muy bien, pero consiguió llegar ayer. Vino andando por el bosque. Parecía un cadáver cuando emergió tambaleándose por entre la espesura, pero logró volver. Cuando Adam y yo lo perdimos, estaba convencido de que habría muerto. Lleva casi veinticuatro horas durmiendo. Podrás hablar con él en cuanto se despierte.

—¡Madre mía! —Casi me caigo sentado en el sillón—. Gracias a Dios.

Tomi me puso una mano en el hombro.

—Lo primero que hizo fue pedir vodka. No agua, sino vodka. Está bien saber que, aunque haya estado a punto de morir, no ha cambiado.

—Desde luego, ha sido un milagro —dijo Dylan— cómo ha esquivado la muerte ese chaval chiflado en medio de ese bosque. Dice que se torció el tobillo y terminó alucinando de frío una noche, que estaba convencido de que iba a morir de hipotermia. Pero despertó. Y fue entonces cuando supo que lo iba a conseguir, aunque no pudiera caminar.

Sentí un escalofrío, pero no dije nada a propósito de la teoría de Adam. No era el momento de poner en duda mi cordura.

Día 71

Subí a mi habitación y dormí un buen rato. No me apetecía hacer nada más, ni hablar con nadie. No quería pensar en la ciudad ni en la niña de la azotea, ni revisar con Tomi el correo electrónico de Baloche. No quería mudarme a la ciudad ni embarcarme en un viaje de vuelta a Estados Unidos. Quería dormir eternamente y no volver a despertar jamás en esta época.

Pero desperté, porque, por lo visto, estábamos destinados a seguir adelante.

Terminé plantado ante la puerta de la consulta de Tania hasta que reuní el valor para llamar. No sé por qué, tenía la sensación de que era yo quien le debía una disculpa.

Oí movimiento dentro, luego salió Tania y cerró la puerta, supuestamente para no molestar a Sasha.

—¿Cómo está? —pregunté, retrocediendo un poco hacia el pasillo—. ¿Cómo está Nathan?

—Sasha va a tener problemas para andar. Tomi no le ha dado en el pie, sino en la parte izquierda de la tibia. Aunque no se vaya a morir por eso, entre Nath y él van a necesitar casi todos los analgésicos que nos quedan para recuperarse. Les he dado tranquilizantes a los dos, pero no puedo tenerlos inconscientes eternamente.

—Lo ha hecho solo por protegerme.

—No hace falta que lo defiendas. Ya lo sé. —Se apoyó en la puerta y cruzó los brazos—. ¿Y qué? ¿Tenías razón?

—No. Me equivocaba en muchas cosas.

—Da igual, no me lo cuentes ahora. Luego.

—Vale.

—¿Quieres pasar de todas formas?

Titubeé.

—¿Estás segura?

—Ya sabes que nadie me hace compañía nunca. Todos piensan que no hay que distraerme y solo vienen a verme porque les duele el estómago o la cabeza o tienen un catarro. —Suspiró—. Es irritante.

—Entonces, sí, vale.

Miró por encima de su hombro y me dejó entrar en la habitación donde dormía Sasha. Tenía la pierna vendada y apoyada en una pila de libros del bar. Estaba tumbado boca arriba y respiraba ruidosamente por la boca.

—¿No lo molestaremos?

Negó con la cabeza.

—Va a estar inconsciente un buen rato. Nathan está en la habitación de al lado. No presentaba lesiones graves, pero estaba muerto de hambre y verdaderamente conmocionado. Necesita líquidos más que nada.

Pensé en contarle que la lluvia era radiactiva, pero ya no iba a servir de nada. Era demasiado deprimente, y nos íbamos a marchar de todas formas.

Se sentó en una de las sillas que había junto a la cama, cogió un vaso de cartón blanco que contenía un líquido también blanco dentro y me lo ofreció.

Me senté en la silla de al lado y lo olisqueé.

—¿Qué es?

—Calpol. Un medicamento para niños, un analgésico suave con mucho azúcar. Me parece que no venden nada parecido en tu país.

—Creo que no lo necesito.

—Claro que sí. —Sonrió, echó un poco del potingue blanco en una cucharilla de plástico y se lo tragó—. Hay otro de color rosa para niños más pequeños que sabe mucho mejor. Pero ya me lo he terminado.

Me bebí el trago. Era denso y una de las cosas más empalagosas que hubiera probado en la vida, pero, en comparación con todo lo que había comido en los últimos meses, me supo a gloria.

—Vale, lo retiro. Está riquísimo.

—Me lo he estado bebiendo como si fuera zumo de naranja, todas las mañanas. Los Yobari no quieren que sus hijos lo tomen, de modo que más para mí.

—¿Por eso estás siempre tan tranquila?

—La verdad es que sí. ¿De qué sirve ser el único médico si no puedes estar colocada casi todo el tiempo?

—Una conducta atroz. ¿Me das más?

—Toma. —Me pasó el frasco y la cucharilla.

—¿Cuánto puedo tomar sin llegar a la sobredosis?

Me encantaba oírla reír. Nuestra relación había sido algo tensa últimamente.

—No se me ocurre una forma menos glamurosa de morir que por una sobredosis de Calpol, pero apuesto a que lo podrías conseguir. —Bebió un sorbo de agua de la botella que había junto a la cama—. Siento que no te dijéramos lo de Nathan enseguida. No tendríamos que haberos abordado así. Además, sé que os lleváis bien, merecías saberlo.

—Sí, supongo que nos llevamos bien. La verdad es que no estoy acostumbrado a tener tantos amigos de veintipocos.

—Hay mucha gente joven aquí. Se nota la juventud. A veces demasiado, como que echo de menos hablar con un adulto. —Apretó los dientes exageradamente—. Por cierto, sé que te debo una disculpa.

Me tomé otra dosis de Calpol.

—No, no me debes nada. Tú hiciste lo normal. En tu situación, yo habría hecho lo mismo.

—Estaba en la misma situación que tú. Teníamos la misma información y te podrían haber matado por mi culpa. Lo siento.

—No pasa nada. Empezaba a pensar que me estaba volviendo loco también.

—Pero no tendría que haberte dicho que estabas psicótico.

—Enarcó las cejas—. En mi defensa, debo decir que los hombres blancos locos son un tema recurrente.

—Probablemente lo haya estado.

—¿Tú crees?

—Me despertaba una voz de niña que decía: «Ayúdame». Por un tiempo, pensé de verdad que me podía estar hablando un fantasma. En parte, sigo estando medio convencido de que estamos todos muertos ya y que esto es una especie de purgatorio.

Soltó un bufido.

—Igual sea preferible que no le cuentes a nadie lo de que oyes voces.

—Solo quería que supieras que tal vez tu diagnóstico era correcto.

—Tal vez no. Cosas más raras han pasado que el que la gente vea fantasmas o tenga la sensación de que ya está muerta. —Bebió otro trago de agua y sonrió—. Menos mal que Thomas se ha puesto de tu parte.

—Deja de llamarla «Thomas», no es justo.

—Dejaré de llamarla «Thomas» cuando deje de hacerte gracia. —Alargó el brazo y le tocó la frente a Sasha con el dorso de la mano—. Le ha subido la fiebre, habrá que tenerlo vigilado. A lo mejor se lo puedo derivar a otro médico cuando lleguemos a la ciudad. Probablemente allí tengan más. Puede que incluso haya alguna consulta médica en condiciones.

—¿Podrías tomarte un descanso?

—Un día. Me tomaría un día. Pero ¿qué otra cosa voy a hacer? Es lo que hay. ¿Cómo tienes la muela, por cierto? —preguntó, señalándome la cara.

Cortado, me tapé la boca.

—Mmm, bien.

—Puedo detectar un dolor de muelas en una sala atestada de gente. Además, cuando estás estresado aprietas los dientes, no sé si te has dado cuenta. ¿Me dejas echarle un vistazo?

—Igual luego vengo a verte.

Me miró muy seria.

—No seas bobo, Jon. No lo dejes. No podemos seguir perdiendo gente. Y menos aún por cosas que se pueden evitar. Nadie te va a dar las gracias por poner buena cara cuando has gastado ya dos tercios de nuestros antibióticos.

—Ya.

—Lo digo en serio. Estoy harta de perder pacientes. No pensaba que ninguno de esos tres fuera a volver, y luego Rob y tú... Se acabó. No puedo con más pérdidas. —Se retorció una trencita con los dedos mientras observaba a Sasha. Luego se agachó y cogió su reproductor de mp3 del suelo—. ¿Quieres escuchar algo?

—¿Puedo elegir?

—No.

—Pues... sí, obviamente.

Sonrió mientras buscaba una canción en la lista y me pasó uno de los auriculares.

—¿Qué trabajo crees que te darán en la ciudad? ¿El de escribano?

—Vamos a seguir necesitando alguien como Tomi y como yo para documentar las cosas. Hay que preservar el conocimiento con más esmero que antes. Ya no podemos confiar en internet para todo.

—¿Por eso has estado escribiendo a mano, aun teniendo portátil?

—Si nos quedamos sin luz, se perderá todo. No le será útil a nadie. —Se encogió de hombros—. Bueno, podría no serle útil a nadie igual.

Sonó una canción.

—Esta tampoco la conozco —dije.

—Claro que no, son Run the Jewels. —Se apartó el pelo del

rostro lo justo para poder poner cara de «no me extraña»—. Sospechaba que el rap rabioso no era lo tuyo.

Se me erizó el vello de los brazos y de la nuca, y se me ocurrió que nuestra generación probablemente jamás volviera a escuchar una canción con una producción así. Tendríamos que crear nuestro propio arte, algo del todo nuevo. Estoy seguro de que ocurrirá, si encontramos un modo de sobrevivir. Ese era el mayor condicionante, el que no había querido considerar todavía; hacía poco más de dos meses del fin del mundo. Lo peor aún estaba por venir, cuando la pérdida del sol acabara con todo lo que no se conservaba en invernaderos y la radiactividad llegara a cada rincón del planeta.

—Mis hijas están vivas —dije de pronto—. He recibido un mensaje de Nadia.

—¡Madre mía, Jon! —Me agarró del brazo—. ¡Qué maravilla!

—Sí, se han ido en coche a Canadá. —Me dolió el corazón, era un dolor físico—. No tenían internet. Y creo que siguen igual.

—¿Qué vas a hacer?

No supe qué decir.

Me apretó suavemente el brazo, con lo que me dio a entender que lo comprendía.

—¿Crees que ella se irá contigo?

Solté un suspiro hondo.

—No sé si alguien querrá. Sería una estupidez. Y más aún teniendo aquí mismo la ciudad, donde podríamos vivir una vida normal.

—Pero debes intentarlo. —Todavía me estrechaba el brazo, entonces me cogió la mano y, resuelta, entrelazó los dedos con los míos—. Yo tenía una sobrina. De cuatro años. Haría lo mismo si ella hubiera sobrevivido.

Se hizo un breve silencio y terminó la canción. Empezó a pasar piezas con la mano izquierda, buscando otra.

—Pero quédate un tiempo —dijo. Tenía las yemas de los dedos frías pero calientes las palmas de las manos, y agarraba con fuerza, como quien sabe hacer cosas con las manos—. No vas a ninguna parte hasta que te haya mirado la muela —añadió.

Me dolía el cuerpo entero, pero conseguí relajarme un rato.

—No sabía que tuvieras una sobrina —le dije.

—Hay muchas cosas que no sabes de mí. —Sonrió.

—Me gustaría.

—Parece como si pensaras que es accidental, y no algo que yo quiera.

—Lo que tú digas —contesté.

Sasha se retorció en sueños y, soltándose de mi mano, ella se inclinó hacia delante para tocarle de nuevo la frente.

Llamaron a la puerta y entró Tomi.

—Eh, pringado —me dijo—, Sophia me ha dado el portátil de Baloche junto con sus contraseñas. ¿Te subes al carro otra vez?

Día 71 (2)

Dylan volvió a dar el agua caliente, la luz y el gas, porque ya no importaba el gasto que hiciéramos de los recursos que nos quedaban. Cargamos como posesos nuestros móviles y portátiles e íbamos por ahí con los auriculares puestos, escuchando música a todas horas. Que yo supiera, todos los ocupantes del hotel habían hecho las maletas y estaban listos para irse. El ánimo era bueno. Dylan y Peter habían pasado el día decidiendo quién pensaba ir en los coches, qué se llevaba y cuándo. Nos iba a hacer falta al menos media docena de viajes solo para transportar a las personas. Más de una docena, dependiendo de la cantidad de pertenencias y de comida que nos lleváramos. Por una vez, me mantuve al margen de la organización y esperé, en cambio, a que me dijeran qué hacer.

Tomi y yo habíamos pasado tres horas revisando el portátil de Baloche, pero no habíamos podido encontrar nada incriminatorio. Los correos electrónicos que estaban en inglés se ocupaban solo de la venta del hotel, y los que estaban en francés ni siquiera podíamos leerlos. Le llevamos una copia impresa a Dylan para que nos los tradujera y yo me llevé las copias impresas de los correos en inglés a mi habitación para leerlos con más detenimiento, por si encontraba alguna pista.

No sé por qué, tenía la sensación de que habíamos pasado algo por alto.

Camino de mi habitación pasé a ver a Nathan, que ya estaba despierto, sentado y muerto de hambre.

—Pensaba que iba a morir de inanición —dijo, zampándose

la tercera lata de mango en conserva y el cuarto cruasán de bolsa—. Es el más triste de los finales, ¿no crees? Bueno, aparte de que te coman a ti. Morir de hambre me parecía muy triste.

Estaba palidísimo y ojeroso, pero se encontraba bien. Había vuelto. Me alegro tanto de que siga aquí...

Le pregunté cómo había conseguido escapar, y pasó un rato sin poder comer.

—A ver... Estuve a punto de salir de allí junto con Dylan y Adam, pero uno de ellos me agarró, no sé, me hizo una llave y me tiró al suelo. Pensé que la palmaría.

—¿Qué pasó?

—Yo..., eh, me lancé a por sus ojos y me lo sacudí de encima. Luego eché a correr, pero no encontraba a los otros. Tampoco podía llamarlos a voces porque me habrían vuelto a capturar. Así que corrí sin más. Entonces me jodí el tobillo y empecé a cojear.

Casi me daba miedo preguntarle.

—¿Y... estaban comiendo... carne humana?

Sorbió los mocos.

—No considero que tuvieran esa intención. Creo que nos querían usar de cebo para conseguir que les entregáramos las armas, la comida y eso. Aunque tampoco me dio la impresión de que definitivamente no fueran a comernos. Es decir, tenían comida, estaban comiendo algo. Nosotros confiábamos en que se tratara solo de ciervo.

Miramos los dos en dirección a la ventana y yo pensé en lo mucho que iba a echar de menos aquel sitio.

—Y tú, ¿qué tal? —me preguntó.

Reí.

—Ah, poca cosa. Ya sabes: fui a la ciudad, volví, intenté no morir unas cuantas veces...

—Intentar no morir ya casi es nuestro trabajo a jornada completa. —Me ofreció un poco de mango, pero lo rechacé—. ¿Qué llevas ahí?

—Ah —dije, ojeando los correos impresos—. Nada, unos

correos electrónicos del dueño del edificio que Tomi y yo hemos estado examinando. Le iba a vender el hotel a alguien que, por lo visto, se alojaba en Saint-Sion mientras negociaban. Intentamos averiguar si tuvo algo que ver con la niña de la azotea, pero me parece que no. Me temo que he estado siguiendo la pista equivocada todo este tiempo. No sabemos nada: ni su nombre real ni la verdadera hora de la muerte. Nada.

—Ignoraba que fueran a vender el hotel —dijo Nathan, echando un vistazo a la habitación—. ¿Quién iba a querer comprar este sitio?

—Un tío británico... Bueno, supongo que es británico, por el nombre. Se llama... Harold Adler —dije, consultando las páginas. Tendría que haberlos relacionado nada más ver el apellido.

Nathan me miró muy ofendido, con una cara que me dejó sin aire.

—¿Te parece gracioso, colega? —me dijo, pensando que bromeaba.

—Eh... no. —Me miraba de un modo que me costaba hablar—. No, lo... lo pone aquí, en los correos.

Me los arrebató de las manos y lo vi temblar.

Me miró y dijo:

—Es mi padrastro. Se llama así, y ya te digo yo que no es británico, sino australiano, porque ese es papá.

Llevo sentado en mi habitación un buen rato. Nathan me ha pedido que no le cuente a nadie lo que hemos descubierto hasta que decida qué hacer. Es comprensible, supongo. Lo que hagamos con esa información debería ser cosa suya.

Peter y Rob están haciendo viajes de ida y vuelta a la ciudad con personas y provisiones. Tomi, Dylan y yo seremos los tres últimos en irnos, cuando ya se hayan llevado toda la comida. Los Yobari y sus hijos se fueron los primeros.

No sé qué va a pasar. Ni siquiera sé si me quiero ir.

Dylan ha venido a mi habitación esta tarde y me ha preguntado si podíamos hablar. Ha traído la maría que le quedaba y nos hemos fumado un porro a medias junto a mi ventana. Así me ha dolido un poco menos la muela y ha disminuido la tensión que había entre nosotros.

—Tú, que has trabajado aquí mucho tiempo —le he planteado—, ¿qué piensas de lo que dijo Tomi? ¿Crees que este sitio está maldito?

Me ha parecido que le hacía gracia la pregunta, pero, para mi sorpresa, se ha encogido de hombros.

—No sé. A lo mejor, sí. No creo en las maldiciones, pero creo en..., ya sabes, eso de que «el que la hace la paga». Igual en este sitio han pasado demasiadas cosas y de ahí que haya llegado a su límite.

—¿El karma?

—Sí. Si hay algo maldito, será la gente que se ha alojado aquí. Igual ahora haya que intentar hacer mejor las cosas.

He memorizado todos los rincones de mi habitación. He repasado todas las anotaciones que he ido garabateando, todas las notas adhesivas que me he escrito como recordatorio de que debía mantenerme entero. Habría más de una veintena de ellas. He pensado en llegar a la ciudad, donde tendría una casa, o un piso, en que podría usar el portátil todo el tiempo, escuchar música, contestar los mensajes, quizás incluso ver películas en *streaming*. Es increíble lo inmenso que puede parecer el mundo con acceso a internet, a todo el conocimiento.

—Mira, a propósito de hacer las cosas mejor, siento haber creído que tenías algo que ver con lo de la niña del depósito —le he dicho, quitando el tapón el primero después de una sequía particularmente larga—. No sé cómo he podido pensar que hubieras hecho algo así...

—No, perdóname tú por haber creído que estabas loco. Tú no eres así. Intentaba proteger la intimidad de Sophia. Era asunto suyo, y ella estaba asustada —ha dicho, y ha cogido el canuto, le ha dado una calada y se ha cruzado de brazos—. Destruí las grabaciones de seguridad porque pensé que, a lo mejor, las visionaba la policía y la detenían. O las veías tú y te lo tomabas a mal. Ya, es absurdo que me preocupara la policía, pero, por entonces, aún pensaba que terminarían viniendo en algún momento.

—Lo entiendo. Yo no tendría que haber entrado en tu habitación.

—Y yo no tendría que haber dejado que Sophia entrase en la tuya —me ha dicho con el ceño fruncido—. Somos un grupo pequeño. Debemos confiar en los demás. Tendría que haber dado ejemplo, en vez de apuntarte con un arma.

—En adelante, ya no vamos a ser un grupo pequeño. En la ciudad hay mucha gente.

—Seguiremos siendo un grupo pequeño.

A lo mejor estaba siendo optimista (no todos nos llevábamos bien), pero quiero pensar que igual tenía razón, que nos mantendríamos unidos.

—Rob me ha dicho que has recibido un mensaje de tu mujer y que te cuenta que las niñas están bien. Me alegro por ti, tío.

—Gracias.

Me ha tendido la mano y me la ha estrechado con fuerza.

—Eso me ha hecho pensar. Parecía tan improbable que tus hijas hubieran sobrevivido... Me dijiste que estaban en una gran ciudad. A lo mejor la mía sigue viva.

—¿Le has mandado algún mensaje?

—Sí, un par de veces, cuando salimos del hotel. No he vuelto a saber nada, pero tu familia ha tardado un montón en contestarte. No sabemos dónde funciona internet. Igual está bien —ha dicho, meneando la cabeza—. La idea de marcharme e intentar llegar a Múnich no me agrada mucho, pero la de quedarme aquí y no intentar encontrarla me convence menos aún.

Me ha aliviado comprobar que le preocupaba lo mismo que a mí, y he sonreído.

—Yo lo he estado pensando. No sé cómo llegar a Estados Unidos. Seguramente moriría intentándolo, pero... No sé.

—¿Necesitas que sepan que lo has intentado? —me ha dicho.

—Sí. Exacto. Lo que menos importa en todo esto soy yo, pero lo que no quiero es que mis hijas piensen que tiré la toalla y me dio lo mismo no volver a verlas.

—¿Qué harías tú en mi lugar? —me ha preguntado, mirándome a los ojos—. ¿Te irías?

—Ni siquiera sé si yo mismo me voy a marchar.

—Pero ¿y si fueras yo?

Me he dado cuenta de que estaba apretando los dientes otra vez y un fuerte calambre me ha recorrido la mandíbula hasta la oreja y en dirección a la base del cuello.

—¿Te encuentras bien? —me ha preguntado Dylan.

—Sí, perfectamente, descuida. Es esta muela —le he dicho, señalándome con los dedos la zona, que me notaba blanda y dolorida—. Si yo fuera tú, creo que no haría nada sin recibir antes un mensaje.

—¿En serio?

—Yo no estaría planteándome volver a Estados Unidos si no me hubiera llegado un mensaje de Nadia. ¿Para qué? Podría seguir viviendo aquí. Podríamos hacer muchas cosas en la ciudad. Empezar de cero, ser normales. No sabemos qué está pasando por ahí. Y no sé si quiero saberlo.

—Me daría mucha pena que te fueras, Jon. Nos la daría a todos.

—No quiero irme. —Me ha asombrado lo convencido que estaba. Mientras lo iba diciendo, hasta he esperado que me diese una razón irrefutable para quedarme. Estaba deseando que me obligaran a quedarme—. Solo que tengo la sensación de que debo hacerlo. Necesito encontrar a mi familia.

—A lo mejor deberías madurarlo. Una o dos semanas. Meditarlo. Escribir a tu mujer. Igual ella prefiera saber que sigues vivo a que has muerto por el camino.

—Joder, tienes razón —le he dicho, y me han dado ganas de abrazarlo.

Me ha sonreído.

—Y te prometo que no lo digo por egoísmo, porque quiera que te quedes.

Fuera ha empezado a llover. Poco más que una llovizna descolorida.

—¿Sabes qué? —le he dicho—. Uno de los guardias de la ciudad nos comentó que la lluvia es radiactiva. No se puede beber.

Dylan ha apagado la colilla del canuto directamente en la mesilla.

—Se me ocurrió hace poco, cuando aún estábamos destapando esos depósitos, solo que no quería reconocer que el proyecto era inútil y que no se me había ocurrido antes. La lluvia es radiactiva. Resulta tan obvio... Me puso triste, ¿sabes?

—Sí —contesté, y vi que un par de lágrimas le resbalaban despacio por las mejillas.

Día 72

¡Larga vida a Saint-Sion!

PAZ.

Es una ciudad, pero no se parece a ninguna que yo recuerde. Es como un mito del que oí hablar una vez, sobre la palabra «comunidad», pero nunca hasta ahora lo había visto materializado en ninguna parte de la sociedad que hubiéramos construido antes.

El primer día me dediqué a asignar viviendas. Había muchos inmuebles vacíos, abandonados por los desterrados y también por las personas que simplemente habían huido de la zona en busca de... ¿un avión o un barco que los llevara a algún sitio más seguro? Quién sabe. Se me ocurrió que, en términos porcentuales, la mayor migración de humanos en masa de todos los tiempos debía de haber tenido lugar en los últimos meses.

Nos preguntaron si nos parecía bien compartir piso o casa y, en ese caso, con quién.

—La gente tiene derecho a vivir sola —dijo el agente de realojamiento—. Si hay espacio.

Yo dije que a mí me parecía bien y empecé a escribir los nombres de varios compañeros. Puse a Rob como primera opción, luego, a Nathan, con quien no he podido hablar desde que descubrimos lo de su padre. Pensé en Adam, pero dudé por su fantasma. También dudé de si debía incluir a Dylan porque, por lógica, viviría con Tania y, en caso contrario, no quería interponerme entre ambos. Le di bastantes vueltas a si debía añadir a Tomi y, al final, la puse porque la duda me produjo cierto malestar.

Después de rellenar el impreso, me topé con Tomi a la puerta del edificio. La sala de espera empezaba a estar abarrotada, porque todos aguardábamos el trámite.

—¿Me has puesto en tu lista? —me preguntó, apoyada en la pared.

—Claro. —Observé que el edificio del otro lado de la calle era una tienda de alimentos reconvertida y que había seis guardias armados custodiando la entrada. Más que en el ayuntamiento—. ¿Tú me has puesto a mí?

—No. No te ofendas. Me gusta vivir sola.

Y me sentí estúpido por haber pensado que a ella pudiera importarle con quién quería vivir yo.

Levantó la vista a la inmensa nube naranja, que parecía mucho más baja y resultaba mucho más amenazadora sin el refugio de los árboles circundantes.

—¿Te han soltado ya la charla?

—¿Sobre qué?

—Que no desafiemos sus normas, como todos los estadounidenses...

—No. Me han dicho varias veces que no puedo tener un arma, pero nada más. Igual no les parezca un estadounidense problemático.

Rio. Desde que se recuperó de su enfermedad, está mucho más delgada, y más pálida. Ha empezado a llevar el pelo recogido en una trenza larga, y le queda bien. Cuando le pregunté por qué, me dijo que no quería que se le encrespara y también que llevando el pelo suelto no tenía despejado el campo de visión en caso de emergencia.

La muela me dolía otra vez una barbaridad. Por un tiempo, me había atrevido a pensar que estaba mejorando, pero el dolor había empeorado tanto en los dos últimos días que sospechaba que quizás el estrés lo hubiera estado manteniendo a raya. El cuerpo humano es así de raro: cuando uno se relaja un poco, empieza a notar el agotamiento físico.

Cuanto más tiempo pasábamos allí fuera, mayor era la sensación de que Tomi quería decirme algo.

Esperé a que lo hiciera.

—¿Te marchas? —me preguntó por fin, toqueteándose la trenza—. Dylan me ha dicho que has recibido un mensaje de tu mujer.

Dijo «mujer» en voz baja, como si se tratara de una palabrota.

—No lo sé —respondí sinceramente.

—Sabes que para acercarnos siquiera a la costa portuguesa tendríamos que atravesar zonas de impacto, ¿no?

—A lo mejor puedo coger un avión desde algún sitio más cercano.

—¿Y luego qué?, ¿pilotarlo tú?

—Pues... ¿A qué te refieres con que «tendríamos que atravesar»?

—Si de verdad estás lo bastante grillado para intentar volver a Estados Unidos, ten por seguro que voy a ir contigo.

—Eso es... ¿Por qué?

Se encogió de hombros.

—Yo también soy de allí. Además, ¿qué harías tú sin mí?

—Buen argumento. —Sonreí un poco, y hasta ese leve ejercicio muscular me dolió—. ¿En serio? ¿Vendrías conmigo? ¿Aunque nos hayamos mudado a la ciudad y...? Aquí podrías volver a tener una vida normal.

—Existir no lo es todo.

Me sorprendió que la más pragmática de nosotros fuera a hacer algo tan evidentemente disparatado por mí, pero, como siempre, el hecho de saber que estaba de mi parte me hizo sentir más seguro.

—Ni siquiera tengo claro si me voy a ir —dije, para que todo pareciera menos definitivo—. Tienes razón, es una locura.

—Pero, si se te había pasado por la cabeza ir en barco, no cuentes conmigo porque me aterra el mar.

—¿Por qué te aterra el mar?

—Bueno, el mar, no. Sé nadar y todo eso. Me aterra la profundidad, las... Hay una palabra para eso: «megalohidrotalasofobia». Significa, concretamente, miedo a las cosas grandes que pueda haber en el agua. Así que, en realidad, no me aterra el mar en sí, sino el no saber qué hay por ahí. Guarda relación con la idea de flotar en un sitio donde no se vea tierra ni nada a lo que agarrarse, en un entorno que no manejas y donde no percibes lo que tienes debajo, pero que podría ser cualquier cosa y podría ser tan enorme e inmenso que alcanzara a engullirte entero sin que tuvieras perspectiva suficiente para verlo venir. De repente, el espacio que tienes debajo se volvería oscuro, durante kilómetros, quizás, y no lo verías porque estarías flotando allí, sin control; no podrías alejarte nadando y te faltaría el aire, mientras intentabas mantenerte a flote y con la cabeza fuera del agua, y luego, de pronto, algo del tamaño de una carretera, o de una ciudad, te tragaría.

Me estremecí y miré con disimulo mi nuevo móvil, pero no tenía mensajes nuevos.

—Oye, siento que al final no hayas podido averiguar qué le pasó a aquella niña —me dijo Tomi.

Me la quedé observando un buen rato y luego miré de reojo las puertas de acceso para asegurarme de que estaban cerradas. A lo mejor no era yo quien tenía que contarle el secreto, pero merecía saberlo. Me había ayudado desde el principio. Si alguien iba a seguir ayudándome, esa era Tomi.

—¿Por qué me miras así? —me preguntó, incómoda.

Tomé aire.

—Tengo que contarte una historia muy rara sobre Nathan.

Quienquiera que seas, tengo la sensación de que no te lo he contado todo o, cuando menos, por omisión, no he sido del todo sincero a propósito de la clase de hombre que soy. Creo que le debo a Nadia hablar de lo que ocurrió antes de marcharme, porque yo no debería haber estado aquí y me siento como un hipócrita angustiándome por encontrar el modo de volver con mi familia, cuando recuerdo lo desesperado que estaba por abandonarla.

La víspera del día en que me fui bajé al salón hacia las nueve, después de asegurarme de que las niñas seguían acostadas, y me encontré a Nadia sentada allí, mirando fijamente la tele y la pantalla del portátil alternativamente. Se había organizado otra manifestación —en Nueva York, San Francisco, Washington, Austin, San Luis..., en todas partes—, pero a esa no habíamos ido porque no podíamos asistir a todas las marchas.

Las pancartas que se veían en televisión eran, en general, del mismo estilo:

NO AL FIN DEL MUNDO.

PONGAN TÉRMINO A LA CARRERA NUCLEAR.

Cosas así.

Me había servido una copa de vino mientras me quejaba de uno de los profesores de Marion, que era un puto fascista, cuando vi que Nadia guardaba silencio en el sofá y no me percaté de lo callada que estaba hasta que miré de reojo su portátil y descubrí que había entrado en mi cuenta de correo electrónico.

—¿Qué estás mirando?

—Ah, pues estaba... —No le apetecía ni inventarse una excusa, así que se levantó y apagó la tele—. Tienes unos cuantos correos que parecen urgentes. Deberías contestarlos.

Por un rato sentí que no había suficiente aire allí dentro. Hablar con ella era como atravesar una zona de turbulencias. Casi todo lo que intentaba decir quedaba suspendido en una especie de limbo para desplomarse luego en el vacío, sin llegar a cruzar el espacio aéreo.

Creo que le contesté algo así:

—Oye, espera un momento...

Se fue a la cocina y me dejó allí.

Fui tras ella para poder terminar la frase, pero Nadia miraba con fijeza el vino que vertía en la copa.

—Ya le he dicho que pare, que no está bien... —Levantó una mano para que me callara y bebió un buen trago de vino. Pero no dijo nada—. Nadia, por favor, no irás a...

—No irás a ¿qué? —Otro trago de vino, se sirvió más—. ¿Sabes qué es lo más gracioso? Que me había convencido de que no ibas a volver a hacerme eso, una estupidez por mi parte, ¿no?, porque tienes un ego tan desmedido que si una mujer deja de mirarte un segundo, te buscas otras dos. Seguro que te hace sentir muy listo, acostarte solo con veinteañeras, muy importante. Pues ¿sabes qué? Que me sorprende que conserves tu empleo...

—No puedo hablar contigo si sigues convirtiendo esto en algo que no es.

—¿Y qué es, Jon? —me preguntó, llevándose la mano a la cadera—. ¿Qué hace que tu necesidad irresistible de follarte a cualquier alumna que te sonría un poco sea tanto más especial que la de cualquier otro hombre?

—No digo que yo sea especial, solo que... —Pensé que sabría cómo terminar esa frase, pero no, y ella contuvo la respiración.

La semana anterior la había acompañado a una de las manifestaciones antinucleares. Habíamos dejado de llevarnos a las niñas después de la última, porque habíamos visto que la policía llegaba en equipos antidisturbios. Nadia informaba en directo, publicando vídeos en su cuenta de Twitter. Yo quería apartarme de la cabecera, pero Nadia quiso acercarse lo bastante para oír los discursos. Me prometió que nos iríamos enseguida. Se abrió paso desde el centro de la calle hacia los lados, donde había mucha menos gente. La seguí, preocupado, como siempre. Cuando le di alcance, tenía el móvil en alto y estaba grabando a un policía que discutía a voces con una, pareja de manifestantes. Eran unos críos negros, estudiantes universitarios, evidentemente, y Nadia se puso a grabar sin decir nada y entonces el poli se volvió y empezó a gritarle a ella: «¡No puede grabar, señora!», y le quitó el móvil y la mantuvo a cierta distancia con la otra mano, en la que sostenía una porra. Su rostro blanco había palidecido de miedo. Me acerqué corriendo y vi que los estudiantes le gritaban al policía que la dejara en paz y Nadia le gritaba que le devolviera el móvil porque era periodista. Llegué a donde estaban y me interpuse entre el policía y mi mujer, y le dije algo así como: «¡Eh, no toque a mi mujer!», y él me asestó un puñetazo en la sien. Entonces, la multitud empezó a dispersarse y yo perdí las gafas.

Cuando el vídeo llegó a las redes sociales de Nadia, uno de los profesores de Marion comentó que quizá me merecía el puñetazo del policía por protestar en público contra el Gobierno.

Esa fue la última vez, antes de marcharme, que fui capaz de recordar lo mucho que quería a Nadia. Si no te propones querer a diario de forma consciente, es algo que se olvida con facilidad. Pero, aun a riesgo de que ese poli me pegara un tiro, mi instinto habría sido el mismo. Daba igual que me asestaran un puñetazo en la sien o que me pegasen un balazo. Ella era mi mujer.

—Vaya, ni siquiera eres capaz de inventarte una excusa —dijo Nadia.

Cogió la botella de vino tinto, me rodeó y volvió al salón, y cuando me disponía a seguirla vi a Ruth plantada en el umbral de la puerta con la misma cara que su madre, aunque la suya me dolió muchísimo más. Ya la había decepcionado un padre. Ahora la decepcionaba otro.

—Espera... ¡Espera!

Subió corriendo las escaleras.

Me deshice de la copa a toda prisa y llegué al descansillo justo cuando la puerta de su cuarto se cerraba de golpe.

—¡Ruth, no es lo que parece!

—¡Vete!

Sabía que estaba sentada en el suelo con la espalda pegada a la puerta.

No quería entrar a la fuerza, o me daba miedo hacerlo, así que me quedé fuera como si hubiera cerrado con pestillo.

—Venga, ábreme, lo que has oído no es lo que piensas.

—¡Eres un mentiroso! —me chilló—. ¡Déjame en paz, siempre mientes!

Como no podía entrar en su cuarto y tampoco podía volver abajo, me quedé en el descansillo un buen rato; me aterraba moverme en cualquier dirección.

Al día siguiente, Nadia me había dejado apartada una taza de café, y vi que, al soltar el vino tinto corriendo el día anterior, lo había derramado por la encimera de madera, manchándola.

—¿En serio crees que irte ahora es lo mejor para nosotros? —me dijo mientras yo dejaba la maleta en el pasillo y me entretenía buscando el pasaporte y las tarjetas de embarque.

Sinceramente, no recuerdo qué le contesté, pero recuerdo bien que pensé: «Hablaremos cuando vuelva. Ya lo arreglaré cuando vuelva».

Y puede que entonces me lo creyera, cuando estaba seguro de que tenía tiempo.

Día 73

Todo estaba en silencio esta mañana cuando hemos cruzado la ciudad a pie, salvo por el chasquido irregular de la muleta de Nathan en la acera y el sonido de mis propios pasos desvaneciéndose por encima de los chalés bajos de las afueras. He tenido un presentimiento sobre lo que me iba a encontrar.

Ayer, mientras estábamos en la oficina de admisión, pregunté por Albert Polor y me dijeron que aquel tipo solitario se había convertido en una especie de predicador de la comunidad. Habían verificado su nombre con una tarjeta de embarque. Si pedías cita, y tenías algo con que hacer el trueque, se ofrecía a leerte el futuro. Curiosa ocupación para los tiempos que corrían, me dije. ¿No estaba el futuro de cada uno de nosotros estrechamente ligado al de los demás? Por lo visto, siempre lo había estado.

Tomi se había ofrecido a acompañarme, pero yo le había dicho que se quedara en la cama. Por una parte, porque no quería que Nathan supiera que se lo había contado y, por parte, porque era muy posible que Polor lo negara todo.

Encontramos la casa de Albert Polor al lado de una casita de dos plantas cuya fachada principal estaba tapiada casi por completo. Había algo pintado con espray blanco en la madera y le pregunté a Nathan qué significaba.

Se detuvo y se masajeó la axila, que empezaba a dolerle.

—«Pronto disponible» —me contestó.

Observamos la casa que habíamos ido a buscar. El césped estaba muy bien cuidado. Había tiestos fuera, pintados de diversos colores, sin nada dentro, claro. No había ninguna luz encendida.

—Si se ha enterado de que había llegado un grupo de huéspedes del hotel, habrá salido corriendo —dijo Nathan, apoyándose en mí—. En ese caso, ¿qué hacemos?

—Nos vamos a casa.

Asintió con la cabeza, como si fuera lo lógico, y nos acercamos los dos a la puerta principal. Nathan apoyó la mano en ella, luego llamó con fuerza cuatro veces.

Nada.

A lo mejor sí había huido.

Nathan acababa de soltar la respiración que había estado conteniendo cuando escuchamos el descorrer de unos cerrojos y abrirse la puerta.

El hombre que vimos llevaba pantalones de vestir holgados y una camisa blanca remangada, iba descalzo y sonreía con tristeza. Tenía montones de canas y la papada de un hombre de cincuenta y muchos años que, en su día, había lucido un rostro fuerte y anguloso.

Nathan no dijo nada, y por un segundo me preocupó que no fuera él.

Pero el hombre que se hacía llamar Albert Polor sonrió aún más si cabe, abrió la puerta de par en par y dijo:

—Sabía que, aunque tardaras, terminarías viniendo.

Por lo visto, había estado coleccionando lámparas, aunque solo tenía encendidas una o dos, supongo que por ahorrar luz. La casa tenía pinta de haber sido la residencia de una persona mayor y olía como una. También olía a perro y a algo hecho al horno. En la cocina había un samoyedo blanco que parecía de peluche, al otro lado de una valla de seguridad infantil.

El hombre que se hacía llamar Albert Polor, y que en realidad era Harold Adler, nos invitó a sentarnos a su estrecha mesa de comedor mientras nos preparaba un té. Ninguno de los dos había dicho nada desde que nos había abierto la puerta. Aguardamos en silencio. Observé la cruz en la pared y procuré aclimatarme a aquel encuentro, que no estaba desarrollándose en absoluto como había previsto. Me había imaginado persiguiendo a un fugitivo por el bosque, dándole alcance y matándolo después a puñetazos, o quizás ahogándolo, lo que habría supuesto una especie de justicia poética.

Pero esperamos a que volviera con el té verde y yo empecé a bebérmelo cuando aún escaldaba porque necesitaba ocuparme las manos con algo.

—Supongo que tendrás muchas preguntas —dijo Harold.

—¿Tú crees, papá? ¿Cuánto tiempo llevas aquí?

—En esta casa, poco más de dos meses.

—¡No, aquí! —exclamó Nathan con un gesto más expansivo, de mayor brusquedad.

—Estuve un tiempo en un hostal, uno con vistas a la plaza. Serían unas dos semanas, mientras negociaba con Baloche la compra del hotel. Me han dicho que no sobrevivió —añadió con súbita preocupación mientras soplaba el humo de su taza.

—¿Por qué quería comprarlo? —pregunté yo.

—Habréis notado que es especial —contestó—. Fue donde desperté. Volver allí era el incentivo que necesitaba para rehacer mi vida.

—No tiene nada de especial —masculló Nathan—. Sufriste una alucinación y te volviste loco. Así lo recuerdo yo.

Dejó el té, alargó el brazo por la mesa y Nathan se apartó, pero eso no perturbó a su padre, que dejó el brazo allí, con la palma de la mano hacia arriba, en el mantel.

—Estaba convencido de que encontrarías el camino. Tú sabías que era el momento de emprender el viaje.

—Tuvimos que hacerlo, papá: no teníamos suficiente comida para pasar el invierno.

—Me refiero al hotel. Llegaste a tiempo.

—¿A tiempo de qué?

—Para el final.

Pensé que Nathan le iba a tirar el té a la cara.

—Deja de decir chorradas. No me voy a quedar aquí sentado escuchándote como cuando tenía trece años. Cuéntame qué coño pasó de verdad.

—Ya sabes lo que pasó.

—¡Qué le pasó a la niña que encontramos en el depósito de agua! Por eso sigues escondido aquí, ¿no? ¿Por eso te has puesto el nombre de un profesor muerto y finges que ahora eres, qué, un cura?

—Ah. —Bebió un sorbo de té y retiró la mano—. Bueno, ¿qué quieres saber?

—¡Dios! —exclamó Nathan como lo haría un hijo.

—¿La mató? —pregunté en un tono mucho más sereno de lo que había previsto.

—Si queréis mirarlo de la forma más simplista, pues sí, la maté. Pero no fue un sacrificio a la ligera. Al final, hasta ella sabía que yo solo hacía lo que debía hacer.

—¿Quién era? —preguntó Nathan.

—No sé cómo se llamaba, si es lo que me preguntas. Se había apartado de sus padres y esperaba en el arcén, a apenas tres calles de aquí. Vi que, pese a la conmoción, al pánico general, estaba muy tranquila. Me estaba esperando, así que paré y la recogí.

Y recordé el sabor de las galletas de cortesía y haber mirado a la izquierda y haber visto llegar un coche a la puerta del hotel. El único que llegaba a contracorriente.

—¿A qué se refiere con que «hacía lo que debía hacer»? —dije yo.

Harold me miró y sentí su escrutinio como unas manos frías en una exploración médica. Solo los hombres santos pueden mirar así a una persona, con una expresión bañada de serenidad y comprensión a la vez que sondean en tu interior en busca de tus debilidades, de tu objetivo, de la razón por la que has terminado ante su altar y de los recursos de que disponen para retenerte allí.

—Jon —me dijo, como esforzándose por recordar mi nombre—, tú eres un hombre de Dios, lo noto. Sabes que lo único que nos ha salvado siempre, lo único que seguirá salvándonos es el sacrificio de los inocentes. Finges que no lo entiendes, pero sí. Tú escuchaste la voz que te decía que era hora de emprender el viaje.

Tosí y dije:

—Iba a un congreso.

—¿Mataste a esa niña, papá? ¿En eso ha terminado todo el disparate? ¿Desapareces diez años después de un mal viaje de ácido y luego sacrificas a una niña para salvar al mundo? —dijo Nathan con un aspaviento.

—¿Cómo la mató? —intervine yo, incapaz de contenerme, a pesar de que aquello no iba conmigo.

—No quería que sufriera, como comprenderéis. Le suministré una sobredosis de somníferos antes de meterla en el agua. Nada ceremonial, no había tiempo para eso. No fue el sacrificio perfecto, pero no iba a tirarla al depósito para que se ahogara. No soy un monstruo.

—¿A qué se refiere con que «no había tiempo»? —pregunté, rascando ya nervioso los brazos de la silla—. ¿Tiempo para qué?

—Para salvarnos.

—¿De dónde sacó las pastillas?

—¡Cállate! —me gritó Nathan—. Perdona, colega, pero ¡cierra la boca, joder! ¡Deja de hablar por una vez! Y guau... —Rio, volviéndose de nuevo hacia Harold—. ¿Salvarnos? ¿En serio? ¿Cómo lo ves ahora? ¿Te sientes muy salvado?

—Lo estamos.

—¡No! No, no me vengas con que sobrevivimos porque te volviste tarumba. No puedes mirar el sol resplandeciente por las mañanas y decir: «Lo he hecho yo». ¡Las cosas no funcionan así!

—Las personas que estaban preparadas para ser salvadas se han salvado. Los puros de alma y de corazón se han salvado. Los que bebieron el agua sagrada se han salvado. Todos los fragmentos de las Escrituras que aluden al juicio final predecían lo mismo.

—Entonces, ¿qué haces tú aquí todavía? —gruñó Nathan desde el otro lado de la mesa—. Si es cierto lo del «No matarás» y toda esa mierda, ¿por qué sigues aquí?

Harold sonrió, pero me sonrió a mí primero.

—He visto mi propia muerte, al igual que vi mi propio viaje. Ese sacrificio no fue solo de ella, sino también mío. No he dicho que vaya a morar aquí por mucho tiempo.

—¿Por eso usas un nombre falso? ¿Esperas que la muerte llame a la puerta equivocada? —espetó Nathan mientras se le caían las lágrimas.

Hubo una pausa.

—Puede. Puede que pensara eso.

La conversación me tenía atrapado en la silla. No sabía cómo proceder. Allí estaba: el hombre al que había estado buscando. Ahora que lo tenía delante, no sabía qué hacer. Dejé en la mesa la taza de té, ya vacía.

Se hizo un silencio lo bastante largo como para que me atreviera a volver a hablar.

—Ha presenciado su propia muerte. Entonces, ¿puede ver el futuro?

—¿Qué tienes? —respondió—. Acepto donaciones.

Como si saliera de un trance, Nathan se frotó los ojos y exclamó:

—¡Jon, ni se te ocurra!

—No, lo voy a hacer. Dígame. —Me saqué del bolsillo los últimos caramelos de Sophia, aún envueltos, y se los puse en la mesa. Solo quedaban unos tres—. Dígame mi futuro.

Los aceptó y se los llevó enseguida a la cocina, donde el perrito blanco empezó a ladrar al ver a su dueño.

Durante su ausencia, Nathan y yo nos miramos. No habíamos hablado de lo que íbamos a hacer. ¿Informar a las autoridades locales y confiar en que les confesara lo mismo a ellos? ¿Esperar que se lo tomaran en serio sin pruebas, sin un nombre ni un cadáver siquiera? La única alternativa que quedaba era asesinarlo en su propia casa, sin poder contar con la facilidad impersonal que concede un arma de fuego y enfrentándonos por ello a un destierro casi seguro.

Quizás Harold estuviera tan tranquilo porque sabía que no podíamos hacer nada.

Trajo al comedor un acuario vacío y lo rellenó con una manguera conectada a uno de los grifos de la cocina.

A mí me daba miedo preguntar, así que lo hizo Nathan.

—¿Para qué es esto?

—Mira el agua utilizada para bautizar a un hombre y sus pecados te serán revelados. Y su futuro. —Se comió uno de los caramelos y fue a cerrar el grifo—. Hijo, ¿quieres ser tú el primero?

—No, gracias.

—Lo hago yo —dije, quitándome las gafas.

—A ti ya te han bautizado antes —dijo Harold, extendiendo un brazo—. Ven.

Ahora que lo pienso, no sé por qué accedí. Sabía que podía estar a punto de ahogarme, pero por entonces albergaba dudas incluso de que fuera a morir. «A la mierda —pensé—. Léame el futuro. Convénzame de que hay uno. Por favor, convénzame».

Apoyé ambas manos en la mesa y miré el interior del acuario. Nathan se apartó, horrorizado.

—Recuerda que solo podrás ver lo que estés preparado para ver —me dijo Harold, remangándose aún más—. Lo que quieras ver tienes que soltarlo en el agua.

—Y eso, ¿cómo lo hago?

—Has llegado hasta aquí porque lo que viste en el agua te mostró el camino. Seguro que lo harás bien. —Me lo quedé mirando. Él me miró a mí—. ¿Estás preparado? —me preguntó. Asentí con la cabeza y él me puso ambas manos en los hombros, provocándome un escalofrío que me recorrió la espalda—. Yo te bautizo en el nombre del Padre, del Hijo y del Esp...

En cuanto me metió la cabeza en el agua helada, todo lo demás se esfumó. Intenté agarrarme a los bordes del acuario, pero era como si tuviera un codo en el cuello. Estaba demasiado inclinado hacia delante. No podía hacer palanca, ni respirar, de repente. Exhalé todo el oxígeno que me quedaba en los pulmones y fue como si me estuviera ahogando con mis propios órganos. Sentí una opresión en el pecho, la garganta llena de agua. Abrí los ojos y todo estaba mucho más oscuro de lo que esperaba.

Vi la primera vez que me había sumergido por completo en el agua mientras buscaba a tientas el vestido amarillo de la niña, la niña que ya no tenía nombre, pero que me había conducido allí. Me pregunté si estaría viviendo sus últimos momentos, fotograma a fotograma. Abrí la boca para gritar, inhalé agua y salí disparado hacia arriba al mismo tiempo que cesaba la presión en mis hombros.

La luz tenue de una o dos lámparas me resultó cegadora entonces, mientras yo salía bruscamente del agua y recobraba la respiración, me desplomaba sobre la mesa y hacía caer el agua en cascada al suelo.

Harold me tenía agarrado por el brazo y el hombro derechos con una llave de tornillo mientras yo jadeaba y escupía agua, los dos agachados sobre la mesa como si estuviéramos echando un pulso o simplemente abrazándonos.

—He tenido mis momentos de duda, como cualquier hombre —dijo Harold, alzando la voz por encima de mis jadeos, con su rostro a escasos centímetros del mío—, pero solo Dios enviaría tan digno adversario a mi puerta. Como muestra de gratitud, voy a decirte lo que necesitas saber.

Forcejeé para apartarme, pero él me acercó hacia sí aún más y me dijo al oído:

—Estás indeciso, pero sabes que ahora tu sitio está aquí. Tu viaje no va a retroceder. Escúchame, Jon, gracias por ayudar a mi hijo a encontrarme. Debes saber que son libres. ¡No quieren que vuelvas!

Se oyó un golpe seco, como de un niño atropellado por un coche, y yo me zafé de él y caí al suelo. Palpé alrededor, pero no encontraba las gafas. El perro ladraba, un chillido agudo que inundaba toda la habitación. Yo no oía otra cosa. Me froté los ojos y seguí robándole oxígeno al aire, inhalando y exhalando entrecortadamente, mientras al otro lado de la mesa Nathan levantaba la muleta metálica por encima de su cabeza y la bajaba una y otra vez.

Aún tosía, me dolía el pecho de tanto luchar por mi vida, por seguir inhalando y exhalando, y no oía otra cosa que al perro mientras Nathan mataba a su padre a golpes en medio del charco de agua.

Día 73 (2)

Nos llevamos el samoyedo y volvimos andando despacio con la correa enroscada en mi muñeca izquierda. No parecía importarle en absoluto la muerte de su dueño. O Harold no era el propietario original de aquel perro o nuestros perros siempre han sido más volubles de lo que queríamos creer.

Nathan iba apoyándose en mí porque se había dejado la muleta en el suelo del comedor.

Íbamos dejando los dos un rastro de agua a nuestro paso y, como era de esperar, antes de que recorriéramos unas dos manzanas nos recogió un coche patrulla. Porque parecíamos un hombre que había estado a punto de ahogarse y otro que acababa de cometer un asesinato, además de dos hombres que habían robado un perro.

Nathan no me dejó que lo cubriera en nada. Confesó y firmó una declaración, y a mí me soltaron, pero a él, no. Cuando lo hicieron, me preguntaron por qué me había llevado el perro, y yo contesté que no quería que empezara a devorar el cadáver, así que me dejaron llevármelo a la casa que ahora compartía con Rob. También me dijeron que tengo que volver mañana para que me tomen declaración, pero que debía ir primero al hospital a que me vieran la muela, porque la mujer que nos había recogido había observado que no dejaba de masajearme la mandíbula.

Entré en la casa y Tomi, que me había estado esperando en el salón, me preguntó qué demonios había pasado, y después: «¿De dónde ha salido ese perro?».

Le hice un gesto como de «luego te lo cuento», le pasé la correa y le dije que necesitaba asearme y cambiarme de ropa. Entonces, me encerré en el baño de arriba, dejé correr el agua y me pregunté qué acababa de suceder. Durante un buen rato me resistí a mirarme en el espejo, porque veía que tenía la mandíbula algo inflamada y el síntoma visual era, no sé por qué, más preocupante que el dolor físico con el que había estado lidiando a diario. En su lugar, me senté en la bañera mientras corría el agua caliente y dejé el móvil a un lado.

«¡No quieren que vuelvas!».

Me sumergí bajo el agua y contuve la respiración con la esperanza de que se me revelara algo o, como mínimo, que el dolor de muela remitiera. Pero lo único que oí fue el bramido de los grifos y el traqueteo de un cerrojo.

Emergí y miré a la puerta, pero allí no había cerrojos. Solo un cierre sencillo.

Obviamente, aquel hombre desquiciado no había salvado el mundo sacrificando a una niña inocente en la azotea del lugar en el que había alucinado que el mal puro salía reptando de su pecho. Obviamente. Quizá, lo que sí debamos tener en cuenta, lo cual es algo en lo que él me ha hecho pensar, es que el mundo no se ha acabado aún. Si el mundo se hubiera acabado no estaríamos aquí, sobreviviendo, sufriendo y escribiendo sobre ello día a día. El fin del mundo es un concepto que consuela bastante porque, en teoría, no tendríamos que sobrevivir a él. A lo mejor, lo que nos ha estado jodiendo de un tiempo a esta parte, más que nada, no ha sido encontrar una forma de digerir que el mundo se haya acabado, sino encontrar una forma de digerir que no lo haya hecho en absoluto.

Un final es fácil; este despertar terminal, mañana tras mañana, no lo es. Reparar y reconstruir, tampoco. Creo que por eso he estado tan furioso, tan desesperado por creer en la paranoia de Adam sobre el purgatorio, por eso quería creer que la niña del depósito de agua había muerto por algo más importante que la violencia continuada de los hombres.

En lugar de una conclusión, no se nos ha ofrecido otra cosa que más vida.

No sé cómo asimilar eso.

Me ha llegado un mensaje privado por Twitter y me he sentado a leerlo, tras limpiar la pantalla empañada.

Nadia ha contestado al que yo le envié: «Por favor, no intentes volver».

Jon Keller lleva unos días sin añadir nada a esta crónica debido a una infección bucal grave causada por un problema no tratado con una muela, que finalmente le han extraído. Aún no se sabe si se recuperará.

Su relato es, en general, fidedigno. Cuando, en fragmentos concretos, nuestra visión de los hechos varía, las diferencias se reflejan en el mío. Pese a todo, tanto si continúa con su crónica como si no, he decidido presentar el documento completo como prueba para la defensa de Nathan Chapman-Adler.

Cuando me lo devuelvan, lo añadiré como Anexo A para que la crónica sea más precisa y completa.

TOMISEN HARKAWAY